COUP de POUCE

Au menu ce soir

COUP de POUCE

Au menu ce soir

**240 recettes
vite faites
pour soupers pressés**

NE CHERCHEZ PLUS QUOI METTRE AU MENU !

Pour préparer de bons petits soupers, certaines ne jurent que par la mijoteuse, alors que d'autres raffolent des recettes à cinq ingrédients. Il y en a pour qui l'idéal est de cuisiner le dimanche après-midi, un verre de vin à la main, en fredonnant un air populaire, et de faire ainsi des provisions pour les semaines à venir. D'autres encore préfèrent ces petits plats qu'on concocte en 15 ou 20 minutes en rentrant du travail. Pour ma part, j'adore quand mon repas se prépare dans un seul plat : en plus de m'épargner quelques minutes de préparation, j'échappe à la corvée de vaisselle. Astucieux, n'est-ce pas ?

Comme vous le voyez, il y a plus d'une façon de gagner de précieuses minutes quand vient le moment de planifier le menu de la semaine. C'est dans cet esprit que nous avons élaboré ce tout nouveau livre de recettes signé *Coup de pouce*.

Au total, plus de 200 nouvelles idées pour les soupers à faire à toute vapeur (et dieu sait qu'il y en a!), de nombreux plats principaux, mais aussi des suggestions de délicieux accompagnements et de finales sucrées. Chacune de ces recettes reflète l'esprit *Coup de pouce* : ingrédients facile à trouver au supermarché, préparation simple et expliquée clairement, trucs, raccourcis, substitutions lorsque nécessaire et, au final, de quoi se régaler toute l'année durant !

Mélanie Thivierge
Rédactrice en chef
de la bannière *Coup de pouce*

TABLE
DES
MATIÈRES

Caroline Duchesne
Rock Détente
Saguenay
6h35
418-543-2645

(Marie 514-217-1747)

CHAPITRE 1

En seulement 20 minutes

Linguine au poulet et aux tomates cerises

4 PORTIONS

2	poitrines de poulet désossées, la peau et le gras enlevés, coupées en lanières sur la largeur	2
¾ c. à thé	sel	4 ml
¾ c. à thé	poivre noir du moulin	4 ml
3 c. à tab	huile d'olive	45 ml
2 t	tomates cerises	500 ml
1	petit oignon, coupé en tranches	1
8	gousses d'ail coupées en tranches	8
1 c. à thé	origan séché	5 ml
2 t	radicchio coupé en lanières, bien tassé (ou feuilles d'épinards entières, bien tassées)	500 ml
4	oignons verts coupés en tranches	4
12 oz	linguine	375 g
¼ t	parmesan râpé	60 ml

1. Assaisonner les lanières de poulet de la moitié du sel et du poivre. Dans un grand poêlon, chauffer 1 c. à tab (15 ml) de l'huile à feu moyen-vif. Ajouter le poulet et cuire, en brassant, pendant environ 3 minutes ou jusqu'à ce qu'il soit doré. Réserver dans une assiette.

2. Dans le poêlon, ajouter les tomates cerises, l'oignon, l'ail, l'origan et le reste de l'huile, du sel et du poivre et cuire, en brassant, pendant 2 minutes. Ajouter le radicchio et cuire, en brassant, pendant environ 2 minutes ou jusqu'à ce que les tomates cerises aient ramolli. Remettre le poulet réservé dans le poêlon. Ajouter les oignons verts et réchauffer.

3. Entre-temps, dans une grande casserole d'eau bouillante salée, cuire les pâtes pendant environ 10 minutes ou jusqu'à ce qu'elles soient al dente. Égoutter les pâtes et les remettre dans la casserole.

Ajouter le poulet et les légumes et mélanger pour bien enrober les pâtes. Au moment de servir, parsemer chaque portion du parmesan.

PAR PORTION : cal. : 546 ; prot. : 30 g ; m.g. : 15 g (3 g sat.) ; chol. : 44 mg ; gluc. : 72 g ; fibres : 5 g ; sodium : 821 mg.

VARIANTE

Linguine au tofu et aux tomates cerises

Remplacer le poulet par environ 12 oz (375 g) de tofu ferme, égoutté et épongé, coupé en lanières.

CUISINE 101

- On lit toute la recette avant de commencer.

- On utilise des fruits et des légumes de grosseur moyenne. Au besoin, on les lave à l'eau courante avant de les préparer.

- On emploie des oeufs de calibre gros.

- À moins d'indication contraire, on utilise du beurre salé.

- On ne tamise pas la farine, le sucre glace et la poudre de cacao avant de les mesurer.

- À moins d'indication contraire, on emploie des herbes séchées émiettées (et non moulues).

- À moins qu'une marque précise ne soit essentielle à la recette, c'est le nom générique des ingrédients qui est utilisé.

- On fait préchauffer le four avant d'y mettre les aliments et, à moins d'indication contraire, la cuisson se fait sur la grille du centre.

- En général, on utilise des casseroles et des plats de taille moyenne, et on ne les couvre pas pendant la cuisson, sauf pour porter l'eau à ébullition.

Pizzas baguettes aux tomates, aux champignons et à la mozzarella

On peut remplacer le fromage mozzarella ordinaire par du provolone. On a envie d'un petit goût plus relevé ? On utilise du fromage mozzarella fumé (qu'on trouve dans les épiceries italiennes), ou encore du cheddar ou du gouda fumés.

4 PORTIONS

1 c. à tab	huile végétale	15 ml
2	oignons coupés en tranches	2
2	gousses d'ail hachées finement	2
3 t	champignons frais, coupés en tranches	750 ml
½ c. à thé	sel	2 ml
½ c. à thé	mélange de fines herbes séchées à l'italienne	2 ml
¼ c. à thé	poivre noir du moulin	1 ml
1	pain baguette coupé en quatre sur la largeur, puis en deux sur la longueur	1
2 t	fromage mozzarella râpé	500 ml
⅔ t	feuilles de basilic frais, tassées	160 ml
2	tomates coupées en tranches	2

1. Dans un poêlon, chauffer l'huile à feu moyen-vif. Ajouter les oignons, l'ail, les champignons, le sel, le mélange de fines herbes et le poivre. Cuire, en brassant, pendant environ 6 minutes ou jusqu'à ce que les champignons soient dorés.

2. Mettre les morceaux de pain baguette sur une plaque de cuisson et les parsemer de la moitié du fromage. Répartir sur les pains ½ t (125 ml) des feuilles de basilic, le mélange de champignons et les tomates. Parsemer du reste du fromage.

3. Cuire au four préchauffé à 400°F (200°C) pendant 10 minutes ou jusqu'à ce que le fromage ait fondu. Couper le reste des feuilles de basilic en fines lanières et les parsemer sur les pizzas cuites.

PAR PORTION : cal.: 449; prot.: 21 g; m.g.: 20 g (10 g sat.); chol.: 51 mg; gluc.: 48 g; fibres: 5 g; sodium: 956 mg.

Paninis au jambon et aux artichauts

Tous les types de pain plat, même les pitas épais sans pochette pliés en deux, conviennent à ces sandwichs grillés. Si on utilise un grille-paninis, il faut omettre l'huile.

4 PORTIONS

4	petits pains italiens (de type paninis), coupés en deux horizontalement	4
6 oz	jambon Forêt-Noire coupé en tranches très fines	175 g
1	pot d'artichauts marinés, égouttés (6 oz/170 ml)	1
12	feuilles de basilic frais	12
12	tranches de fromage provolone	12
1 c. à thé	huile végétale	5 ml

1. Sur la moitié inférieure des petits pains, répartir le jambon, puis les artichauts. Garnir des feuilles de basilic et du fromage. Couvrir de la moitié supérieure des petits pains en pressant.

2. Dans un grand poêlon à fond cannelé ou à surface antiadhésive, chauffer l'huile à feu moyen. Ajouter les paninis et cuire, en les pressant de temps à autre avec une spatule, environ 4 minutes de chaque côté ou jusqu'à ce qu'ils soient dorés et croustillants et que le fromage ait fondu. Au moment de servir, couper les paninis en deux.

PAR PORTION : cal.: 412; prot.: 26 g; m.g.: 17 g (8 g sat.); chol.: 49 mg; gluc.: 37 g; fibres: 3 g; sodium: 1 411 mg.

Filet de saumon enrobé de prosciutto

Saumon, prosciutto et moutarde forment un mélange étonnant et franchement exquis, mais le plat sera aussi délicieux avec du flétan, de la truite ou un autre poisson à chair ferme. Idéalement, on utilise de larges tranches de prosciutto pour bien couvrir les morceaux de poisson et leur donner ainsi plus de goût.

4 PORTIONS

¼ t	moutarde de Dijon	60 ml
2 c. à tab	ciboulette fraîche (ou oignons verts), hachée	30 ml
¼ c. à thé	poivre noir du moulin	1 ml
1	filet de saumon, la peau enlevée, coupé en quatre morceaux (1 ½ lb/750 g en tout)	1
4	fines tranches de prosciutto (2 oz/60 g en tout)	4

1. Dans un petit bol, mélanger la moutarde de Dijon, la ciboulette et le poivre. Badigeonner chaque côté des morceaux de saumon du mélange de moutarde et les déposer sur les tranches de prosciutto. Rabattre les tranches de prosciutto sur les morceaux de saumon.

2. Mettre les morceaux de saumon, l'ouverture sur le dessus, sur une plaque de cuisson tapissée de papier-parchemin ou huilée. Cuire au four préchauffé à 400°F (200°C) pendant environ 10 minutes ou jusqu'à ce que la chair du saumon se défasse facilement à la fourchette. (Ou encore, régler le barbecue au gaz à puissance moyenne. Mettre les morceaux de saumon, l'ouverture sur le dessus, sur la grille huilée du barbecue. Fermer le couvercle et cuire pendant environ 10 minutes ou jusqu'à ce que la chair du saumon se défasse facilement à la fourchette ; retourner les morceaux à la mi-cuisson.)

PAR PORTION : cal.: 311 ; prot.: 33 g ; m.g.: 19 g (4 g sat.) ; chol.: 91 mg ; gluc.: 1 g ; fibres : aucune ; sodium : 463 mg.

LES REPAS : UNE AFFAIRE DE FAMILLE

• Idéalement, toute la famille participe à la préparation des repas. Le fait de cuisiner ensemble permet à chacun de raconter sa journée et procure à tous des instants aussi précieux que les bons moments passés à table.

• On fait des repas en famille une priorité. Les études démontrent qu'ils ont un effet positif sur les enfants, aussi bien à l'école que dans leurs relations avec les autres.

• Lorsque les enfants sont jeunes, on prend le temps de leur montrer à mettre le couvert, à peler les carottes et les pommes de terre, à mélanger la vinaigrette, à déchiqueter la laitue, etc. À mesure qu'ils grandissent, on les laisse préparer des plats faciles, spécialement ceux qu'ils préfèrent.

• On garde les recettes préférées dans un cartable ou à l'ordi, dans une boîte à recettes virtuelle – ce service est offert sur coupdepouce.com. On demande à tous les membres de la famille de participer à la planification des repas de la semaine (on tient compte des goûts de chacun), on dresse la liste d'épicerie en conséquence... et on l'apporte au supermarché.

• On amène les enfants à l'épicerie pour leur montrer comment choisir les fruits et les légumes. De cette façon, on leur apprend à faire les meilleurs choix en respectant le budget accordé à la nourriture.

• On affiche le menu de la semaine sur le frigo ou sur un tableau accroché dans la cuisine. Si les enfants sont assez grands, on les encourage à commencer à préparer le souper à leur retour de l'école.

• On établit une liste des tâches à accomplir et on les assigne à tour de rôle. Ainsi, ce n'est pas toujours à la même personne de faire les tâches les moins agréables.

Pizza au boeuf et au fromage

Les restes de rosbif sont parfaits pour cette pizza. Pour lui donner du piquant, on la parsème de lanières de piments forts marinés.

DONNE 8 POINTES.

1 c. à tab	huile d'olive	15 ml
1	poivron vert coupé en tranches	1
2	gousses d'ail hachées finement	2
½	oignon doux (de type Vidalia), coupé en tranches	½
2 t	champignons coupés en tranches	500 ml
1 c. à thé	origan séché	5 ml
¼ c. à thé	sel	1 ml
¼ c. à thé	poivre noir du moulin	1 ml
1 lb	pâte à pizza réfrigérée ou surgelée, décongelée	500 g
½ t	sauce à pizza	125 ml
8	tranches de fromage provolone	8
1 t	rosbif cuit, coupé en tranches fines	250 ml

1. Dans un grand poêlon, chauffer l'huile à feu moyen-vif. Ajouter le poivron, l'ail, l'oignon, les champignons, l'origan, le sel et le poivre et cuire, en brassant, pendant environ 5 minutes ou jusqu'à ce que tout le liquide se soit évaporé. Réserver.

2. Sur une surface légèrement farinée, abaisser la pâte à pizza en un cercle de 12 po (30 cm) de diamètre et la glisser sur une plaque à pizza légèrement huilée. Étendre la sauce à pizza sur la croûte, puis la couvrir de la moitié du fromage. Garnir du mélange de légumes réservé, puis du rosbif. Couvrir du reste du fromage.

3. Cuire dans le tiers inférieur du four préchauffé à 500°F (260°C) pendant 10 minutes ou jusqu'à ce que la croûte soit dorée et que le fromage soit bouillonnant.

PAR POINTE : cal.: 390; prot.: 25 g; m.g.: 17 g (8 g sat.); chol.: 51 mg; gluc.: 33 g; fibres: 2 g; sodium: 786 mg.

CROÛTE À PIZZA FACILE

On trouve de la pâte à pizza réfrigérée ou surgelée dans tous les supermarchés, mais on peut la faire soi-même en un rien de temps. Pendant que la pâte lève, on prépare les garnitures et une salade, on dresse la table... et on se verse un verre de vin !

● Au robot culinaire, mélanger 2 t (500 ml) de farine, 1 ½ c. à thé (7 ml) de levure sèche à action rapide et ¾ c. à thé (4 ml) de sel. Sans arrêter l'appareil, ajouter ¾ t (180 ml) d'eau chaude et 2 c. à thé (10 ml) d'huile d'olive. Mélanger pendant environ 1 minute ou jusqu'à ce que la pâte forme une boule. Laisser lever la pâte dans le bol du robot pendant environ 40 minutes ou jusqu'à ce qu'elle ait doublé de volume.

● Dégonfler la pâte avec le poing. Avec les mains farinées, façonner la pâte en une boule, puis l'aplatir en un disque. Sur une surface légèrement farinée, abaisser la pâte en un cercle d'environ 12 po (30 cm) de diamètre (ou encore, l'étendre en un cercle d'environ 12 po/30 cm de diamètre en la travaillant avec le bout des doigts) (si la pâte est trop élastique, la couvrir et la laisser reposer quelques minutes). Si on aime la pizza à croûte épaisse, laisser lever la pâte, puis la glisser sur une plaque à pizza huilée avant de la garnir; si on préfère une croûte mince, la garnir et la cuire aussitôt. (Donne 1 croûte de 12 po/30 cm.)

Sandwichs au bifteck et aux champignons

On peut servir ces sandwichs avec une salade ou les accompagner de crudités et d'une trempette, comme celle au fromage feta et à l'origan (voir recette, p. 172) ou celle aux fines herbes (voir recette, p. 53).

4 PORTIONS

2 c. à thé	huile végétale (environ)	10 ml
1 lb	bifteck minute d'intérieur de ronde, coupé en fines lanières	500 g
1	oignon coupé en tranches	1
3 t	champignons coupés en tranches (environ 8 oz/250 g)	750 ml
3	gousses d'ail hachées finement	3
1	poivron jaune coupé en tranches	1
½ c. à thé	origan séché	2 ml
½ c. à thé	sel	2 ml
½ c. à thé	poivre noir du moulin	2 ml
1	pain baguette d'environ 24 po (60 cm) de longueur	1
1	pot de coeurs d'artichauts marinés, égouttés (6 oz/170 ml)	1

PAR PORTION : cal.: 427; prot.: 35 g; m.g.: 10 g (2 g sat.); chol.: 49 mg; gluc.: 49 g; fibres: 5 g; sodium: 838 mg.

VARIANTES

Remplacer le bifteck par des poitrines de poulet désossées, la peau et le gras enlevés, coupées en lanières ou par des côtelettes de porc désossées, coupées en lanières.

Remplacer les coeurs d'artichauts marinés par ½ t (125 ml) de tomates séchées conservées dans l'huile, égouttées et coupées en tranches.

1. Dans un grand poêlon, chauffer l'huile à feu moyen-vif. Ajouter les lanières de boeuf, en deux fois, et cuire, en brassant, pendant environ 3 minutes ou jusqu'à ce qu'elles soient dorées mais encore légèrement rosées à l'intérieur (ajouter de l'huile, au besoin). Réserver dans une assiette.

2. Dans le poêlon, ajouter l'oignon, les champignons, l'ail, le poivron, l'origan, le sel et le poivre et cuire, en brassant, pendant environ 5 minutes ou jusqu'à ce que tout le liquide se soit évaporé. Remettre les lanières de boeuf réservées dans le poêlon, avec le jus de cuisson accumulé dans l'assiette, et poursuivre la cuisson pendant 1 minute pour les réchauffer.

3. À l'aide d'un couteau dentelé, ouvrir le pain baguette en deux horizontalement, sans le couper complètement. Si désiré, retirer un peu de mie avec les doigts. Étendre la moitié de la préparation de boeuf sur la partie inférieure du pain. Garnir des coeurs d'artichauts et du reste de la préparation de boeuf, puis couvrir de la partie supérieure du pain. Au moment de servir, couper le sandwich en quatre portions.

Filets de truite à la moutarde

En plus d'être un choix santé, la truite se cuisine rapidement. Vous obtiendrez des résultats aussi savoureux avec du saumon, du tilapia et du pangasius.

4 PORTIONS

4	filets de truite avec la peau (environ 1 ½ lb/750 g en tout)	4
2 c. à tab	mayonnaise légère	30 ml
2 c. à thé	moutarde de Dijon	10 ml
¼ c. à thé	sel	1 ml
¼ c. à thé	poivre noir du moulin	1 ml
1 c. à tab	persil frais, haché	15 ml
	quartiers de citron	

1. Éponger les filets de truite et les mettre sur une plaque de cuisson huilée. Dans un petit bol, mélanger la mayonnaise, la moutarde, le sel et le poivre. Étendre uniformément le mélange de moutarde sur les filets.

2. Cuire sous le gril préchauffé du four, à environ 6 po (15 cm) de la source de chaleur, pendant environ 6 minutes ou jusqu'à ce que la chair de la truite se défasse facilement à la fourchette. Parsemer les filets de truite du persil et les servir avec des quartiers de citron.

PAR PORTION : cal.: 226; prot.: 29 g; m.g.: 11 g (3 g sat.); chol.: 82 mg; gluc.: 1 g; fibres: aucune; sodium: 282 mg.

VARIANTES

Filets de truite au cari
Remplacer la moutarde de Dijon par de la pâte de cari douce (de type Patak's).

Filets de truite au cari thaï
Remplacer la moutarde de Dijon par 1 c. à thé (5 ml) de pâte de cari rouge thaïe.

Haricots verts aux tomates séchées

4 PORTIONS

1 lb	haricots verts parés	500 g
2 c. à tab	tomates séchées conservées dans l'huile, coupées en lanières	30 ml
1 c. à thé	huile d'olive	5 ml
¼ c. à thé	origan séché	1 ml

1. Dans une casserole d'eau bouillante salée, cuire les haricots à couvert de 4 à 5 minutes ou jusqu'à ce qu'ils soient tendres mais encore croquants. Égoutter et mélanger avec les tomates séchées, l'huile et l'origan.

PAR PORTION : cal.: 49; prot.: 2 g; m.g.: 2 g (traces sat.); chol.: aucun; gluc.: 8 g; fibres: 3 g; sodium: 10 mg.

Salade de carottes et de céleri

4 PORTIONS

2	carottes râpées grossièrement	2
2	radis râpés	2
1	branche de céleri râpée	1
2 c. à thé	vinaigre de vin blanc	10 ml
2 c. à thé	huile végétale	10 ml
2 c. à thé	raifort en crème	10 ml
1	pincée de sel	1
1	pincée de poivre noir du moulin	1

1. Dans un bol, mélanger les carottes, les radis et le céleri. Ajouter le vinaigre de vin, l'huile, le raifort, le sel et le poivre et mélanger pour bien enrober tous les ingrédients.

PAR PORTION : cal.: 41; prot.: 1 g; m.g.: 2 g (traces sat.); chol.: aucun; gluc.: 5 g; fibres: 1 g; sodium: 26 mg.

Sauté de porc au bok choy

Le riz est l'accompagnement naturel de ce sauté. Le secret pour servir ce repas rapidement? Préparer d'abord notre Riz infaillible (méthode ci-contre).

4 PORTIONS

¾ t	eau	180 ml
1 c. à tab	fécule de maïs	15 ml
1 c. à tab	sauce soja	15 ml
1 c. à tab	sauce hoisin	15 ml
2 c. à tab	huile végétale	30 ml
1	filet de porc paré, coupé en tranches fines sur la largeur (environ 12 oz/375 g)	1
6	bok choy (choux chinois) miniatures, coupés en deux sur la longueur	6
3	oignons verts coupés en tranches	3
2 c. à thé	gingembre frais, râpé	10 ml
½ c. à thé	cinq-épices moulu ou gingembre frais, râpé	2 ml
1	gousse d'ail hachée finement	1
1	pincée de flocons de piment fort	1
4 t	riz cuit, chaud	1 L

1. Dans une tasse à mesurer, à l'aide d'un fouet, mélanger l'eau, la fécule de maïs, la sauce soja et la sauce hoisin. Réserver.

2. Dans un wok ou un grand poêlon, chauffer la moitié de l'huile à feu vif. Ajouter le porc, en deux fois, et cuire, en brassant, pendant environ 3 minutes ou jusqu'à ce qu'il soit doré. Réserver dans un bol.

3. Dans le wok, chauffer le reste de l'huile. Ajouter le bok choy, les oignons verts, le gingembre, le cinq-épices, l'ail et les flocons de piment fort et cuire, en brassant, pendant environ 3 minutes ou jusqu'à ce que le bok choy ait ramolli. Remettre le porc réservé dans le wok, avec le jus de cuisson

accumulé dans le bol. Ajouter le mélange de fécule réservé et poursuivre la cuisson, en brassant, pendant environ 1 minute ou jusqu'à ce que la sauce ait épaissi. Servir le sauté sur le riz.

PAR PORTION: cal.: 473; prot.: 28 g; m.g.: 10 g (1 g sat.); chol.: 50 mg; gluc.: 66 g; fibres: 3 g; sodium: 410 mg.

RIZ INFAILLIBLE

Dans une casserole couverte, porter à ébullition 2 ⅔ t (660 ml) d'eau et ¼ c. à thé (1 ml) de sel. Ajouter 1 ⅓ t (330 ml) de riz et mélanger. Réduire à feu doux, couvrir et laisser mijoter jusqu'à ce que le riz soit tendre et que l'eau soit complètement absorbée (environ 20 minutes pour le riz basmati, le riz au jasmin et les autres variétés à grain long, et environ 45 minutes pour le riz brun). Au moment de servir, détacher les grains à l'aide d'une fourchette. (Donne 4 à 6 portions.)

Des idées pour parfumer le riz
En même temps qu'on plonge le riz dans l'eau de cuisson, on ajoute, si désiré, une lanière de zeste de citron, un brin de persil, une feuille de laurier ou quelques fines tranches de gingembre frais. On peut aussi remplacer l'eau par du bouillon de poulet ou de légumes.

Filets d'aiglefin dorés

Ce plat est aussi savoureux avec des filets de pangasius, de tilapia ou de truite.

4 PORTIONS

1 ½ lb	filets d'aiglefin ou de morue	750 g
2 c. à tab	persil frais, haché finement	30 ml
½ c. à thé	sel	2 ml
¼ c. à thé	poivre noir du moulin	1 ml
2 c. à tab	huile végétale	30 ml
	quartiers de citron	

1. Parsemer les filets d'aiglefin du persil, du sel et du poivre. Dans un grand poêlon, chauffer l'huile à feu moyen-vif. Ajouter les filets et cuire pendant environ 6 minutes ou jusqu'à ce que la chair se défasse facilement à la fourchette (les retourner à la mi-cuisson). Servir les filets avec des quartiers de citron.

PAR PORTION : cal.: 212 ; prot.: 32 g ; m.g.: 8 g (1 g sat.) ; chol.: 98 mg ; gluc.: 1 g ; fibres : traces ; sodium : 403 mg.

Salade de chou, sauce tartare

4 PORTIONS

¼ t	mayonnaise légère	60 ml
2 c. à tab	vinaigre de cidre	30 ml
2 c. à tab	relish verte sucrée ou cornichons marinés sucrés, hachés	30 ml
¼ c. à thé	sel	1 ml
¼ c. à thé	poivre noir du moulin	1 ml
2 ½ t	chou vert coupé en fines lanières	625 ml
1 ½ t	carottes râpées	375 ml
2	oignons verts coupés en tranches	2

1. Dans un saladier, à l'aide d'un fouet, mélanger la mayonnaise, le vinaigre de cidre, la relish, le sel et le poivre. Ajouter le chou, les carottes et les oignons verts et mélanger délicatement pour bien les enrober.

PAR PORTION : cal.: 84 ; prot.: 1 g ; m.g.: 5 g (1 g sat.) ; chol.: 5 mg ; gluc.: 10 g ; fibres : 2 g ; sodium : 312 mg.

Salade de coeur de romaine

4 PORTIONS

1	coeur de laitue romaine divisé en quatre	1
4	radis coupés en tranches	4
1	morceau de concombre anglais de 2 po (5 cm), coupé en deux sur la longueur, puis en tranches fines	1
2 c. à tab	huile végétale	30 ml
1 c. à tab	persil frais, haché	15 ml
1 c. à tab	vinaigre de vin rouge	15 ml
1 c. à thé	moutarde de Dijon	5 ml
1	pincée de sel	1
1	pincée de poivre noir du moulin	1

1. Disposer les feuilles de laitue dans les assiettes, puis y répartir les radis et le concombre. Dans un bol, mélanger l'huile, le persil, le vinaigre de vin, la moutarde de Dijon, le sel et le poivre. Au moment de servir, verser la vinaigrette sur la salade.

PAR PORTION : cal.: 75 ; prot.: 1 g ; m.g.: 7 g (1 g sat.) ; chol.: aucun ; gluc.: 3 g ; fibres : 2 g ; sodium : 24 mg.

Pommes de terre farcies à la salade de thon

Pour une version gratinée, passer les pommes de terre farcies 2 minutes sous le gril du four, les couvrir ensuite d'une tranche de cheddar, puis les remettre sous le gril pendant environ 3 minutes ou jusqu'à ce que le fromage soit doré et bouillonnant.

4 PORTIONS

4	pommes de terre (de type Yukon Gold) brossées	4
2	boîtes de thon blanc entier ou de thon pâle en morceaux, égoutté (170 g chacune)	2
½ t	poivrons rouges grillés (piments doux rôtis), coupés en dés ou	125 ml
½ t	poivron rouge frais, coupé en dés	125 ml
¼ t	olives noires dénoyautées, coupées en tranches	60 ml
¼ t	mayonnaise légère	60 ml
¼ t	crème sure légère	60 ml
1	branche de céleri coupée en dés	1
¼ t	oignon rouge coupé en dés	60 ml
2 c. à tab	persil frais, haché	30 ml
2 c. à tab	jus de citron	30 ml
½ c. à thé	sel	2 ml
¼ c. à thé	poivre noir du moulin	1 ml

1. Piquer les pommes de terre plusieurs fois à l'aide d'une fourchette et les déposer dans un plat allant au micro-ondes. Couvrir le plat d'une pellicule de plastique en relevant l'un des coins et cuire au micro-ondes, à intensité maximum, pendant environ 12 minutes ou jusqu'à ce qu'elles soient tendres (les retourner à la mi-cuisson).

2. Entre-temps, dans un bol, mélanger le reste des ingrédients. Réserver.

3. Faire une incision en forme de X sur le dessus des pommes de terre, puis ouvrir l'incision en pressant. Garnir les pommes de terre du mélange de thon réservé et les mettre sur une plaque de cuisson. Cuire sous le gril préchauffé du four, à environ 6 po (15 cm) de la source de chaleur, pendant environ 5 minutes ou jusqu'à ce que la garniture soit chaude et que les bords de l'ouverture soient dorés et croustillants.

PAR PORTION : cal.: 338; prot.: 22 g; m.g.: 8 g (2 g sat.); chol.: 28 mg; gluc.: 46 g; fibres: 4 g; sodium: 776 mg.

Potage à la courge, aux lentilles et aux pois chiches

4 PORTIONS

1 c. à tab	huile végétale	15 ml
1 c. à thé	graines de cumin ou cumin moulu	5 ml
2 t	courge musquée (butternut) pelée, épépinée et hachée	500 ml
1	oignon haché	1
2	gousses d'ail hachées finement	2
½ c. à thé	assaisonnement au chili	2 ml
½ c. à thé	poivre noir du moulin	2 ml
¼ c. à thé	sel	1 ml
3 c. à tab	pâte de tomates	45 ml
1	boîte de lentilles, rincées et égouttées (19 oz/540 ml)	1
1	boîte de pois chiches, rincés et égouttés (19 oz/540 ml)	1
4 t	bouillon de légumes	1 L
1	lanière de zeste de citron	1
¼ t	persil frais, haché	60 ml
	quartiers de citron	

1. Dans une grosse cocotte, chauffer l'huile à feu moyen. Ajouter les graines de cumin et cuire, en brassant, pendant 1 minute. Ajouter la courge, l'oignon, l'ail, l'assaisonnement au chili, le poivre et le sel et cuire, en brassant de temps à autre, pendant 4 minutes ou jusqu'à ce que l'oignon ait ramolli. Ajouter la pâte de tomates et poursuivre la cuisson, en brassant, pendant 1 minute.

2. Ajouter les lentilles, les pois chiches, le bouillon de légumes et le zeste de citron. Couvrir et porter à ébullition à feu vif. Réduire le feu et laisser mijoter pendant environ 12 minutes ou jusqu'à ce que la courge soit tendre. Retirer le zeste de citron. Au moment de servir, parsemer chaque portion du persil. Accompagner de quartiers de citron.

PAR PORTION : cal.: 349 ; prot.: 16 g ; m.g.: 5 g (1 g sat.) ; chol.: aucun ; gluc.: 62 g ; fibres : 12 g ; sodium : 1 710 mg.

Tofu sauté, sauce à l'ail à l'orientale

4 PORTIONS

2 c. à tab	huile végétale (environ)	30 ml
1	paquet de tofu extra-ferme, égoutté et épongé, coupé en quatre tranches sur la largeur (350 g)	1
1	oignon haché	1
3	gousses d'ail hachées finement	3
1 c. à thé	gingembre frais, haché ou	5 ml
½ c. à thé	gingembre moulu	2 ml
¼ c. à thé	poivre noir du moulin	1 ml
¾ t	bouillon de légumes ou bouillon de poulet réduit en sel	180 ml
¼ t	sauce soja	60 ml
1 c. à tab	fécule de maïs	15 ml
1 c. à tab	eau	15 ml
2	oignons verts coupés en tranches sur le biais	2

1. Dans un grand poêlon, chauffer la moitié de l'huile à feu moyen-vif. Ajouter le tofu et cuire pendant environ 8 minutes ou jusqu'à ce qu'il soit doré (le retourner à la mi-cuisson; ajouter de l'huile, au besoin). Répartir le tofu dans quatre assiettes et réserver au chaud.

2. Dans le poêlon, chauffer le reste de l'huile à feu moyen. Ajouter l'oignon, l'ail, le gingembre et le poivre et cuire, en brassant de temps à autre, pendant environ 3 minutes ou jusqu'à ce que l'oignon ait ramolli (ajouter de l'huile, au besoin). Ajouter le bouillon de légumes et la sauce soja et porter à ébullition.

3. Dans un petit bol, mélanger la fécule de maïs et l'eau et verser dans le poêlon. Porter à ébullition, en brassant, et laisser bouillir pendant environ 1 minute ou jusqu'à ce que la sauce ait épaissi. Répartir la sauce sur le tofu réservé et parsemer des oignons verts.

PAR PORTION : cal.: 181; prot.: 11 g; m.g.: 12 g (1 g sat.); chol.: aucun; gluc.: 9 g; fibres: 1 g; sodium: 1 155 mg.

Haricots verts sautés au sésame

4 PORTIONS

1 c. à thé	huile végétale	5 ml
1 lb	haricots verts parés	500 g
1 c. à tab	eau	15 ml
1 c. à thé	graines de sésame	5 ml
1 c. à thé	huile de sésame	5 ml

1. Dans un poêlon, chauffer l'huile végétale à feu moyen-vif. Ajouter les haricots verts et cuire, en brassant, pendant 2 minutes. Ajouter le reste des ingrédients et mélanger délicatement. Couvrir et poursuivre la cuisson pendant environ 4 minutes ou jusqu'à ce que les haricots soient tendres mais encore croquants.

PAR PORTION : cal.: 56; prot.: 2 g; m.g.: 3 g (traces sat.); chol.: aucun; gluc.: 7 g; fibres: 3 g; sodium: 1 mg.

Tortillas roulées au jambon et à l'avocat

La meilleure méthode pour accélérer le mûrissement de l'avocat, c'est de le laisser de trois à cinq jours à la température ambiante, à l'abri de la lumière, ou de le mettre dans un sac en papier avec une pomme.

4 PORTIONS

MAYONNAISE À LA LIME

⅓ t	mayonnaise légère	80 ml
1 c. à tab	eau	15 ml
1 c. à tab	jus de lime ou de citron	15 ml
2 c. à thé	coriandre fraîche, hachée	10 ml
1	trait de sauce tabasco	1

GARNITURE À L'AVOCAT

4	grandes tortillas	4
2 t	verdures mélangées, déchiquetées	500 ml
8 oz	jambon (ou autre charcuterie) coupé en tranches fines	250 g
1	avocat coupé en deux, puis en tranches	1
½ t	oignon rouge coupé en tranches fines	125 ml

PRÉPARATION DE LA MAYONNAISE

1. Dans un petit bol, mélanger tous les ingrédients.

PRÉPARATION DE LA GARNITURE

2. Mettre les tortillas sur une surface de travail et les badigeonner de la mayonnaise à la lime. Sur le tiers inférieur des tortillas, répartir les verdures, le jambon, l'avocat et l'oignon. Replier la partie inférieure des tortillas sur la garniture, puis replier les côtés et rouler. Au moment de servir, couper les tortillas en deux sur le biais.

PAR PORTION : cal.: 439; prot.: 17 g; m.g.: 24 g (5 g sat.); chol.: 62 mg; gluc.: 40 g; fibres: 5 g; sodium: 1 090 mg.

Pitas aux champignons portobello et à l'hoummos

Si on le désire, on remplace la luzerne par des germes de radis, de tournesol, de brocoli ou de petits pois.

4 PORTIONS

4	champignons portobello, le pied enlevé	4
1 c. à tab	huile d'olive	15 ml
¼ c. à thé	sel	1 ml
¼ c. à thé	poivre noir du moulin	1 ml
4	pains pitas	4
1 t	hoummos aux haricots blancs (voir recette, ci-contre)	250 ml
1 t	germes de luzerne	250 ml
1 t	concombre coupé en tranches	250 ml
1	grosse tomate, coupée en tranches	1

1. Mettre les champignons, les lamelles vers le bas, sur une plaque de cuisson. Badigeonner le dessus des champignons de l'huile et parsemer du sel et du poivre. Cuire sous le gril préchauffé du four pendant environ 4 minutes ou jusqu'à ce que les champignons soient tendres et dorés (les retourner à la mi-cuisson). Laisser refroidir légèrement avant de les couper en tranches. Réserver.

2. Mettre les pains pitas sur la plaque de cuisson et cuire sous le gril pendant 1 minute ou jusqu'à ce qu'ils soient chauds mais encore mous (les retourner à la mi-cuisson). Couper les pains pitas en deux de manière à obtenir des pochettes et y répartir l'hoummos. Garnir des champignons, de la luzerne et des tranches de concombre et de tomate.

PAR PORTION : cal.: 374 ; prot.: 16 g ; m.g.: 8 g (1 g sat) ; chol.: aucun ; gluc.: 62 g ; fibres: 12 g ; sodium: 964 mg.

Hoummos aux haricots blancs

Si on souhaite préparer un hoummos plus classique, on remplace simplement les haricots blancs par la même quantité de pois chiches et on ajoute 2 c. à tab (30 ml) de tahini (beurre de sésame).

DONNE 1 T (250 ML).

1	boîte de haricots blancs, rincés et égouttés (19 oz/540 ml)	1
1 c. à tab	persil frais, haché finement	15 ml
1 c. à tab	jus de citron	15 ml
1 c. à tab	huile d'olive	15 ml
¼ c. à thé	cumin moulu	1 ml
¼ c. à thé	assaisonnement au chili	1 ml
¼ c. à thé	sel	1 ml
¼ c. à thé	poivre noir du moulin	1 ml
2	gousses d'ail hachées finement	2

1. Au robot culinaire ou au mélangeur, réduire en purée lisse les haricots, le persil, le jus de citron, l'huile d'olive, le cumin, l'assaisonnement au chili, le sel et le poivre. Ajouter l'ail et mélanger.

PAR PORTION de 1 c. à tab (15 ml) : cal.: 33 ; prot.: 2 g ; m.g.: 1 g (traces sat) ; chol.: aucun ; gluc.: 5 g ; fibres: 2 g ; sodium: 113 mg.

Pâtes au jambon et au gruyère

4 PORTIONS

2 c. à tab	beurre	30 ml
1	oignon haché	1
¼ c. à thé	thym séché	1 ml
½ c. à thé	sel	2 ml
¼ c. à thé	poivre noir du moulin	1 ml
2 c. à tab	farine	30 ml
2 t	lait	500 ml
1 ½ t	gruyère ou cheddar râpé	375 ml
1 c. à thé	moutarde de Dijon	5 ml
4 t	fusilli, coquilles ou autres pâtes courtes	1 L
2 t	épinards frais, hachés	500 ml
2 t	jambon coupé en dés	500 ml
1 t	tomates cerises coupées en deux	250 ml

1. Dans un grand poêlon, faire fondre le beurre à feu moyen. Ajouter l'oignon, le thym, le sel et le poivre et cuire, en brassant, pendant 5 minutes ou jusqu'à ce que l'oignon ait ramolli. Parsemer la préparation d'oignon de la farine et cuire, en brassant, pendant 1 minute. Ajouter le lait et cuire, en brassant à l'aide d'un fouet, pendant environ 7 minutes ou jusqu'à ce que la sauce ait suffisamment épaissi pour napper le dos d'une cuillère. Ajouter le fromage et la moutarde de Dijon et mélanger jusqu'à ce que le fromage ait fondu.

2. Entre-temps, dans une grande casserole d'eau bouillante salée, cuire les pâtes pendant environ 8 minutes ou jusqu'à ce qu'elles soient al dente. Égoutter les pâtes et les remettre dans la casserole. Ajouter la sauce au fromage, les épinards, le jambon et les tomates cerises et mélanger délicatement pour bien enrober les pâtes.

PAR PORTION : cal.: 738; prot.: 47 g; m.g.: 28 g (15 g sat.); chol.: 112 mg; gluc.: 76 g; fibres: 5 g; sodium: 1 732 mg.

Spaghettis à la carbonara

Voilà le plat idéal quand le frigo est presque vide ! On le sert avec du parmesan râpé présenté à part et une bonne salade improvisée.

4 PORTIONS

4	tranches de bacon hachées	4
1	oignon haché	1
2	gousses d'ail hachées finement	2
4	oeufs	4
¼ t	parmesan râpé	60 ml
2 c. à tab	persil frais, haché	30 ml
¼ c. à thé	sel	1 ml
¼ c. à thé	poivre noir du moulin	1 ml
12 oz	spaghettis ou autres pâtes longues	375 g

1. Dans un grand poêlon, cuire le bacon à feu moyen pendant environ 5 minutes ou jusqu'à ce qu'il soit croustillant. Retirer le bacon du poêlon et laisser égoutter sur des essuie-tout. Dégraisser le poêlon. Ajouter l'oignon et l'ail et cuire, en brassant de temps à autre, pendant environ 4 minutes ou jusqu'à ce que l'oignon ait ramolli. Réserver.

2. Entre-temps, dans un bol, à l'aide d'un fouet, battre les oeufs avec le fromage, le persil, le sel et le poivre. Réserver.

3. Entre-temps, dans une grande casserole d'eau bouillante salée, cuire les pâtes pendant environ 8 minutes ou jusqu'à ce qu'elles soient al dente. Égoutter les pâtes et les remettre dans la casserole sur feu doux. Ajouter aussitôt le bacon réservé, les préparations d'oignon et d'oeufs réservées et mélanger délicatement. Réchauffer, en remuant, pendant environ 30 secondes ou jusqu'à ce que les pâtes soient bien enrobées.

PAR PORTION : cal.: 482; prot.: 22 g; m.g.: 14 g (5 g sat.); chol.: 200 mg; gluc.: 66 g; fibres: 4 g; sodium: 628 mg.

CHAPITRE 2

En seulement 30 minutes

Soupe aux légumes et aux fèves de soja

Les fèves de soja sont vendues surgelées, en cosses ou non, dans les épiceries asiatiques, la version écossée étant la plus pratique. La fève de soja verte, aussi appelée *edamame,* est la plus répandue; on la trouve maintenant au supermarché.

4 PORTIONS

1 c. à tab	huile végétale	15 ml
3	carottes coupées en tranches	3
2	branches de céleri coupées en tranches	2
1	oignon haché	1
2	gousses d'ail hachées finement	2
½ c. à thé	thym séché	2 ml
¼ c. à thé	poivre noir du moulin	1 ml
4 t	bouillon de légumes	1 L
1	pomme de terre rouge, brossée et coupée en cubes	1
½	paquet de tofu mi-ferme, égoutté et épongé, coupé en cubes de ½ po (1 cm) (la moitié d'un paquet de 454 g)	½
1 ½ t	fèves de soja vertes (*edamame*) surgelées, écossées	375 ml
1	trait de sauce tabasco	1
1 c. à tab	ciboulette (ou oignon vert) fraîche, hachée finement	15 ml

1. Dans une grande casserole, chauffer l'huile à feu moyen. Ajouter les carottes, le céleri, l'oignon, l'ail, le thym et le poivre et cuire, en brassant de temps à autre, pendant environ 5 minutes ou jusqu'à ce que l'oignon ait ramolli. Ajouter le bouillon de légumes et la pomme de terre et porter à ébullition. Réduire le feu, couvrir et laisser mijoter pendant environ 15 minutes ou jusqu'à ce que les carottes et la pomme de terre soient tendres.

2. Ajouter le tofu, les fèves de soja et la sauce tabasco et poursuivre la cuisson de 1 à 2 minutes ou jusqu'à ce que la soupe soit chaude. Au moment de servir, parsemer chaque portion de ciboulette.

PAR PORTION : cal. : 291 ; prot. : 18 g ; m.g. : 12 g (1 g sat.) ; chol. : aucun ; gluc. : 32 g ; fibres : 8 g ; sodium : 1 053 mg.

Pâté chinois express

Une version renouvelée de ce grand classique.

4 PORTIONS

4	pommes de terre brossées, coupées en cubes (environ 2 lb/1 kg en tout)	4
¼ t	lait ou babeurre	60 ml
1	oignon vert coupé en tranches	1
1 lb	boeuf haché maigre	500 g
1 c. à tab	huile végétale	15 ml
2 ½ t	petits champignons (environ 8 oz/250 g)	625 ml
1	oignon haché	1
1 c. à thé	thym séché	5 ml
¼ c. à thé	sel	1 ml
¼ c. à thé	poivre noir du moulin	1 ml
1 ½ t	bouillon de boeuf réduit en sel	375 ml
1 c. à tab	fécule de maïs	15 ml
1 c. à tab	moutarde de Dijon	15 ml
1 t	petits pois surgelés	250 ml

1. Dans une grande casserole d'eau bouillante salée, cuire les pommes de terre à couvert pendant environ 12 minutes ou jusqu'à ce qu'elles soient tendres. Égoutter les pommes de terre, les remettre dans la casserole et cuire à feu doux, en secouant la casserole, pendant 1 minute pour les assécher. À l'aide d'un presse-purée, les réduire en purée grossière. Ajouter le lait et l'oignon vert et mélanger. Réserver au chaud.

2. Entre-temps, chauffer un poêlon à feu moyen-vif. Ajouter le boeuf haché et cuire, en le défaisant à l'aide d'une fourchette, pendant environ 5 minutes ou jusqu'à ce qu'il ait perdu sa teinte rosée. Retirer le boeuf haché du poêlon et réserver dans une assiette.

3. Dégraisser le poêlon et chauffer l'huile à feu moyen. Ajouter les champignons, l'oignon, le thym, le sel et le poivre et cuire, en brassant de temps à autre, pendant environ 8 minutes ou jusqu'à ce que les champignons soient dorés. Dans un bol, mélanger le bouillon de boeuf, la fécule de maïs et la moutarde de Dijon. Verser le mélange de fécule dans le poêlon en brassant. Remettre le boeuf haché réservé dans le poêlon, ajouter les petits pois et mélanger délicatement. Porter à ébullition. Réduire le feu et laisser mijoter pendant environ 5 minutes ou jusqu'à ce que la préparation ait épaissi et qu'elle soit chaude. Servir sur la purée de pommes de terre.

PAR PORTION : cal.: 492 ; prot.: 30 g ; m.g.: 19 g (7 g sat.) ; chol.: 65 mg ; gluc.: 51 g ; fibres : 6 g ; sodium : 1 045 mg.

Sauté de boeuf aux patates douces

On prépare la sauce pour un sauté dans une tasse à mesurer d'une capacité de 2 t (500 ml) : au moment voulu, elle sera plus facile à verser dans le wok ou le poêlon.

4 PORTIONS

2 c. à tab	huile végétale	30 ml
1 lb	bifteck de surlonge, le gras enlevé, coupé en fines lanières	500 g
1	oignon coupé en tranches	1
3	gousses d'ail hachées finement	3
2 t	patates douces pelées et coupées en cubes (environ 2 petites patates douces)	500 ml
1	poivron jaune ou vert, coupé en tranches	1
½ t	eau	125 ml
½ t	bouillon de boeuf	125 ml
¼ t	sauce d'huîtres	60 ml
1 c. à tab	fécule de maïs	15 ml
1 c. à tab	vinaigre de riz ou vinaigre de cidre	15 ml
1 c. à thé	huile de sésame	5 ml
2	oignons verts coupés en tranches fines	2

1. Dans un wok ou un grand poêlon, chauffer 1 c. à tab (15 ml) de l'huile végétale à feu vif. Ajouter les lanières de boeuf, en deux fois, et cuire, en brassant, pendant environ 2 minutes ou jusqu'à ce qu'elles soient dorées et encore légèrement rosées à l'intérieur. Réserver dans une assiette.

2. Dégraisser le poêlon. Ajouter le reste de l'huile végétale et chauffer à feu moyen. Ajouter l'oignon et l'ail et cuire, en brassant, pendant environ 2 minutes ou jusqu'à ce que l'oignon ait ramolli. Ajouter les patates douces, le poivron et l'eau et mélanger. Poursuivre la cuisson, à couvert, pendant environ 10 minutes ou jusqu'à ce que les patates douces soient tendres.

3. Entre-temps, dans une tasse à mesurer, mélanger le bouillon, la sauce d'huîtres, la fécule de maïs, le vinaigre de riz et l'huile de sésame. Remettre les lanières de boeuf réservées dans le poêlon, avec le jus accumulé dans l'assiette. Ajouter le mélange de bouillon et porter à ébullition. Laisser bouillir, en brassant, pendant environ 2 minutes ou jusqu'à ce que la sauce ait épaissi et soit brillante. Parsemer des oignons verts.

PAR PORTION : cal. : 316 ; prot. : 29 g ; m.g. : 11 g (2 g sat.) ; chol. : 49 mg ; gluc. : 26 g ; fibres : 2 g ; sodium : 658 mg.

MATÉRIEL
LE WOK

Pour faire un sauté, le wok est imbattable. Sa forme creuse assure une répartition uniforme de la chaleur tout en favorisant une cuisson rapide, tandis que sa paroi haute et légèrement évasée retient les aliments à l'intérieur. En plus, il est parfait pour cuire à la vapeur, braiser ou frire.

TAILLE ET FORME
La bonne taille : Un wok de 14 po (35 cm) de diamètre est le meilleur choix pour cuisiner des repas pour trois à quatre personnes.

Le fond : Le wok classique à fond arrondi est instable sur nos cuisinières. On lui préfère celui à fond plat, mieux adapté aux plaques à serpentin ou en vitrocéramique et aux cuisinières au gaz.

Les poignées : Le wok classique est muni de deux poignées en métal qui facilitent son maniement. Aujourd'hui, la plupart des modèles sont pourvus d'un long manche (comme les poêlons) qui élimine le recours aux mitaines de four et assure une bonne prise quand on les incline. Certains sont aussi dotés d'une petite anse très pratique qui permet de les stabiliser quand on veut les soulever.

Fusilli aux poivrons et au pesto d'épinards

4 PORTIONS

1	paquet d'épinards surgelés, décongelés et essorés (10 oz/300 g)	1
3	gousses d'ail hachées finement	3
1 c. à tab	pignons	15 ml
1 c. à thé	basilic séché	5 ml
½ c. à thé	sel	2 ml
½ c. à thé	poivre noir du moulin	2 ml
¼ t	huile d'olive	60 ml
¼ t	parmesan râpé	60 ml
4 c. à thé	vinaigre balsamique	20 ml
12 oz	fusilli ou rotini	375 g
1	petit oignon rouge, coupé en tranches fines	1
1	poivron rouge coupé en tranches fines	1
1	poivron jaune coupé en tranches fines	1

1. Au robot culinaire, réduire en purée lisse les épinards, l'ail, les pignons, le basilic, le sel et le poivre. Ajouter 3 c. à tab (45 ml) de l'huile et mélanger. Ajouter le parmesan et le vinaigre balsamique et mélanger. Réserver.

2. Dans une grande casserole d'eau bouillante salée, cuire les pâtes pendant environ 8 minutes ou jusqu'à ce qu'elles soient al dente. Égoutter les pâtes (réserver 1 ½ t/375 ml de l'eau de cuisson) et les remettre dans la casserole. Ajouter le pesto d'épinards et l'eau de cuisson réservés et réchauffer le mélange environ 3 minutes.

3. Entre-temps, dans un poêlon, chauffer le reste de l'huile à feu moyen. Ajouter l'oignon rouge et les poivrons rouge et jaune et cuire pendant environ 4 minutes ou jusqu'à ce que les légumes soient tendres mais encore croquants. Au moment de servir, garnir chaque portion de pâtes du mélange de poivrons.

PAR PORTION : cal. : 531 ; prot. : 17 g ; m.g. : 18 g (3 g sat.) ; chol. : 5 mg ; gluc. : 76 g ; fibres : 7 g ; sodium : 813 mg.

LES MATÉRIAUX

Fonte et fonte émaillée : Ustensile de base de la cuisine chinoise depuis des siècles, le wok en fonte maintient une chaleur uniforme et permet de cuire rapidement les aliments. Il faut le traiter avant la première utilisation. Voici comment :

● À l'aide d'une éponge, laver l'intérieur à l'eau chaude avec du détergent liquide, puis frotter l'extérieur avec un tampon à récurer. Rincer et bien essuyer.

● Enduire l'intérieur de 2 c. à tab (30 ml) d'huile végétale avec un essuie-tout. Chauffer à feu moyen-doux pendant environ 10 minutes, enlever le dépôt noir avec un essuie-tout et laisser refroidir.

● Répéter ces opérations jusqu'à ce que l'essuie-tout reste propre (environ trois fois).

Acier au carbone : Sa surface antiadhésive est facile à nettoyer. C'est un bon choix pour un premier wok. Le laver à la main.

LES ACCESSOIRES

Si on fait beaucoup de friture, une écumoire en treillis de laiton munie d'un long manche en bambou est indispensable. Pour les sautés, une spatule en forme de pelle est très pratique pour remuer les ingrédients. Son bol arrondi épouse le contour du wok, et son long manche protège les mains de la chaleur du feu.

Tacos au poisson

4 PORTIONS

1 lb	filets de tilapia ou de truite arc-en-ciel	500 g
1 c. à tab	huile végétale	15 ml
1 c. à thé	assaisonnement au chili	5 ml
½ c. à thé	origan séché	2 ml
¼ c. à thé	sel	1 ml
¼ c. à thé	poivre noir du moulin	1 ml
½ t	carottes râpées	125 ml
¼ t	oignon rouge coupé en tranches fines	60 ml
1 c. à thé	jus de lime	5 ml
¼ t	crème sure légère ou yogourt nature	60 ml
1 c. à tab	coriandre fraîche, hachée finement	15 ml
1	oignon vert haché finement	1
8	petites tortillas de farine blanche ou de maïs	8
1	tomate italienne coupée en dés	1
½	avocat coupé en dés	½

1. Rincer les filets de poisson et les éponger avec des essuie-tout. Mettre les filets de poisson sur une plaque de cuisson tapissée de papier d'aluminium ou huilée et les badigeonner de l'huile.

2. Dans un petit bol, mélanger l'assaisonnement au chili, l'origan, le sel et le poivre. Parsemer les filets de poisson de ce mélange. Cuire sous le gril préchauffé du four pendant environ 5 minutes ou jusqu'à ce que la chair du poisson se défasse facilement à la fourchette.

3. Entre-temps, dans un petit bol, mélanger les carottes, l'oignon rouge et le jus de lime. Dans un autre petit bol, mélanger la crème sure, la coriandre et l'oignon vert.

4. Couper les filets de poisson en morceaux et les répartir au centre des tortillas. Garnir de la sauce à la crème sure et de la préparation de carottes. Parsemer de la tomate et de l'avocat. Plier les tortillas en deux.

PAR PORTION : cal. : 417 ; prot. : 27 g ; m.g. : 15 g (3 g sat.) ; chol. : 54 mg ; gluc. : 42 g ; fibres : 4 g ; sodium : 570 mg.

Côtelettes de porc à la jamaïcaine

Pour ce souper, on commence d'abord par préparer le Riz aux petits pois et au poivron rouge (recette ci-contre), puis on frotte les côtelettes du mélange d'épices avant de les cuire au four. Le piment de la Jamaïque et le thym sont les épices traditionnelles des viandes et des poissons grillés à la façon jamaïcaine.

4 PORTIONS

4	côtelettes de longe de porc désossées (environ 1 lb/500 g en tout)	4
1 c. à tab	sauce soja	15 ml
1 c. à tab	jus d'orange	15 ml
1 c. à tab	huile d'olive	15 ml
2	gousses d'ail hachées finement	2
3	oignons verts hachés finement	3
1 c. à thé	piment de la Jamaïque	5 ml
1 c. à thé	thym séché	5 ml
¼ c. à thé	sel	1 ml
¼ c. à thé	poivre noir du moulin	1 ml
¼ c. à thé	gingembre moulu	1 ml
1	pincée de piment de Cayenne	1

1. Pratiquer des entailles à intervalles d'environ 1 po (2,5 cm) dans la bordure de gras des côtelettes de porc. Dans un bol, mélanger le reste des ingrédients. Frotter chaque côté des côtelettes du mélange d'épices et les mettre dans un plat allant au four.

2. Cuire au four préchauffé à 375°F (190°C) pendant environ 18 minutes ou jusqu'à ce que les côtelettes soient dorées et encore légèrement rosées à l'intérieur (les retourner à la mi-cuisson).

PAR PORTION : cal. : 190 ; prot. : 21 g ; m.g. : 10 g (3 g sat.) ; chol. : 58 mg ; gluc. : 3 g ; fibres : 1 g ; sodium : 453 mg.

Riz aux petits pois et au poivron rouge

4 PORTIONS

1 c. à tab	huile végétale	15 ml
1	petit oignon, haché	1
1	poivron rouge haché	1
¾ t	riz étuvé	180 ml
1 ½ t	bouillon de poulet	375 ml
¼ c. à thé	cannelle moulue	1 ml
¼ c. à thé	sel	1 ml
¼ c. à thé	poivre noir du moulin	1 ml
¾ t	petits pois surgelés	180 ml

1. Dans une casserole, chauffer l'huile à feu moyen-vif. Ajouter l'oignon et cuire, en brassant, jusqu'à ce qu'il ait ramolli. Ajouter le poivron et le riz et cuire, en brassant, pendant 1 minute.

2. Ajouter le bouillon de poulet, la cannelle, le sel et le poivre. Porter à ébullition. Réduire le feu, couvrir et laisser mijoter pendant environ 20 minutes ou jusqu'à ce que le riz soit tendre et que le liquide soit absorbé.

3. Ajouter les petits pois et mélanger à l'aide d'une fourchette. Poursuivre la cuisson pendant environ 1 minute ou jusqu'à ce que les petits pois soient chauds.

PAR PORTION : cal. : 207 ; prot. : 6 g ; m.g. : 4 g (1 g sat.) ; chol. : aucun ; gluc. : 35 g ; fibres : 2 g ; sodium : 460 mg.

Ragoût aux pois chiches et polenta

Si on ne connaît pas la polenta, voici l'occasion de l'essayer. On utilise ici de la polenta du commerce, qu'on peut se procurer dans la plupart des supermarchés. Le ragoût sera tout aussi délicieux sur du riz ou des pâtes.

4 PORTIONS

2 c. à tab	huile d'olive	30 ml
½	aubergine coupée en dés (environ 2 t/500 ml en tout)	½
1	courgette coupée en dés	1
1	poivron rouge coupé en dés	1
1	oignon haché	1
2	gousses d'ail hachées finement	2
1 c. à thé	origan séché	5 ml
1	pincée de sel	1
1	pincée de flocons de piment fort	1
1	boîte de tomates en dés (28 oz/796 ml)	1
1	boîte de pois chiches, rincés et égouttés (19 oz/540 ml)	1
2 c. à tab	pâte de tomates	30 ml
¼ t	persil frais, haché	60 ml
1	rouleau de polenta du commerce, coupé en huit tranches (17 oz/500 g)	1
2 c. à tab	parmesan râpé (facultatif)	30 ml

PAR PORTION : cal. : 373 ; prot. : 11 g ; m.g. : 9 g (1 g sat.) ; chol. : aucun ; gluc. : 66 g ; fibres : 11 g ; sodium : 1 003 mg.

1. Dans une cocotte peu profonde, chauffer 1 c. à tab (15 ml) de l'huile à feu moyen. Ajouter l'aubergine, la courgette, le poivron, l'oignon, l'ail, l'origan, le sel et les flocons de piment fort et cuire, en brassant de temps à autre, pendant environ 8 minutes ou jusqu'à ce que les légumes soient tendres.

2. Ajouter les tomates, les pois chiches et la pâte de tomates et mélanger. Réduire le feu, couvrir et laisser mijoter pendant environ 15 minutes ou jusqu'à ce que la sauce ait épaissi. Ajouter le persil et mélanger.

3. Entre-temps, badigeonner les tranches de polenta du reste de l'huile et, si désiré, les parsemer du fromage. Déposer les tranches de polenta sur une plaque de cuisson et cuire sous le gril préchauffé du four, à environ 6 po (15 cm) de la source de chaleur, pendant environ 6 minutes ou jusqu'à ce que le pourtour soit doré. Servir le ragoût sur la polenta.

COMMENT RATTRAPER UNE SAUCE

Sauce trop liquide
● La laisser bouillir à découvert quelques minutes à feu moyen-vif. Si la viande ou les légumes sont déjà tendres, les retirer à l'aide d'une écumoire et les réserver au chaud dans un bol de service.

Si notre base de sauce est déjà salée, la faire réduire par ébullition risquerait de la rendre trop salée. On essaie plutôt l'une des solutions suivantes :

● Ajouter du beurre manié, 1 c. à tab (15 ml) à la fois. Le beurre manié est composé de quantités égales de beurre ramolli et de farine travaillés en pâte lisse à l'aide d'une fourchette. On en garde un pot au réfrigérateur pour épaissir les sauces, les ragoûts et les plats de viande braisée.

● Ou encore, dans un pot muni d'un couvercle ou dans un petit bol à l'aide d'un fouet, mélanger 2 c. à tab (30 ml) de farine et ⅓ t (80 ml) d'eau froide. Verser le mélange de farine dans le liquide chaud, en brassant, et laisser mijoter jusqu'à ce qu'il ait épaissi. Cette quantité est suffisante pour épaissir 2 t (500 ml) de sauce ou de jus de cuisson.

Sauce trop épaisse
● Ajouter une petite quantité du liquide demandé dans la recette. Si on n'a plus de bouillon, de jus de tomate ou de vin, on utilise de l'eau, tout simplement.

Côtelettes de porc aux canneberges

4 PORTIONS

4	côtelettes de porc avec l'os (1 ¼ lb/625 g en tout)	4
½ c. à thé	sel	2 ml
½ c. à thé	poivre noir du moulin	2 ml
2 c. à tab	huile végétale	30 ml
2	échalotes françaises coupées en dés ou	2
½	oignon coupé en dés	½
2	gousses d'ail hachées finement	2
⅓ t	bouillon de poulet réduit en sel	80 ml
⅓ t	canneberges séchées	80 ml
¼ t	gelée de pomme	60 ml
3 c. à tab	vinaigre de cidre	45 ml
1 c. à thé	romarin frais, haché ou	5 ml
½ c. à thé	romarin séché	2 ml

1. Parsemer les côtelettes de porc de la moitié du sel et de la moitié du poivre. Dans un grand poêlon, chauffer la moitié de l'huile à feu moyen-vif. Ajouter les côtelettes et les faire dorer pendant environ 4 minutes (les retourner une fois). Réserver dans une assiette.

2. Dégraisser le poêlon. Chauffer le reste de l'huile à feu moyen. Ajouter les échalotes, l'ail et le reste du sel et du poivre et cuire, en brassant de temps à autre, pendant environ 2 minutes ou jusqu'à ce que les échalotes aient ramolli. Ajouter le reste des ingrédients et cuire, en brassant, pendant environ 4 minutes ou jusqu'à ce que la gelée ait fondu et que les canneberges soient tendres.

3. Remettre les côtelettes réservées et leur jus dans le poêlon et les retourner pour bien les enrober. Réduire le feu, couvrir et laisser mijoter de 8 à 10 minutes ou jusqu'à ce qu'elles soient encore légèrement rosées à l'intérieur. Réserver au chaud. Faire bouillir la sauce pendant environ 1 minute ou jusqu'à ce qu'elle ait épaissi. Napper les côtelettes réservées de la sauce.

PAR PORTION : cal.: 317 ; prot.: 23 g ; m.g.: 14 g (3 g sat.) ; chol.: 63 mg ; gluc.: 25 g ; fibres : 1 g ; sodium : 396 mg.

Salade de poulet et d'épinards à la grecque

4 PORTIONS

4	poitrines de poulet désossées, la peau et le gras enlevés	4
¼ t	vinaigre de vin rouge	60 ml
¼ t	huile d'olive	60 ml
2 c. à tab	jus de citron	30 ml
2 c. à thé	sucre	10 ml
3	gousses d'ail hachées finement	3
½ c. à thé	origan séché	2 ml
½ c. à thé	menthe séchée	2 ml
¼ c. à thé	sel	1 ml
¼ c. à thé	poivre noir du moulin	1 ml
4 t	épinards frais, déchiquetés et légèrement tassés	1 L
2 t	concombre anglais coupé en dés	500 ml
1 t	tomates hachées	250 ml
⅓ t	fromage feta émietté	80 ml
¼ t	olives noires coupées en deux	60 ml

1. Mettre les poitrines de poulet dans un plat allant au four. Réserver.

2. Dans une tasse à mesurer, mélanger le vinaigre de vin, l'huile, le jus de citron, le sucre, l'ail, l'origan, la menthe, le sel et le poivre. Verser ⅓ t (80 ml) de la vinaigrette sur le poulet (réserver le reste de la vinaigrette pour la salade). Cuire le poulet au four préchauffé à 425°F (220°C) pendant environ 8 minutes ou jusqu'à ce qu'il ait perdu sa teinte rosée à l'intérieur (le retourner à la mi-cuisson). Poursuivre la cuisson sous le gril du four pendant environ 2 minutes ou jusqu'à ce que le poulet soit doré.

3. Entre-temps, dans un grand bol, mettre les épinards, le concombre, les tomates, le fromage feta, les olives et le reste de la vinaigrette et mélanger pour bien enrober les ingrédients.

4. Au moment de servir, répartir la salade dans les assiettes. Couper le poulet en tranches fines et les répartir sur la salade.

PAR PORTION : cal. : 351 ; prot. : 35 g ; m.g. : 19 g (4 g sat.) ; chol. : 87 mg ; gluc. : 11 g ; fibres : 3 g ; sodium : 458 mg.

Frittata aux asperges et au fromage ricotta

4 À 6 PORTIONS

1 c. à tab	beurre	15 ml
2	oignons verts coupés en tranches fines	2
1	gousse d'ail hachée finement	1
¼ c. à thé	sel	1 ml
¼ c. à thé	poivre noir du moulin	1 ml
¼ c. à thé	thym séché	1 ml
2 t	asperges parées, coupées en morceaux de 2 po (5 cm) (environ 8 oz/250 g en tout)	500 ml
1 t	fromage ricotta	250 ml
4	oeufs	4
¼ t	gruyère râpé	60 ml
2 c. à tab	persil frais, haché	30 ml

1. Dans un poêlon de 9 po (23 cm) de diamètre allant au four, faire fondre le beurre à feu moyen. Ajouter les oignons verts, l'ail, le sel, le poivre, le thym et les asperges et cuire, en brassant de temps à autre, pendant environ 5 minutes ou jusqu'à ce que les asperges soient tendres mais encore croquantes.

2. Entre-temps, dans un bol, à l'aide d'un fouet, battre le fromage ricotta avec les oeufs jusqu'à ce que la préparation soit lisse. Ajouter le gruyère et le persil et mélanger. Verser la préparation aux oeufs dans le poêlon et lisser le dessus.

3. Cuire au four préchauffé à 400°F (200°C) pendant environ 20 minutes ou jusqu'à ce que la frittata ait gonflé et soit dorée et que la lame d'un couteau insérée au centre en ressorte propre. Laisser reposer pendant 5 minutes avant de démouler sur une assiette. Au moment de servir, couper la frittata en pointes.

PAR PORTION : cal. : 165 ; prot. : 11 g ; m.g. : 12 g (7 g sat.) ; chol. : 155 mg ; gluc. : 3 g ; fibres : 1 g ; sodium : 205 mg.

ORDRE DE CUISSON DES PLATS

● Quand on prépare un repas, on commence toujours par le mets le plus long à cuisiner. Il s'agit souvent d'une recette qui contient des aliments du groupe des féculents. Par exemple, si on prépare un plat de pâtes, il faut compter environ 10 minutes pour que l'eau bouille dans une casserole couverte, puis jusqu'à 10 minutes de plus pour la cuisson al dente de la plupart des pâtes. Pour le riz et les pommes de terre, on prévoit environ 25 minutes du début à la fin.

● On passe ensuite aux aliments qui cuisent rapidement. Pendant la cuisson des féculents, on fait cuire le poisson, les côtelettes ou le poulet dans un poêlon ou dans un plat au four, ou on prépare la sauce qui nappera les pâtes.

● Entre-temps, pendant la cuisson des plats, on prépare la salade ou une assiette de crudités et une trempette, que l'on sert aussitôt pour apaiser notre faim.

Soupe au poulet et aux gnocchis

Même si on connaît surtout le minestrone, il existe bien d'autres soupes exquises typiquement italiennes, comme celle aux gnocchis, ces petites pâtes à base de pommes de terre. On trouve maintenant des gnocchis séchés, frais ou congelés dans la plupart des supermarchés (les meilleurs sont ceux emballés sous vide, au rayon des pâtes fraîches).

4 PORTIONS

SOUPE

1 c. à tab	huile végétale	15 ml
8 oz	poitrine de poulet désossée, la peau et le gras enlevés, coupée en cubes	250 g
1	oignon haché	1
1	carotte coupée en tranches fines	1
1	branche de céleri coupée en tranches fines	1
2	gousses d'ail hachées finement	2
1 c. à thé	origan séché	5 ml
1	pincée de sel	1
1	pincée de poivre noir du moulin	1
1	feuille de laurier	1
1	boîte de bouillon de poulet réduit en sel (900 ml)	1
1 ½ t	eau	375 ml
1 lb	gnocchis frais	500 g

GREMOLATA AUX ÉPINARDS

1 t	épinards frais, hachés	250 ml
½ c. à thé	zeste de citron râpé	2 ml
2 c. à thé	jus de citron	10 ml
2 c. à thé	huile d'olive	10 ml
1	gousse d'ail hachée finement	1

PRÉPARATION DE LA SOUPE

1. Dans une grande casserole, chauffer l'huile à feu moyen. Ajouter le poulet, l'oignon, la carotte, le céleri, l'ail, l'origan, le sel, le poivre et la feuille de laurier. Cuire, en brassant de temps à autre, pendant environ 5 minutes ou jusqu'à ce que l'oignon ait ramolli. Ajouter le bouillon et l'eau. Porter à ébullition. Réduire à feu moyen, couvrir et laisser mijoter pendant 10 minutes. Ajouter les gnocchis et laisser mijoter à découvert pendant environ 5 minutes ou jusqu'à ce qu'ils remontent à la surface et qu'ils soient fermes au toucher. Retirer la feuille de laurier (la jeter).

PRÉPARATION DE LA GREMOLATA

2. Entre-temps, dans un bol, mélanger tous les ingrédients de la gremolata. Au moment de servir, garnir chaque portion de soupe d'un peu de la gremolata.

PAR PORTION : cal. : 399 ; prot. : 22 g ; m.g. : 7 g (1 g sat.) ; chol. : 34 mg ; gluc. : 63 g ; fibres : 6 g ; sodium : 765 mg.

Filets de poisson au paprika et pommes de terre rôties

Meilleurs pour la santé que les frites, les quartiers de pommes de terre rôties sont d'abord précuits au micro-ondes : c'est d'ailleurs ce qui permet de préparer ce souper en 30 minutes.

4 PORTIONS

4	pommes de terre (de type Yukon Gold), brossées (environ 2 lb/1 kg en tout)	4
2 c. à tab	huile végétale (environ)	30 ml
1 c. à thé	cumin moulu	5 ml
½ c. à thé	sel	2 ml
½ c. à thé	poivre noir du moulin	2 ml
¼ c. à thé	curcuma	1 ml
2	gousses d'ail hachées finement	2
¼ t	farine	60 ml
½ c. à thé	paprika	2 ml
4	filets de tilapia ou de pangasius	4
4 t	jeunes feuilles d'épinards, tassées	1 L
	quartiers de citron	

1. Piquer les pommes de terre plusieurs fois à l'aide d'une fourchette et les déposer dans un plat allant au micro-ondes. Couvrir le plat d'une pellicule de plastique en relevant l'un des coins et cuire au micro-ondes, à intensité maximum, pendant environ 4 minutes ou jusqu'à ce que les pommes de terre soient tendres mais encore croquantes. Laisser refroidir pendant 5 minutes et couper en quartiers sur la longueur.

2. Dans un grand bol, mélanger les quartiers de pommes de terre, la moitié de l'huile, du cumin, du sel et du poivre, le curcuma et l'ail. Étendre uniformément les pommes de terre sur une plaque de cuisson huilée et cuire au four préchauffé à 450°F (230°C) pendant environ 20 minutes ou jusqu'à ce qu'elles soient dorées et croustillantes (les retourner à la mi-cuisson).

3. Entre-temps, dans un plat peu profond, mélanger la farine, le paprika et le reste du cumin, du sel et du poivre. Passer les filets de poisson dans le mélange de farine en les pressant et en les retournant pour bien les enrober (secouer pour enlever l'excédent).

4. Dans un grand poêlon, chauffer le reste de l'huile à feu moyen-vif. Ajouter les filets de poisson, en deux fois, et cuire pendant environ 7 minutes ou jusqu'à ce qu'ils soient dorés et que la chair se défasse facilement à la fourchette (les retourner à la mi-cuisson et ajouter de l'huile, au besoin). Ajouter les épinards, couvrir et cuire pendant environ 2 minutes ou jusqu'à ce qu'ils aient ramolli. Servir avec les pommes de terre et des quartiers de citron.

PAR PORTION : cal. : 417 ; prot. : 39 g ; m.g. : 11 g (2 g sat.) ; chol. : 71 mg ; gluc. : 44 g ; fibres : 5 g ; sodium : 366 mg.

Filets de poisson à la sauce aigre-douce et nouilles aux légumes

Pour cette recette, on utilise des filets de flétan, de tilapia ou de morue.

4 PORTIONS

½	paquet de nouilles de riz larges (1 lb/500 g)	½
1 t	bouillon de poulet	250 ml
¼ t	jus d'orange	60 ml
3 c. à tab	sucre	45 ml
2 c. à tab	vinaigre de vin rouge	30 ml
2 c. à tab	pâte de tomates	30 ml
2 c. à thé	fécule de maïs	10 ml
2 c. à thé	sauce soja	10 ml
1 c. à thé	gingembre moulu	5 ml
2	gousses d'ail hachées finement	2
2 c. à tab	huile végétale	30 ml
4	filets de poisson blanc (1 ½ lb/750 g en tout)	4
1	poivron rouge coupé en dés	1
2 t	champignons frais, coupés en quatre (environ 5 oz/150 g en tout)	500 ml
1	courgette coupée en dés	1

1. Mettre les nouilles dans un bol résistant à la chaleur et les couvrir d'eau bouillante. Laisser tremper pendant environ 6 minutes ou jusqu'à ce qu'elles soient tendres. Égoutter les nouilles, les rafraîchir sous l'eau froide et les égoutter de nouveau. Réserver.

2. Entre-temps, dans un autre bol, mélanger le bouillon, le jus d'orange, le sucre, le vinaigre de vin, la pâte de tomates, la fécule de maïs, la sauce soja, le gingembre et l'ail. Réserver.

3. Dans un grand poêlon, chauffer 2 c. à thé (10 ml) de l'huile à feu moyen-vif. Ajouter les filets de poisson et cuire pendant environ 6 minutes ou jusqu'à ce qu'ils soient dorés et que la chair se défasse facilement à la fourchette (les retourner à la mi-cuisson). Ajouter le mélange de bouillon réservé et porter à ébullition. Laisser bouillir pendant environ 2 minutes ou jusqu'à ce que la sauce ait épaissi.

4. Dans un autre poêlon, chauffer le reste de l'huile à feu moyen-vif. Ajouter le poivron, les champignons et la courgette et cuire, en brassant, pendant environ 2 minutes ou jusqu'à ce que les légumes soient tendres mais encore croquants. Ajouter les nouilles réservées et cuire, en brassant, pendant environ 1 minute ou jusqu'à ce qu'elles soient chaudes. Au moment de servir, répartir la préparation de nouilles dans des assiettes. Couvrir chaque portion d'un filet de poisson et napper de la sauce.

PAR PORTION : cal. : 566 ; prot. : 40 g ; m.g. : 12 g (1 g sat.) ; chol. : 54 mg ; gluc. : 72 g ; fibres : 4 g ; sodium : 506 mg.

Pâtés de boeuf aux tomates

4 PORTIONS

1	oeuf	1
¼ t	chapelure nature	60 ml
1	oignon râpé	1
2	gousses d'ail hachées finement	2
2 c. à tab	persil frais, haché	30 ml
½ c. à thé	sel	2 ml
½ c. à thé	poivre noir du moulin	2 ml
¼ c. à thé	sauce tabasco	1 ml
¼ c. à thé	sauce Worcestershire	1 ml
1 lb	boeuf haché maigre	500 g
2	tomates italiennes, coupées en tranches fines	2
¼ c. à thé	thym séché	1 ml
¼ c. à thé	origan séché	1 ml

1. Dans un grand bol, battre l'oeuf. Ajouter la chapelure, l'oignon, l'ail, le persil, le sel, le poivre, la sauce tabasco et la sauce Worcestershire et mélanger. Ajouter le boeuf haché et bien mélanger. Façonner la préparation en quatre pâtés de ½ po (1 cm) d'épaisseur et les mettre sur une plaque de cuisson tapissée de papier d'aluminium. Couvrir des tranches de tomates et parsemer du thym et de l'origan.

2. Cuire au four préchauffé à 400°F (200°C) pendant environ 25 minutes ou jusqu'à ce que les pâtés soient dorés et qu'ils aient perdu leur teinte rosée à l'intérieur.

PAR PORTION : cal. : 293 ; prot. : 25 g ; m.g. : 17 g (7 g sat.) ; chol. : 114 mg ; gluc. : 8 g ; fibres : 1 g ; sodium : 442 mg.

Salade de chou aigre-douce

4 PORTIONS

1 c. à tab	mayonnaise légère	15 ml
1 c. à tab	huile végétale	15 ml
1 c. à tab	vinaigre de cidre	15 ml
1 c. à thé	sucre	5 ml
½ c. à thé	graines de céleri	2 ml
¼ c. à thé	sel	1 ml
¼ c. à thé	poivre noir du moulin	1 ml
3 t	mélange de salade de chou en sac ou chou vert râpé	750 ml
⅓ t	oignon rouge coupé en tranches fines	80 ml

1. Dans un grand bol, à l'aide d'un fouet, mélanger la mayonnaise, l'huile, le vinaigre de cidre, le sucre, les graines de céleri, le sel et le poivre. Ajouter le mélange de salade de chou et l'oignon rouge et mélanger pour bien enrober les ingrédients.

PAR PORTION : cal. : 65 ; prot. : 1 g ; m.g. : 5 g (traces sat.) ; chol. : 1 mg ; gluc. : 6 g ; fibres : 1 g ; sodium : 182 mg.

CHAPITRE 3

Plus ou moins 5 ingrédients

Sauté de boeuf au brocoli

Le bifteck de haut de surlonge coupé en tranches fines convient également pour ce sauté. Afin de gagner du temps, on peut aussi se procurer des lanières de boeuf au supermarché. En fait, cette recette constitue une excellente base pour d'autres sautés : essayez-la avec une coupe de porc maigre – du filet, de préférence – ou des poitrines de poulet. Si on le désire, on remplace le brocoli par une même quantité de légumes verts qui cuisent rapidement : pois gourmands (de type Sugar Snap) ou pois mange-tout, haricots verts, choux de Bruxelles ou bok choy (choux chinois) miniatures coupés en deux, ou chou vert haché grossièrement.

4 PORTIONS

¾ lb	bifteck de flanc coupé en lanières	375 g
3 c. à tab	sauce d'huîtres	45 ml
1 c. à tab	fécule de maïs	15 ml
4 t	bouquets de brocoli	1 L
2	gousses d'ail hachées finement	2
1 c. à tab	gingembre frais, haché finement	15 ml
	huile végétale	
	poivre	

1. Parsemer les lanières de boeuf de ¼ c. à thé (1 ml) de poivre. Dans un bol, à l'aide d'un fouet, mélanger ¾ t (180 ml) d'eau, la sauce d'huîtres et la fécule de maïs. Réserver.

2. Dans un wok, chauffer 1 c. à tab (15 ml) d'huile végétale à feu moyen-vif. Ajouter les lanières de boeuf et cuire, en brassant, pendant environ 3 minutes ou jusqu'à ce que le boeuf soit doré mais encore légèrement rosé à l'intérieur. Réserver dans une assiette. Dans le wok, ajouter 1 c. à tab (15 ml) d'huile végétale, le brocoli, l'ail et le gingembre et cuire, en brassant, pendant 1 minute. Couvrir et cuire pendant 2 minutes.

3. Remettre les lanières de boeuf réservées et leur jus dans le wok. Ajouter le mélange de sauce d'huîtres réservé et cuire, en brassant, pendant environ 3 minutes ou jusqu'à ce que la préparation ait légèrement épaissi.

PAR PORTION : cal. : 253 ; prot. : 21 g ; m.g. : 15 g (4 g sat.) ; chol. : 36 mg ; gluc. : 8 g ; fibres : traces ; sodium : 436 mg.

TECHNIQUE
SAUTER

● Préparer tous les ingrédients à l'avance et les garder à portée de la main.

● Couper la viande et les légumes en morceaux de même taille.

● Chauffer le wok à feu moyen-vif ou vif pendant au moins 1 minute. Ajouter de l'huile, en la versant en filet sur la paroi et dans le fond du wok. Pour que la viande soit tendre et garde toute sa saveur, ne saisir que de petites quantités à la fois (environ 1 t/250 ml).

● Faire d'abord sauter les légumes fermes (brocoli, aubergine, carottes), poursuivre avec les légumes tendres (courgette, pois mange-tout, fèves germées), puis cuire les légumes verts à feuilles (bok choy).

● Au moment d'ajouter la sauce, faire un puits en repoussant la viande et les légumes sur la paroi du wok. Verser la sauce au centre, remuer jusqu'à ce qu'elle ait épaissi, puis la mélanger au reste des ingrédients.

Brochettes de boeuf et de poivron

On peut cuire ces brochettes sur le barbecue ou sous le gril du four.

4 PORTIONS

1 c. à tab	jus de citron	15 ml
½ c. à thé	romarin séché	2 ml
1 lb	bifteck de haut de surlonge, coupé en cubes de 1 po (2,5 cm)	500 g
1	gros poivron rouge, coupé en carrés de 1 po (2,5 cm)	1
	huile d'olive	
	sel et poivre	

1. Dans un bol en verre, mélanger le jus de citron, le romarin, 3 c. à tab (45 ml) d'huile d'olive, ½ c. à thé (2 ml) de sel et ½ c. à thé (2 ml) de poivre noir du moulin. Ajouter les cubes de boeuf et mélanger pour bien les enrober. Couvrir le bol d'une pellicule de plastique et laisser mariner pendant 10 minutes.

2. Sur des brochettes de métal ou de bois préalablement trempées dans l'eau, enfiler les cubes de boeuf en alternant avec le poivron. Régler le barbecue au gaz à puissance moyenne-élevée. Mettre les brochettes sur la grille huilée du barbecue, fermer le couvercle et cuire pendant environ 10 minutes ou jusqu'à ce que le boeuf soit grillé mais encore légèrement rosé à l'intérieur (retourner les brochettes trois fois). (Ou encore, mettre les brochettes sur une plaque de cuisson huilée et cuire sous le gril préchauffé du four pendant environ 10 minutes ou jusqu'à ce que le boeuf soit doré mais encore légèrement rosé à l'intérieur; retourner les brochettes trois fois.)

PAR PORTION : cal.: 189 ; prot.: 21 g ; m.g.: 10 g (3 g sat.) ; chol.: 51 mg ; gluc.: 3 g ; fibres : 1 g ; sodium : 185 mg.

Riz au persil

4 PORTIONS

¾ t	riz étuvé	180 ml
¼ t	persil frais, haché finement	60 ml
	sel	

1. Dans une casserole, porter à ébullition 1 ½ t (375 ml) d'eau et ¼ c. à thé (1 ml) de sel à feu moyen-vif. Ajouter le riz et mélanger. Réduire à feu moyen-doux, couvrir et laisser mijoter pendant environ 20 minutes ou jusqu'à ce que le riz soit tendre.

2. Retirer la casserole du feu et laisser reposer pendant environ 5 minutes ou jusqu'à ce que le liquide soit absorbé. Séparer les grains de riz à l'aide d'une fourchette, ajouter le persil et mélanger.

PAR PORTION : cal.: 130 ; prot.: 3 g ; m.g.: traces (aucun sat.) ; chol.: aucun ; gluc.: 28 g ; fibres : 1 g ; sodium : 151 mg.

Escalopes de porc, sauce aux câpres et au citron

4 PORTIONS

8	côtelettes de porc désossées de ½ po (1 cm) d'épaisseur (environ 1 lb/500 g en tout)	8
¼ t	farine	60 ml
3	gousses d'ail hachées finement	3
1 c. à tab	câpres rincées et égouttées	15 ml
½ t	bouillon de poulet réduit en sel	125 ml
2 c. à tab	jus de citron	30 ml
	huile d'olive	
	sel et poivre	

1. Mettre les côtelettes de porc entre deux pellicules de plastique et, à l'aide d'un maillet ou d'un gros poêlon en fonte, les aplatir à environ ¼ po (5 mm) d'épaisseur. Dans un sac de plastique refermable (de type Ziploc), mélanger la farine, ¼ c. à thé (1 ml) de sel et ¼ c. à thé (1 ml) de poivre noir du moulin. Ajouter les côtelettes de porc, une à la fois, fermer hermétiquement le sac et l'agiter pour bien enrober les côtelettes (secouer pour enlever l'excédent).

2. Dans un grand poêlon, chauffer 1 c. à tab (15 ml) d'huile d'olive à feu moyen-vif. Ajouter les côtelettes, en deux fois, et cuire pendant environ 3 minutes ou jusqu'à ce qu'elles soient dorées mais encore légèrement rosées à l'intérieur (les retourner à la mi-cuisson; ajouter de l'huile, au besoin). Retirer les côtelettes du poêlon et les réserver au chaud.

3. Dans le poêlon, chauffer 1 c. à tab (15 ml) d'huile d'olive. Ajouter l'ail et les câpres et cuire à feu moyen pendant 1 minute. Ajouter le bouillon de poulet et le jus de citron, porter à ébullition et laisser bouillir pendant 1 minute, en raclant le fond du poêlon pour en détacher les particules. Servir les côtelettes réservées nappées de la sauce.

PAR PORTION : cal. : 302 ; prot. : 26 g ; m.g. : 18 g (4 g sat.) ; chol. : 73 mg ; gluc. : 7 g ; fibres : traces ; sodium : 357 mg.

Côtelettes de porc à la tex-mex

Pour varier, essayer les mélanges d'épices proposés à la page suivante (voir Délicieux mélanges d'épices maison), parfaits pour ces côtelettes.

4 PORTIONS

1 c. à tab	cassonade tassée	15 ml
2 c. à thé	cumin moulu	10 ml
2 c. à thé	assaisonnement au chili	10 ml
4	côtelettes de porc avec l'os (environ 1 ½ lb/750 g en tout)	4
	huile végétale	
	sel	

1. Dans un petit bol, mélanger la cassonade, le cumin, l'assaisonnement au chili et 1 c. à thé (5 ml) de sel. Ajouter 1 c. à tab (15 ml) d'huile végétale et mélanger. Frotter les côtelettes de porc de la préparation au cumin. (Vous pouvez préparer les côtelettes jusqu'à cette étape et les couvrir. Elles se conserveront jusqu'au lendemain au réfrigérateur.)

2. Dans un poêlon à fond cannelé, cuire les côtelettes de porc à feu moyen de 5 à 7 minutes ou jusqu'à ce qu'elles soient encore légèrement rosées à l'intérieur (les retourner à la mi-cuisson). (Ou encore, régler le barbecue au gaz à puissance moyenne. Mettre les côtelettes de porc sur la grille huilée du barbecue, fermer le couvercle et cuire de 5 à 7 minutes ou jusqu'à ce qu'elles soient encore légèrement rosées à l'intérieur ; les retourner à la mi-cuisson.)

PAR PORTION : cal. : 227 ; prot. : 23 g ; m.g. : 13 g (4 g sat.) ; chol. : 56 mg ; gluc. : 4 g ; fibres : traces ; sodium : 626 mg.

ASTUCE

On achète nos côtelettes de porc en emballage familial. On les sépare selon la quantité nécessaire pour un repas, on les assaisonne et on les place dans des sacs de congélation en une seule épaisseur. Le matin, on les met à décongeler au réfrigérateur.

DÉLICIEUX MÉLANGES D'ÉPICES MAISON

Pour ajouter de la saveur au poisson, au poulet et aux côtelettes, il suffit de les frotter avec l'un ou l'autre de ces mélanges d'épices. On peut également en ajouter aux soupes, sauces à salade, trempettes et ragoûts. Pratiques, ils se conservent jusqu'à 1 mois dans des contenants hermétiques, dans un endroit frais et sec, à l'abri de la lumière.

Mélange de fines herbes
● Dans un petit bol, mélanger ½ t (125 ml) de ciboulette séchée, 2 c. à tab (30 ml) de persil séché, 2 c. à thé (10 ml) de basilic séché, 2 c. à thé (10 ml) de thym séché, 2 c. à thé (10 ml) d'ail en poudre, 2 c. à thé (10 ml) d'oignon en poudre et 1 c. à thé (5 ml) de poivre noir du moulin. (Donne 1 t/250 ml.)

Mélange d'épices au citron et à l'aneth
● Dans un petit bol, mélanger ⅓ (80 ml) d'aneth séché, ⅓ t (80 ml) de flocons de persil séché, 4 c. à thé (20 ml) de poivre au citron, 1 c. à tab (15 ml) de sel de céleri, 1 c. à tab (15 ml) de moutarde en poudre et 1 c. à tab (15 ml) de sel d'ail. (Donne 1 t/250 ml.)

Mélange épicé au cari
● Dans un petit bol, mélanger ½ t (125 ml) de flocons d'oignon, 2 c. à tab (30 ml) de cari, 4 c. à thé (20 ml) de cumin moulu, 4 c. à thé (20 ml) de sel, 2 c. à thé (10 ml) de curcuma moulu et 2 c. à thé (10 ml) de poivre noir du moulin. (Donne 1 t/250 ml.)

TREMPETTES EXPRESS

Trempette aux fines herbes
● Dans un bol, mélanger ½ t (125 ml) de yogourt nature, ½ t (125 ml) de fromage à la crème, ¼ t (60 ml) de mayonnaise légère et 4 c. à thé (20 ml) de mélange de fines herbes (voir recette, ci-contre). Couvrir et réfrigérer pendant au moins 2 heures. (Vous pouvez préparer la trempette à l'avance. Elle se conservera jusqu'à 3 jours au réfrigérateur.) Au moment de servir, garnir de 2 c. à tab (30 ml) de ciboulette fraîche, hachée. (Donne 1 ¼ t/310 ml.)

VARIANTES

Trempette au citron et à l'aneth
● Remplacer le mélange de fines herbes par 2 c. à thé (10 ml) de mélange d'épices au citron et à l'aneth (voir recette, ci-contre). Remplacer la ciboulette par de l'aneth frais, haché.

Trempette au cari
● Remplacer le mélange de fines herbes par 2 c. à thé (10 ml) de mélange épicé au cari (voir recette, ci-contre). Ajouter 1 c. à tab (15 ml) de chutney à la mangue. Remplacer la ciboulette par de la coriandre fraîche, hachée.

Côtelettes de porc au vinaigre balsamique

La saveur aigre-douce du vinaigre balsamique relève le goût de ces simples côtelettes.

4 PORTIONS

2 c. à thé	fines herbes séchées à l'italienne	10 ml
4	côtelettes de porc désossées, le gras enlevé (environ 1 lb/500 g en tout)	4
2 c. à tab	vinaigre balsamique	30 ml
1 c. à thé	fécule de maïs	5 ml
¾ t	bouillon de poulet réduit en sel	180 ml
	huile d'olive	
	sel	

1. Dans un bol, mélanger les fines herbes, 2 c. à tab (30 ml) d'huile d'olive et une pincée de sel. Badigeonner les côtelettes de porc de ce mélange. Dans un poêlon, cuire les côtelettes à feu moyen-vif pendant environ 4 minutes de chaque côté ou jusqu'à ce qu'elles soient dorées mais encore légèrement rosées à l'intérieur. Réserver au chaud.

2. Dégraisser le poêlon. Ajouter le vinaigre balsamique et chauffer à feu moyen pendant 30 secondes. Dans un bol, mélanger la fécule de maïs et le bouillon. Verser le mélange de fécule dans le poêlon et porter à ébullition en raclant le fond pour en détacher les particules. Réduire le feu et laisser mijoter pendant environ 1 minute ou jusqu'à ce que la sauce ait épaissi. Remettre les côtelettes réservées et leur jus dans le poêlon et les réchauffer en les retournant pour bien les enrober.

PAR PORTION : cal. : 175 ; prot. : 20 g ; m.g. : 8 g (2 g sat.) ; chol. : 50 mg ; gluc. : 4 g ; fibres : traces ; sodium : 100 mg.

Purée de patates douces

4 PORTIONS

4	patates douces pelées et coupées en dés	4
¼ t	bouillon de poulet réduit en sel	60 ml
2	oignons verts coupés en tranches	2
	poivre	

1. Dans une grande casserole d'eau bouillante salée, cuire les patates douces à couvert pendant environ 10 minutes ou jusqu'à ce qu'elles soient tendres. Égoutter et remettre dans la casserole. Ajouter le bouillon de poulet et ½ c. à thé (2 ml) de poivre noir du moulin et réduire en purée lisse. Au moment de servir, parsemer des oignons verts.

PAR PORTION : cal. : 141 ; prot. : 2 g ; m.g. : traces (aucun sat.) ; chol. : aucun ; gluc. : 32 g ; fibres : 3 g ; sodium : 56 mg.

ASTUCE

Pour glacer nos côtelettes, on peut remplacer le vinaigre balsamique par du vinaigre de vin, de cidre ou de riz. On ajoute alors une pincée de sucre au mélange de fécule pour compenser le petit goût sucré du vinaigre balsamique.

Poulet rôti au cinq-épices

Avant de mettre au four un poêlon muni d'un manche en bois ou en plastique, on protège celui-ci en le couvrant de papier d'aluminium.

4 PORTIONS

2 c. à tab	jus de citron	30 ml
2 c. à thé	miel liquide	10 ml
1 c. à thé	cinq-épices moulu	5 ml
8	morceaux de poulet non désossés, avec la peau	8
	huile végétale	
	sel et poivre	

1. Dans un plat en verre peu profond, mélanger le jus de citron, 1 c. à tab (15 ml) d'huile végétale, le miel, le cinq-épices, ¼ c. à thé (1 ml) de sel et ¼ c. à thé (1 ml) de poivre noir du moulin. Retirer la peau du poulet, si désiré. Ajouter les morceaux de poulet et les retourner pour bien les enrober. Laisser reposer pendant 5 minutes. (Vous pouvez préparer le poulet jusqu'à cette étape et le couvrir. Il se conservera jusqu'à 8 heures au réfrigérateur.)

2. Dans un poêlon allant au four, chauffer 1 c. à tab (15 ml) d'huile végétale à feu moyen-vif. Ajouter les morceaux de poulet, en plusieurs fois, et les faire dorer de chaque côté (ajouter de l'huile, au besoin).

3. Dégraisser le poêlon et y remettre tous les morceaux de poulet. Cuire au four préchauffé à 425°F (220°C) pendant environ 30 minutes ou jusqu'à ce que le jus qui s'écoule du poulet lorsqu'on le pique à la fourchette soit clair.

PAR PORTION (sans la peau) : cal. : 275 ; prot. : 26 g ; m.g. : 17 g (3 g sat.) ; chol. : 94 mg ; gluc. : 5 g ; fibres : traces ; sodium : 226 mg.

Riz au gingembre

4 PORTIONS

1 t	riz au jasmin ou autre riz à grain long	250 ml
6	tranches de gingembre frais	6
1	oignon vert (la partie verte seulement), haché finement	1
	sel	

1. Dans une casserole, mélanger 1 ½ t (375 ml) d'eau, le riz, le gingembre et ¼ c. à thé (1 ml) de sel. Porter à ébullition. Réduire à feu doux, couvrir et laisser mijoter pendant 20 minutes ou jusqu'à ce que le riz soit tendre et que le liquide soit absorbé. Ajouter l'oignon vert et mélanger.

PAR PORTION : cal. : 172 ; prot. : 4 g ; m.g. : traces (traces sat.) ; chol. : aucun ; gluc. : 37 g ; fibres : 1 g ; sodium : 147 mg.

TOP 10 DES RECETTES À SAVOIR PAR COEUR

- Spaghettis à la carbonara, **p. 28**
- Sauté de boeuf au brocoli, **p. 50**
- Coq au vin express, **p. 58**
- Sauce pour pâtes, **p. 106**
- Sauce tomate aux légumes, **p. 121**
- Soupe aux quatre légumineuses, **p. 127**
- Bâtonnets de poulet, sauce à la moutarde et au miel, **p. 134**
- Filets de poisson au citron, **p. 145**
- Hamburgers classiques au cheddar et au bacon, **p. 158**
- Médaillons de porc, sauce aux champignons, **p. 174**

Tomates cerises sautées

4 PORTIONS

2	gousses d'ail hachées finement	2
2 t	tomates cerises	500 ml
1 c. à tab	persil (ou ciboulette) frais, haché	15 ml
	huile végétale	
	sel et poivre	

1. Dans un poêlon, chauffer 1 c. à tab (15 ml) d'huile végétale à feu moyen-vif. Ajouter l'ail, ¼ c. à thé (1 ml) de sel et ¼ c. à thé (1 ml) de poivre noir du moulin et cuire, en brassant, pendant environ 30 secondes ou jusqu'à ce que le mélange dégage son arôme. Ajouter les tomates cerises et poursuivre la cuisson, en brassant, pendant environ 5 minutes ou jusqu'à ce qu'elles commencent à ramollir. Parsemer du persil.

PAR PORTION : cal. : 44 ; prot. : 1 g ; m.g. : 4 g (traces sat.) ; chol. : aucun ; gluc. : 3 g ; fibres : 1 g ; sodium : 150 mg.

Poulet pané à la semoule de maïs

Il n'est pas nécessaire d'acheter de la panure assaisonnée pour obtenir du poulet juteux et croustillant : un peu de semoule de maïs mélangée à des épices fait très bien l'affaire.

4 PORTIONS

½ t	semoule de maïs	125 ml
½ c. à thé	thym séché	2 ml
¼ t	babeurre	60 ml
4	poitrines de poulet désossées, la peau et le gras enlevés	4
	huile végétale	
	sel et poivre	

1. Dans un plat peu profond, mélanger la semoule, le thym, ½ c. à thé (2 ml) de sel et ¼ c. à thé (1 ml) de poivre noir du moulin. Verser le babeurre dans un autre plat peu profond. Passer les poitrines de poulet dans le babeurre, puis dans le mélange de semoule, en les retournant pour bien les enrober.

2. Dans un poêlon, chauffer 1 c. à tab (15 ml) d'huile végétale à feu moyen. Ajouter les poitrines de poulet et cuire pendant environ 14 minutes ou jusqu'à ce qu'elles soient dorées et croustillantes et qu'elles aient perdu leur teinte rosée à l'intérieur (les retourner à la mi-cuisson).

PAR PORTION : cal. : 279 ; prot. : 32 g ; m.g. : 9 g (1 g sat.) ; chol. : 78 mg ; gluc. : 14 g ; fibres : 1 g ; sodium : 377 mg.

Poitrines de poulet au prosciutto

Le thym, le basilic et la marjolaine sont aussi d'excellents choix pour assaisonner ces poitrines de poulet.

4 PORTIONS

2 c. à tab	moutarde de Dijon	30 ml
1	trait de sauce tabasco	1
4	poitrines de poulet désossées, la peau et le gras enlevés	4
1 c. à thé	sauge séchée émiettée	5 ml
8	tranches fines de prosciutto (environ 5 oz/150 g en tout)	8
	huile végétale	
	poivre	

1. Dans un petit bol, mélanger la moutarde de Dijon et la sauce tabasco. Badigeonner les poitrines de poulet de ce mélange, puis les parsemer de la sauge et de ¼ c. à thé (1 ml) de poivre noir du moulin. Entourer chacune de deux tranches de prosciutto de manière à bien la couvrir. Mettre les poitrines de poulet sur une plaque de cuisson tapissée de papier d'aluminium et badigeonner le dessus de 1 c. à thé (5 ml) d'huile végétale. (Vous pouvez préparer le poulet jusqu'à cette étape et le couvrir. Il se conservera jusqu'à 2 heures au réfrigérateur.)

2. Cuire au four préchauffé à 375°F (190°C) pendant environ 20 minutes ou jusqu'à ce que le prosciutto soit croustillant et que le poulet ait perdu sa teinte rosée à l'intérieur.

PAR PORTION : cal.: 226 ; prot.: 38 g ; m.g.: 7 g (2 g sat.); chol.: 99 mg ; gluc.: 2 g ; fibres : traces ; sodium : 649 mg.

ASTUCE

L'été, on profite du beau temps pour faire griller ces poitrines de poulet sur le barbecue. Plutôt que de les parsemer de sauge séchée émiettée, on les garnit alors de feuilles de sauge fraîche entières avant de les entourer du prosciutto.

Côtelettes de porc à la moutarde

L'enrobage croustillant de ces côtelettes en fait un vrai régal. On les sert avec une purée de pommes de terre et des haricots verts ou du brocoli.

4 PORTIONS

1 c. à tab	moutarde de Dijon	15 ml
1 c. à tab	mayonnaise légère	15 ml
2	oignons verts hachés finement	2
½ t	mie de pain frais, émiettée	125 ml
2 c. à tab	persil frais, haché (facultatif)	30 ml
2	gousses d'ail hachées finement	2
4	côtelettes de porc, avec ou sans os, parées	4
	huile végétale	
	sel et poivre	

1. Dans un bol, mélanger la moutarde de Dijon, la mayonnaise et les oignons verts. Réserver. Dans un autre bol, mélanger la mie de pain, le persil, si désiré, 1 c. à tab (15 ml) d'huile végétale et l'ail. Réserver.

2. Pratiquer des entailles sur le pourtour des côtelettes pour les empêcher de retrousser et les parsemer de ¼ c. à thé (1 ml) de sel et de ¼ c. à thé (1 ml) de poivre noir du moulin. Dans un grand poêlon allant au four, chauffer 1 c. à tab (15 ml) d'huile végétale à feu moyen-vif. Ajouter les côtelettes et les faire dorer de chaque côté. Dégraisser le poêlon (ne pas retirer les côtelettes). Étendre le mélange de moutarde réservé sur le dessus des côtelettes et les parsemer du mélange de mie de pain réservé, en pressant pour le faire adhérer.

3. Cuire au four préchauffé à 425°F (220°C) pendant environ 15 minutes ou jusqu'à ce que les côtelettes soient encore légèrement rosées à l'intérieur et que la mie de pain soit dorée.

PAR PORTION : cal.: 260 ; prot.: 27 g ; m.g.: 15 g (3 g sat.); chol.: 72 mg ; gluc.: 4 g ; fibres : traces ; sodium : 312 mg.

Coq au vin express

4 PORTIONS

¼ t	farine	60 ml
2 ¼ c. à thé	thym séché	11 ml
8	hauts de cuisses de poulet désossés, la peau et le gras enlevés (environ 2 lb/1 kg en tout)	8
4	oignons coupés en quatre	4
1 t	vin blanc sec	250 ml
	huile d'olive	
	sel et poivre	

1. Dans un sac de plastique refermable (de type Ziploc), mélanger la farine, 2 c. à thé (10 ml) du thym, ½ c. à thé (2 ml) de sel et ½ c. à thé (2 ml) de poivre noir du moulin. Ajouter les hauts de cuisses de poulet, en plusieurs fois, fermer hermétiquement le sac et l'agiter pour bien les enrober (secouer pour enlever l'excédent).

2. Dans un grand poêlon ou une grosse cocotte, chauffer 1 c. à tab (15 ml) d'huile d'olive à feu moyen-vif. Ajouter le poulet, en deux fois, et le faire dorer de chaque côté (ajouter de l'huile, au besoin). Retirer le poulet du poêlon et le réserver dans une assiette.

3. Dégraisser le poêlon. Ajouter les oignons et cuire à feu moyen, en brassant de temps à autre, pendant environ 5 minutes ou jusqu'à ce qu'ils soient dorés et qu'ils aient ramolli (ajouter de l'huile, au besoin).

4. Remettre le poulet réservé dans le poêlon. Ajouter le vin blanc, couvrir et laisser mijoter pendant environ 20 minutes ou jusqu'à ce que le poulet ait perdu sa teinte rosée à l'intérieur (le retourner à la mi-cuisson). Retirer le poulet du poêlon et le réserver au chaud dans un plat de service.

5. Ajouter le reste du thym, ¼ c. à thé (1 ml) de sel et ¼ c. à thé (1 ml) de poivre noir du moulin au jus de cuisson dans le poêlon. Porter à ébullition et laisser bouillir pendant environ 5 minutes ou jusqu'à ce qu'il ait épaissi. Verser sur le poulet.

PAR PORTION: cal.: 262 ; prot.: 24 g ; m.g.: 10 g (2 g sat.); chol.: 95 mg ; gluc.: 16 g ; fibres: 2 g ; sodium: 534 mg.

ASTUCE

Bien que le goût final ne soit pas tout à fait le même, on peut remplacer le vin blanc par du bouillon de poulet (préférablement réduit en sel) additionné d'un peu de vinaigre. Voici comment procéder pour remplacer 1 t (250 ml) de vin blanc: dans une tasse à mesurer, verser 1 c. à tab (15 ml) de vinaigre de vin blanc ou rouge, ou de vinaigre de cidre. Ajouter ensuite suffisamment de bouillon pour obtenir 1 t (250 ml) de liquide.

Ailes de poulet teriyaki

Pour ce souper tout simple, on met d'abord le poulet au four, puis on prépare le Riz aux petits pois et aux pousses de bambou (voir recette, ci-contre).

4 PORTIONS

16	ailes de poulet (environ 2 ½ lb/1,25 kg en tout)	16
¾ t	sauce teriyaki épaisse	180 ml
1	gousse d'ail hachée finement	1
1 c. à thé	zeste d'orange râpé	5 ml
2 c. à tab	oignon vert coupé en tranches fines	30 ml

1. Couper le bout des ailes de poulet et les congeler pour préparer un bouillon (voir Bouillon de poulet maison, p. 117). Séparer les ailes en deux à l'articulation et retirer l'excédent de peau. Mettre les ailes sur une grille placée sur une plaque de cuisson tapissée de papier d'aluminium. Cuire au four préchauffé à 400°F (200°C) pendant 20 minutes (retourner les ailes à la mi-cuisson).

2. Entre-temps, dans un grand bol, mélanger la sauce teriyaki, l'ail et le zeste d'orange. Réserver ¼ t (60 ml) de cette sauce pour badigeonner le poulet en fin de cuisson. Ajouter les ailes de poulet au reste de la sauce dans le bol et mélanger pour bien les enrober. Remettre les ailes sur la grille et poursuivre la cuisson au four pendant environ 25 minutes ou jusqu'à ce que le jus qui s'écoule quand on les pique à la fourchette soit clair (les retourner à la mi-cuisson). Badigeonner les ailes de la sauce réservée et cuire sous le gril préchauffé du four pendant environ 4 minutes ou jusqu'à ce qu'elles soient dorées (les retourner à la mi-cuisson). Au moment de servir, parsemer de l'oignon vert.

PAR PORTION : cal.: 361 ; prot.: 32 g ; m.g.: 21 g (6 g sat.) ; chol.: 91 mg ; gluc.: 9 g ; fibres : traces ; sodium : 2 163 mg.

Riz aux petits pois et aux pousses de bambou

4 PORTIONS

1 ½ t	bouillon de poulet	375 ml
2 c. à tab	sauce soja	30 ml
2 t	riz à grain rond (de type arborio)	500 ml
1	boîte de pousses de bambou en tranches, rincées et égouttées (8 oz/227 ml)	1
½ t	petits pois surgelés	125 ml
1	oignon vert coupé en tranches fines	1
2 c. à tab	graines de sésame grillées (facultatif)	30 ml

1. Dans une casserole, mélanger le bouillon de poulet, ¾ t (180 ml) d'eau et la sauce soja. Porter à ébullition. Ajouter le riz et les pousses de bambou, couvrir et laisser mijoter à feu moyen-doux pendant environ 15 minutes ou jusqu'à ce que le riz soit tendre mais encore ferme. Éteindre le feu.

2. Ajouter les petits pois, l'oignon vert et les graines de sésame, si désiré, et mélanger délicatement à l'aide d'une fourchette. Couvrir et laisser reposer pendant environ 8 minutes ou jusqu'à ce que le liquide soit absorbé et que le riz soit très tendre.

PAR PORTION : cal.: 425 ; prot.: 12 g ; m.g.: 4 g (1 g sat.) ; chol.: aucun ; gluc.: 84 g ; fibres : 3 g ; sodium : 827 mg.

Penne aux courgettes

4 PORTIONS

4	gousses d'ail coupées en tranches fines	4
1 c. à thé	mélange de fines herbes séchées à l'italienne	5 ml
2	poivrons rouges hachés	2
3	courgettes râpées grossièrement (environ 1 lb/500 g en tout)	3
4 t	penne	1 L
½ t	fromage pecorino, asiago ou feta râpé	125 ml
	huile d'olive	
	poivre	

1. Dans un poêlon, chauffer 2 c. à tab (30 ml) d'huile d'olive à feu moyen. Ajouter l'ail, le mélange de fines herbes et ¼ c. à thé (1 ml) de poivre noir du moulin et cuire, en brassant de temps à autre, pendant 4 minutes. Ajouter les poivrons et cuire, en brassant de temps à autre, pendant 4 minutes. Augmenter à feu moyen-vif. Ajouter les courgettes et cuire, en brassant, pendant environ 2 minutes ou jusqu'à ce que la préparation soit chaude.

2. Entre-temps, dans une grande casserole d'eau bouillante salée, cuire les pâtes pendant environ 8 minutes ou jusqu'à ce qu'elles soient al dente. Égoutter les pâtes et les mettre dans un grand bol de service chaud. Ajouter la préparation de courgettes et le fromage et mélanger pour bien enrober les pâtes.

PAR PORTION : cal. : 460 ; prot. : 15 g ; m.g. : 13 g (4 g sat.) ; chol. : 12 mg ; gluc. : 72 g ; fibres : 6 g ; sodium : 340 mg.

PAIN À L'AIL GRILLÉ

Un grand favori à faire en moins de deux !

● Dans une petite casserole, chauffer quelques gouttes d'huile d'olive à feu doux. Ajouter 6 gousses d'ail, couvrir et cuire, en inclinant la casserole de temps à autre, pendant environ 15 minutes ou jusqu'à ce que l'ail soit très tendre. Mettre l'ail dans un bol et laisser refroidir.

● Écraser l'ail à l'aide d'une fourchette. Ajouter ¼ t (60 ml) de beurre ramolli, une bonne pincée de thym et de romarin ou d'origan séché et un tour de moulin de poivre noir et bien mélanger.

● À l'aide d'un couteau denté, ouvrir un pain baguette en deux horizontalement, sans le couper complètement. Étendre le beurre à l'ail sur le côté coupé des moitiés de pain, puis parsemer de parmesan, d'asiago ou de romano râpé, si désiré. Refermer et envelopper de papier d'aluminium.

● Cuire au four préchauffé à 350°F (180°C) pendant environ 10 minutes ou jusqu'à ce que la croûte soit légèrement croustillante et que le beurre ait fondu (retourner le pain à la mi-cuisson). (Ou encore, régler le barbecue au gaz à puissance moyenne, mettre le pain enveloppé sur la grille, fermer le couvercle et cuire tel qu'indiqué.)

Végéburgers, sauce à la coriandre

On peut mettre des hamburgers au menu même si on cuisine pour des végétariens. À preuve, ces pâtés à base de haricots, moelleux et savoureux.

4 PORTIONS

1	boîte de haricots rouges, romains ou noirs, rincés et égouttés (19 oz/540 ml)	1
½ t	salsa douce ou moyenne	125 ml
½ t	chapelure nature (environ)	125 ml
⅓ t	crème sure légère	80 ml
2 c. à tab	coriandre fraîche, hachée	30 ml
	huile végétale	

1. Dans un bol, à l'aide d'une fourchette ou d'un presse-purée, écraser les haricots rouges jusqu'à ce qu'ils soient réduits en purée presque lisse. Ajouter la salsa et suffisamment de la chapelure pour obtenir une préparation plutôt ferme et bien mélanger. Avec les mains mouillées, façonner la préparation de haricots en quatre pâtés d'environ ½ po (1 cm) d'épaisseur. Réserver. (Vous pouvez préparer les pâtés jusqu'à cette étape et les couvrir. Ils se conserveront jusqu'à 4 heures au réfrigérateur.)

2. Dans un petit bol, mélanger la crème sure et la coriandre. Réserver. (Vous pouvez préparer la sauce à l'avance et la couvrir. Elle se conservera jusqu'à 4 heures au réfrigérateur.)

3. Dans un grand poêlon, chauffer 2 c. à thé (10 ml) d'huile végétale à feu moyen-vif. Ajouter les pâtés de haricots et cuire pendant environ 10 minutes ou jusqu'à ce qu'ils soient croustillants à l'extérieur et très chauds à l'intérieur (les retourner à la mi-cuisson et ajouter de l'huile, au besoin). Servir les pâtés nappés de la sauce à la coriandre réservée.

PAR PORTION : cal. : 203 ; prot. : 10 g ; m.g. : 4 g (1 g sat.) ; chol. : 3 mg ; gluc. : 32 g ; fibres : 9 g ; sodium : 654 mg.

VARIANTES

Garnitures gourmandes

Pour varier, on garnit les pâtés de haricots d'un avocat coupé en dés, de laitue romaine déchiquetée, de germes de luzerne, ou de fromage Monterey Jack ou fontina crémeux.

Pâtes aux haricots blancs et au rapini

Combinées aux haricots blancs, ces pâtes sont un plat complet qui fournit une bonne dose de protéines. C'est aussi une succulente façon d'essayer le rapini, un légume de la famille des choux qui ressemble au brocoli. Servir les pâtes avec du fromage râpé.

4 PORTIONS

1	rapini ou brocoli	1
4 t	penne de blé entier	1 L
1 ½ t	mie de pain frais, émiettée grossièrement	375 ml
4	gousses d'ail hachées finement	4
1	pincée de flocons de piment fort	1
1	boîte de haricots blancs rincés et égouttés (19 oz/540 ml)	1
	huile d'olive	
	sel	

1. Rincer le rapini et couper la base des tiges d'environ 1 po (2,5 cm). Dans une grande casserole d'eau bouillante salée, cuire le rapini à couvert pendant environ 2 minutes ou jusqu'à ce que les tiges soient tendres. À l'aide d'une écumoire, retirer le rapini de la casserole et le couper en morceaux de 1 po (2,5 cm). Réserver.

2. Dans la même casserole, cuire les pâtes de 8 à 10 minutes ou jusqu'à ce qu'elles soient al dente. Égoutter les pâtes en réservant ½ t (125 ml) de l'eau de cuisson et les remettre dans la casserole.

3. Entre-temps, dans un poêlon, chauffer 1 c. à thé (5 ml) d'huile d'olive à feu moyen. Ajouter la mie de pain et le quart de l'ail et cuire, en brassant, pendant environ 3 minutes ou jusqu'à ce qu'ils soient dorés. Mettre la préparation dans un bol. Réserver.

4. Dans le poêlon, chauffer ¼ t (60 ml) d'huile d'olive à feu moyen. Ajouter le reste de l'ail, les flocons de piment fort et ¼ c. à thé (1 ml) de sel et cuire, en brassant, pendant environ 1 minute ou jusqu'à ce que l'ail soit doré. Ajouter le rapini réservé et les haricots et réchauffer pendant environ 3 minutes. Ajouter la préparation de haricots aux pâtes et mélanger pour bien les enrober (au besoin, ajouter de l'eau de cuisson réservée pour humecter la préparation). Au moment de servir, garnir chaque portion de la préparation de mie de pain réservée.

PAR PORTION : cal. : 591 ; prot. : 24 g ; m.g. : 17 g (2 g sat.) ; chol. : aucun ; gluc. : 92 g ; fibres : 17 g ; sodium : 978 mg.

Paninis au fromage et au poivron rouge

4 PORTIONS

4	petits pains italiens (de type panini), coupés en deux horizontalement	4
8	tranches de fromage havarti ordinaire ou au piment jalapeño	8
1 ½ t	feuilles de roquette (arugula) ou d'épinards	375 ml
1 t	poivrons rouges grillés (piments doux rôtis) en pot, égouttés et coupés en tranches	250 ml
	huile d'olive	

1. Badigeonner de 1 c. à tab (15 ml) d'huile d'olive la moitié inférieure des petits pains. Couvrir de la moitié du fromage, puis de la roquette, des poivrons rouges et du reste du fromage. Couvrir de la moitié supérieure des petits pains.

2. Dans un poêlon à surface antiadhésive, cuire les paninis à feu moyen-doux pendant environ 6 minutes ou jusqu'à ce qu'ils soient dorés et croustillants et que le fromage ait fondu (les presser de temps à autre avec une spatule et les retourner à la mi-cuisson).

PAR PORTION : cal. : 403 ; prot. : 17 g ; m.g. : 22 g (11 g sat.) ; chol. : 51 mg ; gluc. : 37 g ; fibres : 2 g ; sodium : 648 mg.

VARIANTE

Sandwichs grillés au fromage et au poivron rouge

Remplacer les petits pains italiens par 8 tranches de pain de blé entier et mettre dans le poêlon 1 c. à thé (5 ml) d'huile végétale avant de cuire les sandwichs.

Trempette au yogourt et à l'aneth

DONNE ⅔ T (160 ML).

½ t	yogourt nature épais (de type balkan)	125 ml
2 c. à tab	mayonnaise légère	30 ml
1 c. à tab	aneth frais, haché ou	15 ml
1 c. à thé	aneth séché	5 ml
1	gousse d'ail hachée finement	1
	crudités (carottes coupées en bâtonnets et radis)	
	sel et poivre	

1. Dans un petit bol, mélanger le yogourt, la mayonnaise, l'aneth, l'ail, ¼ c. à thé (1 ml) de sel et ¼ c. à thé (1 ml) de poivre noir du moulin. Servir avec des crudités.

PAR PORTION de 1 c. à tab (15 ml) : cal. : 21 ; prot. : 1 g ; m.g. : 2 g (1 g sat.) ; chol. : 3 mg ; gluc. : 1 g ; fibres : aucune ; sodium : 81 mg.

CHAPITRE 4

Dans un seul poêlon

Soupe aux boulettes et aux nouilles

Lorsqu'on manipule de la viande crue, on garde un bol d'eau froide à proximité pour y tremper les mains de temps en temps. Ainsi, on évite que la viande n'y colle.

4 PORTIONS

1 lb	boeuf haché maigre	500 g
2	gousses d'ail hachées finement	2
1 c. à thé	thym séché	5 ml
½ c. à thé	sel	2 ml
1 c. à thé	poivre noir du moulin	5 ml
2 c. à thé	huile végétale	10 ml
1	oignon haché	1
1	poivron rouge haché	1
2	carottes coupées en deux sur la longueur, puis en tranches	2
2 c. à tab	pâte de tomates	30 ml
4 t	bouillon de boeuf réduit en sel	1 L
1 ½ t	petits bouquets de brocoli frais ou surgelé	375 ml
4 oz	nouilles aux oeufs	125 g

1. Dans un bol, mélanger le boeuf haché, l'ail, le thym, la moitié du sel et la moitié du poivre. Façonner la préparation en boulettes, environ 1 c. à tab (15 ml) à la fois.

2. Dans une grande casserole, chauffer l'huile à feu moyen-vif. Cuire les boulettes, en les retournant souvent, pendant environ 5 minutes ou jusqu'à ce qu'elles soient dorées. Retirer les boulettes de la casserole et les réserver dans une assiette tapissée d'essuie-tout.

3. Dégraisser la casserole. Ajouter l'oignon, le poivron, les carottes et le reste du sel et du poivre. Cuire à feu moyen, en brassant de temps à autre, pendant environ 2 minutes ou jusqu'à ce que les légumes aient ramolli. Ajouter la pâte de tomates et le bouillon de boeuf et porter à ébullition, en brassant. Remettre les boulettes réservées dans la casserole. Réduire le feu et laisser mijoter pendant 5 minutes. Ajouter le brocoli et les nouilles et poursuivre la cuisson pendant environ 5 minutes ou jusqu'à ce que les boulettes aient perdu leur teinte rosée à l'intérieur.

PAR PORTION: cal.: 305; prot.: 27 g; m.g.: 14 g (5 g sat.); chol.: 69 mg; gluc.: 18 g; fibres: 3 g; sodium: 935 mg.

ASTUCE
Pour faire plaisir aux petits, on remplace les nouilles aux oeufs par des petites pâtes de type alphabet.

Soupe à la saucisse, aux pommes de terre et à la bette à carde

Si on le désire, on remplace la bette à carde par des épinards, qu'on laisse mijoter seulement jusqu'à ce qu'ils aient ramolli.

8 PORTIONS

1 c. à tab	huile d'olive	15 ml
1 lb	saucisses italiennes coupées en morceaux de 1 po (2,5 cm)	500 g
1	oignon haché	1
2	gousses d'ail hachées finement	2
3 t	pommes de terre pelées et coupées en cubes	750 ml
½ c. à thé	mélange de fines herbes séchées à l'italienne	2 ml
½ c. à thé	poivre noir du moulin	2 ml
¼ c. à thé	flocons de piment fort	1 ml
3 t	eau	750 ml
1 t	bouillon de poulet réduit en sel	250 ml
2 t	feuilles de bette à carde tassées, hachées grossièrement	500 ml
½ t	parmesan râpé	125 ml

1. Dans une grande casserole, chauffer l'huile à feu moyen-vif. Ajouter les saucisses et les faire dorer. Retirer les saucisses de la casserole et les réserver dans un bol.

2. Dégraisser la casserole. Ajouter l'oignon, l'ail, les pommes de terre, le mélange de fines herbes, le poivre et les flocons de piment fort et cuire à feu moyen, en brassant de temps à autre, pendant environ 5 minutes ou jusqu'à ce que l'oignon ait ramolli.

3. Ajouter l'eau et le bouillon de poulet et porter à ébullition. Remettre les saucisses réservées dans la casserole. Réduire le feu, couvrir et laisser mijoter pendant environ 7 minutes ou jusqu'à ce que les pommes de terre soient presque tendres. Ajouter la bette à carde, couvrir et laisser mijoter pendant environ 5 minutes ou jusqu'à ce qu'elle soit tendre. Au moment de servir, parsemer chaque portion de soupe du parmesan.

PAR PORTION : cal.: 203 ; prot.: 12 g ; m.g.: 12 g (4 g sat.); chol.: 29 mg; gluc.: 13 g ; fibres : 1 g ; sodium : 508 mg.

Hauts de cuisses de poulet, sauce aux tomates

Si on a des champignons dans le frigo, on peut les hacher et les ajouter à la préparation en même temps que le poivron vert. Servir ce plat sur du riz ou des pâtes.

4 PORTIONS

2 c. à tab	farine	30 ml
½ c. à thé	sel	2 ml
¼ c. à thé	poivre noir du moulin	1 ml
8	hauts de cuisses de poulet désossés, la peau et le gras enlevés	8
2 c. à tab	huile végétale (environ)	30 ml
1	oignon haché	1
2	gousses d'ail hachées finement	2
1	poivron vert haché	1
1 c. à thé	mélange de fines herbes séchées à l'italienne	5 ml
1	boîte de tomates en dés (28 oz/796 ml)	1
½ t	bouillon de poulet réduit en sel	125 ml
⅓ t	pâte de tomates	80 ml
2 c. à tab	persil frais, haché	30 ml

1. Dans un plat peu profond, mélanger la farine, le sel et le poivre. Passer les hauts de cuisses de poulet dans le mélange de farine en les retournant pour bien les enrober. Dans une grosse cocotte peu profonde, chauffer la moitié de l'huile à feu moyen-vif. Ajouter les hauts de cuisses de poulet, en deux fois, et les faire dorer de chaque côté (ajouter de l'huile, au besoin). Retirer le poulet de la cocotte et le réserver dans une assiette.

2. Dégraisser la cocotte et chauffer le reste de l'huile à feu moyen. Ajouter l'oignon, l'ail, le poivron et le mélange de fines herbes et cuire, en brassant de temps à autre, pendant environ 4 minutes ou jusqu'à ce que l'oignon ait ramolli. Ajouter les tomates, le bouillon de poulet et la pâte de tomates et mélanger. Porter à ébullition.

3. Remettre le poulet réservé dans la cocotte, avec le jus de cuisson accumulé dans l'assiette. Réduire le feu et laisser mijoter pendant environ 20 minutes ou jusqu'à ce que la sauce ait épaissi et que le poulet ait perdu sa teinte rosée à l'intérieur. Au moment de servir, parsemer du persil.

PAR PORTION : cal. : 298 ; prot. : 26 g ; m.g. : 13 g (2 g sat.) ; chol. : 95 mg ; gluc. : 21 g ; fibres : 4 g ; sodium : 743 mg.

Côtelettes de porc, sauce puttanesca

Servir ces côtelettes sur des pâtes ou sur notre Couscous parfait (voir recette, p. 72).

4 PORTIONS

4	côtelettes de porc désossées	4
2 c. à tab	huile végétale	30 ml
1	oignon haché	1
2	gousses d'ail hachées finement	2
½ c. à thé	poivre noir du moulin	2 ml
½ c. à thé	flocons de piment fort	2 ml
¼ c. à thé	sel	1 ml
1	boîte de tomates (19 oz/540 ml)	1
¼ t	pâte de tomates	60 ml
½ t	olives noires dénoyautées, hachées	125 ml
1 c. à tab	câpres égouttées	15 ml
¼ t	basilic ou persil frais, haché	60 ml

1. Pratiquer des entailles sur le pourtour des côtelettes de porc pour les empêcher de retrousser. Dans un grand poêlon, chauffer 1 c. à tab (15 ml) de l'huile à feu moyen-vif. Ajouter les côtelettes et les faire dorer de chaque côté. Retirer les côtelettes du poêlon et les réserver dans une assiette.

2. Dégraisser le poêlon et chauffer le reste de l'huile à feu moyen. Ajouter l'oignon, l'ail, le poivre, les flocons de piment fort et le sel et cuire, en brassant de temps à autre, pendant environ 4 minutes ou jusqu'à ce que l'oignon ait ramolli. Ajouter les tomates, en les défaisant à l'aide d'une fourchette, puis la pâte de tomates, les olives et les câpres. Porter à ébullition, en brassant et en raclant le fond du poêlon pour en détacher les particules. Réduire le feu et laisser mijoter pendant 10 minutes ou jusqu'à ce que la sauce ait épaissi.

3. Remettre les côtelettes réservées dans le poêlon, avec le jus de cuisson accumulé dans l'assiette, et les parsemer du basilic. Couvrir et laisser mijoter pendant environ 10 minutes ou jusqu'à ce que les côtelettes soient encore légèrement rosées à l'intérieur.

PAR PORTION: cal.: 292; prot.: 25 g; m.g.: 16 g (2 g sat.); chol.: 60 mg; gluc.: 14 g; fibres: 3 g; sodium: 980 mg.

VARIANTE

Côtelettes de veau, sauce puttanesca
Remplacer les côtelettes de porc par des côtelettes de veau (dans la longe ou les côtes). Augmenter la quantité de pâte de tomates à ⅓ t (80 ml). Laisser mijoter 5 minutes de plus.

Côtelettes d'agneau au romarin et aux haricots blancs

L'utilisation de haricots blancs en conserve permet de servir ce repas simple mais exquis un soir de semaine.

4 PORTIONS

8	côtelettes de longe d'agneau (environ 1 ½ lb/750 g en tout)	8
1 c. à thé	romarin séché ou	5 ml
1	brin de romarin frais, émietté	1
½ c. à thé	sel	2 ml
½ c. à thé	poivre noir du moulin	2 ml
2 c. à tab	huile d'olive	30 ml
1	oignon haché	1
2	gousses d'ail hachées finement	2
2 c. à thé	farine	10 ml
1 ¼ t	bouillon de poulet réduit en sel	310 ml
1	boîte de haricots blancs, rincés et égouttés (19 oz/540 ml)	1
1 c. à tab	persil frais, haché	15 ml
1 c. à tab	jus de citron	15 ml
	quartiers de citron	

1. Parsemer les côtelettes d'agneau de la moitié du romarin, de la moitié du sel et de la moitié du poivre. Dans un poêlon, chauffer la moitié de l'huile à feu moyen-vif. Ajouter les côtelettes et cuire pendant environ 5 minutes pour une viande mi-saignante ou jusqu'au degré de cuisson désiré (les retourner à la mi-cuisson). Retirer les côtelettes du poêlon et les réserver au chaud dans une assiette.

2. Dégraisser le poêlon et chauffer le reste de l'huile. Ajouter l'oignon, l'ail et le reste du romarin, du sel et du poivre et cuire, en brassant de temps à autre, pendant environ 5 minutes ou jusqu'à ce que l'oignon ait ramolli. Parsemer la préparation de la farine, puis ajouter le bouillon de poulet en brassant à l'aide d'un fouet. Porter à ébullition à feu moyen et laisser bouillir, en brassant et en raclant le fond du poêlon pour en détacher les particules, pendant environ 1 minute ou jusqu'à ce que la sauce ait épaissi.

3. Ajouter les haricots blancs et poursuivre la cuisson jusqu'à ce qu'ils soient chauds. À l'aide d'une fourchette, réduire en purée environ ⅓ t (80 ml) des haricots dans le poêlon. Ajouter le persil et le jus de citron et mélanger. Répartir la préparation de haricots dans les assiettes et couvrir des côtelettes réservées. Verser le reste de la sauce en filet autour des haricots. Garnir de quartiers de citron.

PAR PORTION : cal. : 539 ; prot. : 30 g ; m.g. : 36 g (13 g sat.) ; chol. : 93 mg ; gluc. : 23 g ; fibres : 8 g ; sodium : 895 mg.

MATÉRIEL

TRAITER UN POÊLON EN FONTE

On fait subir à certains poêlons en fonte un traitement qui les rend antiadhésifs. On le fait avant la première utilisation et on recommence si les aliments se mettent à coller. Voici comment procéder.

● Frotter légèrement l'intérieur du poêlon avec du saindoux ou de l'huile végétale. Mettre le poêlon au four préchauffé à 300°F (150°C) pendant 1 heure. Renouveler l'opération plusieurs fois.

● Comme la fonte absorbe le gras des aliments riches en matières grasses, les cuissons successives forment une patine qui renforce le revêtement antiadhésif obtenu par le traitement.

Sauté de boeuf haché et de légumes sur couscous

Pendant la cuisson du boeuf haché et des légumes, on prépare le couscous. Pour notre méthode infaillible, voir Couscous parfait, au bas de cette page.

4 PORTIONS

1 lb	boeuf haché maigre	500 g
1 c. à tab	huile végétale	15 ml
1	oignon haché	1
2	gousses d'ail hachées finement	2
2	carottes coupées en julienne	2
½	poivron rouge coupé en tranches fines	½
2 c. à tab	eau	30 ml
1 c. à tab	paprika	15 ml
1 c. à thé	gingembre moulu	5 ml
1 c. à thé	cumin moulu	5 ml
1 c. à thé	cannelle moulue	5 ml
¼ c. à thé	sel	1 ml
¼ c. à thé	flocons de piment fort	1 ml
1	boîte de tomates en dés (28 oz/796 ml)	1
2 c. à tab	pâte de tomates	30 ml
¾ t	olives vertes dénoyautées, coupées en tranches	180 ml
2 c. à tab	coriandre fraîche (ou oignons verts), hachée	30 ml
2 t	couscous cuit, chaud (voir ci-contre)	500 ml

1. Dans un grand poêlon, cuire le boeuf haché à feu moyen-vif, en le défaisant à l'aide d'une cuillère, pendant environ 5 minutes ou jusqu'à ce qu'il ait perdu sa teinte rosée. Réserver dans une assiette.

2. Dégraisser le poêlon. Réduire à feu moyen et ajouter l'huile, l'oignon et l'ail. Cuire pendant environ 1 minute ou jusqu'à ce que la préparation dégage son arôme. Ajouter les carottes, le poivron, l'eau, le paprika, le gingembre, le cumin, la cannelle, le sel et les flocons de piment fort et cuire, en brassant souvent, pendant environ 3 minutes ou jusqu'à ce que les légumes soient tendres mais encore croquants.

3. Remettre le boeuf haché réservé et son jus dans le poêlon. Ajouter les tomates et la pâte de tomates et bien mélanger. Porter à ébullition. Réduire le feu et laisser mijoter pendant environ 10 minutes ou jusqu'à ce que les légumes soient tendres. Ajouter les olives et la coriandre et mélanger. Cuire pendant 1 minute pour réchauffer. Servir sur le couscous.

PAR PORTION : cal. : 450 ; prot. : 29 g ; m.g. : 20 g (6 g sat.) ; chol. : 61 mg ; gluc. : 41 g ; fibres : 5 g ; sodium : 1 089 mg.

COUSCOUS PARFAIT

Dans un bol à l'épreuve de la chaleur, mélanger 1 t (250 ml) de couscous (de blé entier, de préférence) et ½ c. à thé (2 ml) de sel. Ajouter 1 ½ t (375 ml) d'eau bouillante, ou de bouillon de poulet ou de légumes réduit en sel et mélanger. Couvrir et laisser reposer pendant 5 minutes. Séparer les grains de couscous à l'aide d'une fourchette avant de servir.

Idées d'assaisonnement
On peut assaisonner le couscous d'herbes fraîches hachées, comme le persil ou la ciboulette, ou l'agrémenter de raisins secs, d'amandes coupées en bâtonnets ou d'autres noix hachées.

Poulet au riz et au paprika

Les hauts de cuisses de poulet demeurent le meilleur choix pour un braisé : leur chair reste juteuse et particulièrement succulente. Avant de les faire dorer, il est préférable d'en retirer le gras.

4 PORTIONS

1 lb	hauts de cuisses de poulet désossés, la peau et le gras enlevés (ou poitrines de poulet coupées en deux)	500 g
½ c. à thé	sel	2 ml
½ c. à thé	poivre noir du moulin	2 ml
2 c. à tab	huile végétale	30 ml
1	oignon coupé en lanières de ½ po (1 cm) de largeur	1
2 t	champignons blancs ou café, coupés en deux	500 ml
2 c. à tab	paprika doux	30 ml
½ c. à thé	aneth séché	2 ml
1 ¾ t	bouillon de poulet réduit en sel	430 ml
1 t	riz étuvé	250 ml
2 t	piments chilis doux (de type cubanelle) frais ou poivrons verts, hachés	500 ml
⅓ t	crème sure légère	80 ml

ASTUCE

La gamme de paprika offerte sur le marché s'est élargie avec l'arrivée du paprika fumé originaire d'Espagne. Le paprika doux, qu'on peut utiliser en version fumée ou ordinaire, est parfait pour ce sauté.

1. Parsemer les hauts de cuisses de poulet de la moitié du sel et de la moitié du poivre. Dans un grand poêlon, chauffer 1 c. à tab (15 ml) de l'huile à feu moyen-vif. Ajouter les hauts de cuisses et cuire pendant environ 6 minutes ou jusqu'à ce qu'ils soient dorés. Retirer le poulet du poêlon et le réserver dans une assiette.

2. Dégraisser le poêlon et chauffer le reste de l'huile. Ajouter l'oignon et les champignons et cuire, en brassant, pendant environ 3 minutes ou jusqu'à ce que l'oignon ait ramolli et que le liquide se soit complètement évaporé. Réduire à feu moyen-doux. Ajouter le paprika, l'aneth et le reste du sel et du poivre et poursuivre la cuisson, en brassant, pendant environ 1 minute ou jusqu'à ce que le paprika et l'aneth dégagent leur arôme.

3. Ajouter le bouillon de poulet et le riz et mélanger. Porter à ébullition. Remettre le poulet réservé dans le poêlon, avec le jus de cuisson accumulé dans l'assiette, et mélanger pour bien l'enrober. Réduire le feu, couvrir et laisser mijoter pendant environ 12 minutes ou jusqu'à ce que le liquide soit presque complètement absorbé.

4. Ajouter les piments chilis. Couvrir et laisser mijoter pendant environ 4 minutes ou jusqu'à ce que le poulet ait perdu sa teinte rosée à l'intérieur et que les piments soient tendres. Servir le poulet avec la crème sure.

PAR PORTION : cal. : 451 ; prot. : 29 g ; m.g. : 15 g (3 g sat.) ; chol. : 98 mg ; gluc. : 50 g ; fibres : 4 g ; sodium : 675 mg.

Chaudrée de flétan et de palourdes

Si désiré, on garnit chaque portion de chaudrée d'une tranche de pain baguette grillée, frottée d'une demi-gousse d'ail et légèrement badigeonnée d'huile d'olive.

4 PORTIONS

1 c. à tab	huile végétale	15 ml
1	oignon haché	1
1	gousse d'ail hachée finement	1
2	branches de céleri coupées en dés	2
1	grosse pomme de terre pelée et coupée en dés	1
1 c. à thé	thym séché	5 ml
¼ c. à thé	sel	1 ml
1	boîte de tomates étuvées (19 oz/540 ml)	1
1 ⅓ t	bouillon de poulet réduit en sel	330 ml
¼ t	pâte de tomates	60 ml
12 oz	filets de flétan ou de tilapia, coupés en morceaux de 1 po (2,5 cm)	375 g
1	boîte de petites palourdes entières (5 oz/142 g)	1
1	poivron vert coupé en dés	1
1 t	maïs en grains surgelé	250 ml

1. Dans une grande casserole, chauffer l'huile à feu moyen. Ajouter l'oignon, l'ail, le céleri, la pomme de terre, le thym et le sel et cuire, en brassant de temps à autre, pendant environ 10 minutes ou jusqu'à ce que les légumes aient ramolli et qu'ils soient légèrement dorés. Ajouter les tomates, le bouillon de poulet et la pâte de tomates et porter à ébullition. Réduire le feu, couvrir et laisser mijoter pendant environ 12 minutes ou jusqu'à ce que la pomme de terre soit tendre.

2. Ajouter les morceaux de flétan, les palourdes, le poivron et le maïs et mélanger délicatement. Couvrir et laisser mijoter à feu moyen-doux pendant environ 5 minutes ou jusqu'à ce que la chair du poisson se défasse facilement à la fourchette.

PAR PORTION : cal. : 271 ; prot. : 26 g ; m.g. : 6 g (1 g sat.) ; chol. : 37 mg ; gluc. : 30 g ; fibres : 4 g ; sodium : 617 mg.

MATÉRIEL
USTENSILES DE CUISINE

LES INDISPENSABLES
- Couteau d'office et couteau de chef
- Planche à découper
- Grande et petite casseroles
- Poêlon (en fonte noire prétraitée, de préférence)
- Tasses à mesurer pour les liquides et les ingrédients secs
- Essoreuse à salade et passoire
- Grandes fourchettes pour soulever la volaille
- Pince d'environ 9 po (23 cm) de longueur
- Moulin à poivre
- Grand tamis pour égoutter et filtrer
- Cuillères en bois
- Spatules en silicone
- Brochettes
- Thermomètre à viande (numérique à lecture rapide, de préférence, pour la viande hachée et la volaille)
- Plaque de cuisson à rebords
- Petite rôtissoire et grille
- Poêlon à fond cannelé
- Cuit-vapeur ou marguerite
- Ciseaux de cuisine et couteau éplucheur
- Grosse cocotte
- Wok ou grand poêlon profond

LES PETITS EXTRAS
- Mélangeur à main
- Affiloir
- Robot culinaire
- Four grille-pain
- Mijoteuse
- Moules à gâteaux et à muffins
- Cuiseur pour le riz
- Grille-paninis

Poulet et haricots verts aux tomates cerises

Pour ce repas, qui se prépare également dans un wok ou une grosse cocotte, la marche à suivre est simple : faire dorer le poulet, ajouter le bouillon et laisser mijoter. En prime, on profite du fait que les haricots verts cuisent dans le bouillon. Facile !

4 PORTIONS

2 c. à tab	huile végétale	30 ml
8	hauts de cuisses de poulet désossés, la peau et le gras enlevés, coupés en morceaux de 2 po (5 cm)	8
1	oignon haché	1
3	gousses d'ail hachées finement	3
1 c. à thé	origan séché	5 ml
¼ c. à thé	sel	1 ml
¼ c. à thé	poivre noir du moulin	1 ml
1 t	bouillon de poulet	250 ml
2 t	haricots verts parés et coupés en morceaux de 1 po (2,5 cm)	500 ml
2 c. à thé	fécule de maïs	10 ml
1 c. à tab	eau	15 ml
1 t	tomates cerises coupées en deux	250 ml
2	oignons verts coupés en tranches fines	2

1. Dans un grand poêlon profond, chauffer 1 c. à tab (15 ml) de l'huile à feu moyen-vif. Ajouter le poulet et le faire dorer de tous les côtés. Retirer le poulet du poêlon et le réserver dans une assiette.

2. Dégraisser le poêlon et chauffer le reste de l'huile à feu moyen. Ajouter l'oignon, l'ail, l'origan, le sel et le poivre et cuire, en brassant de temps à autre, pendant environ 3 minutes ou jusqu'à ce que l'oignon ait ramolli. Ajouter le bouillon de poulet et le poulet réservé, avec le jus de cuisson accumulé dans l'assiette, et porter à ébullition. Réduire le feu, couvrir et laisser mijoter pendant environ 10 minutes ou jusqu'à ce que poulet ait perdu sa teinte rosée à l'intérieur. Ajouter les haricots, couvrir et poursuivre la cuisson pendant environ 5 minutes ou jusqu'à ce qu'ils soient tendres mais encore croquants.

3. Dans un petit bol, mélanger la fécule de maïs et l'eau. Verser le mélange de fécule dans le poêlon en brassant. Ajouter les tomates cerises et mélanger. Laisser mijoter, en brassant, pendant environ 1 minute ou jusqu'à ce que la sauce ait épaissi. Au moment de servir, parsemer chaque portion des oignons verts.

PAR PORTION : cal. : 242 ; prot. : 25 g ; m.g. : 11 g (2 g sat.) ; chol. : 95 mg ; gluc. : 11 g ; fibres : 2 g ; sodium : 443 mg.

ASTUCE
On peut remplacer les hauts de cuisses de poulet par 4 poitrines désossées, la peau et le gras enlevés. Le temps de cuisson sera le même.

Casserole de poulet au riz et au saucisson

4 PORTIONS

8	hauts de cuisses de poulet désossés, la peau et le gras enlevés (environ 1 ½ lb/750 g en tout)	8
½ c. à thé	sel	2 ml
½ c. à thé	poivre noir du moulin	2 ml
1 c. à tab	huile végétale	15 ml
¾ t	saucisson fumé (de type kielbassa) ou jambon, coupé en cubes (environ 4 oz/125 g)	180 ml
1	oignon coupé sur la longueur en tranches de ¼ po (5 mm) de largeur	1
1	poivron rouge ou vert, coupé sur la longueur en tranches de ¼ po (5 mm) de largeur	1
1 c. à thé	thym séché	5 ml
¾ t	riz à grain long	180 ml
1 ½ t	bouillon de poulet réduit en sel	375 ml
1 t	petits pois surgelés	250 ml
2	oignons verts coupés en tranches	2

1. Parsemer les hauts de cuisses de poulet de la moitié du sel et de la moitié du poivre. Dans un grand poêlon, chauffer l'huile à feu moyen-vif. Ajouter le poulet et cuire pendant environ 4 minutes ou jusqu'à ce qu'il soit doré. Retirer le poulet du poêlon et le réserver dans une assiette.

2. Dégraisser le poêlon. Ajouter le saucisson, l'oignon, le poivron, le thym et le reste du sel et du poivre. Cuire à feu moyen, en brassant de temps à autre, pendant environ 5 minutes ou jusqu'à ce que l'oignon ait ramolli.

3. Ajouter le riz et cuire, en brassant, pendant 1 minute pour bien l'enrober. Ajouter le bouillon de poulet, déposer le poulet réservé sur le riz et porter à ébullition. Réduire à feu doux et laisser mijoter à couvert pendant environ 15 minutes ou jusqu'à ce que presque tout le liquide se soit évaporé et que le poulet ait perdu sa teinte rosée à l'intérieur. Ajouter les petits pois et réchauffer. Au moment de servir, parsemer des oignons verts.

PAR PORTION : cal. : 413 ; prot. : 32 g ; m.g. : 14 g (3 g sat.) ; chol. : 113 mg ; gluc. : 38 g ; fibres : 3 g ; sodium : 887 mg.

Poulet au cari et au chou-fleur

On peut remplacer le piment chili frais par un piment chili mariné ou une pincée de flocons de piment fort.

4 PORTIONS

2 c. à tab	huile végétale (environ)	30 ml
12 oz	poitrines de poulet désossées, la peau et le gras enlevés, coupées en lanières sur la largeur	375 g
1	oignon haché	1
1	piment chili frais (de type jalapeño), épépiné et haché finement (facultatif)	1
¼ c. à thé	sel	1 ml
2 c. à tab	pâte de cari douce (de type Patak's)	30 ml
1	boîte de tomates en dés (28 oz/796 ml)	1
2 t	chou-fleur défait en bouquets	500 ml
1	pomme verte (de type Granny Smith), le coeur enlevé, coupée en dés	1
¼ t	raisins secs dorés	60 ml
1 t	petits pois surgelés	250 ml
¼ t	coriandre fraîche, hachée	60 ml

1. Dans un grand poêlon, chauffer 1 c. à tab (15 ml) de l'huile à feu moyen-vif. Ajouter les lanières de poulet, en deux fois, et les faire dorer (ajouter de l'huile, au besoin). Retirer les lanières de poulet du poêlon et les réserver dans un bol.

2. Dégraisser le poêlon et chauffer le reste de l'huile à feu moyen. Ajouter l'oignon, le piment chili, si désiré, puis le sel et cuire, en brassant de temps à autre, pendant environ 3 minutes ou jusqu'à ce que l'oignon ait ramolli. Ajouter la pâte de cari et poursuivre la cuisson, en brassant, pendant environ 1 minute ou jusqu'à ce qu'elle dégage son arôme. Égoutter les tomates, en réservant le jus pour un usage ultérieur (voir l'astuce, ci-contre), et les ajouter à la préparation dans le poêlon.

3. Remettre les lanières de poulet réservées dans le poêlon. Ajouter le chou-fleur, la pomme et les raisins secs et mélanger. Couvrir et laisser mijoter pendant environ 10 minutes ou jusqu'à ce que le chou-fleur soit tendre. Ajouter les petits pois et la moitié de la coriandre. Couvrir et laisser mijoter pendant environ 5 minutes ou jusqu'à ce que les petits pois soient très chauds. Au moment de servir, parsemer chaque portion du reste de la coriandre.

PAR PORTION : cal. : 313 ; prot. : 24 g ; m.g. : 13 g (1 g sat.) ; chol. : 49 mg ; gluc. : 28 g ; fibres : 6 g ; sodium : 610 mg.

ASTUCE
Lorsqu'une recette demande une boîte de tomates égouttées, on peut réfrigérer le jus et l'utiliser plus tard dans une sauce à spaghetti ou une soupe. On peut également le congeler dans un bac à glaçons ; il décongèlera alors rapidement.

Filets de poisson poêlés, sauce aux tomates et aux courgettes

Les pommes de terre rouges nouvelles sont l'accompagnement parfait de ce petit souper. On les brosse et on les coupe en quartiers si nécessaire. Avant même de préparer le poisson, on les met au feu à couvert dans une casserole d'eau bouillante salée pendant environ 15 minutes ou jusqu'à ce qu'elles soient tendres.

4 PORTIONS

2 c. à tab	beurre ou huile végétale	30 ml
1	oignon haché	1
2	gousses d'ail hachées finement	2
2 t	courgettes coupées en tranches fines (environ 2 petites courgettes)	500 ml
½ t	poivron rouge coupé en dés	125 ml
2 c. à tab	origan frais, haché ou	30 ml
1 c. à thé	origan séché	5 ml
¾ c. à thé	sel	4 ml
¾ c. à thé	poivre noir du moulin	4 ml
¼ c. à thé	sauce tabasco	1 ml
1	boîte de tomates étuvées (14 oz/398 ml)	1
4	filets de poisson (tilapia ou pangasius) (environ 1 ½ lb/750 g en tout)	4
1	citron coupé en tranches fines	1

1. Dans un grand poêlon, faire fondre le beurre à feu moyen-vif. Ajouter l'oignon, l'ail, les courgettes, le poivron, l'origan, ½ c. à thé (2 ml) du sel, ½ c. à thé (2 ml) du poivre et la sauce tabasco. Cuire, en brassant, pendant environ 5 minutes ou jusqu'à ce que l'oignon ait ramolli. Ajouter les tomates, en les défaisant à l'aide d'une fourchette, et porter à ébullition. Réduire le feu et laisser mijoter, en brassant souvent, pendant environ 10 minutes ou jusqu'à ce que la sauce ait suffisamment épaissi pour tenir en petit monticule dans une cuillère.

2. Déposer les filets de poisson côte à côte sur les légumes et les parsemer du reste du sel et du poivre. Couvrir et laisser mijoter pendant 8 minutes ou jusqu'à ce que la chair du poisson se défasse facilement à la fourchette.

3. Retirer le poisson du poêlon et le réserver au chaud dans une assiette. Laisser mijoter la sauce pendant environ 2 minutes ou jusqu'à ce qu'elle ait de nouveau épaissi. Servir le poisson nappé de la sauce et accompagner des tranches de citron.

PAR PORTION : cal. : 275 ; prot. : 32 g ; m.g. : 10 g (4 g sat.) ; chol. : 96 mg ; gluc. : 15 g ; fibres : 3 g ; sodium : 875 mg.

GARDE-MANGER
LES CONDIMENTS ESSENTIELS

- Sauces : soja, d'huîtres, hoisin, ketchup, salsa, Worcestershire, barbecue et tabasco.
- Pâtes et beurres : pâte de cari indienne (douce ou forte), pâte de cari rouge thaïe, pâte d'anchois, tahini (beurre de sésame) et beurres à base de noix (arachides, amandes et autres).
- Moutardes : au miel, de Dijon et de Meaux (à l'ancienne).
- Raifort en crème.

Soupe au chou et aux pois chiches

6 PORTIONS

2 c. à tab	huile d'olive	30 ml
1	oignon haché	1
2	gousses d'ail hachées finement	2
¼ c. à thé	sauge séchée	1 ml
½ c. à thé	poivre noir du moulin	2 ml
3 t	bouillon de poulet réduit en sel	750 ml
3 t	eau	750 ml
2 t	patates douces pelées et coupées en cubes	500 ml
1 ½ t	jambon coupé en cubes (environ 6 oz/175 g)	375 ml
1	poivron rouge haché	1
1	boîte de pois chiches, rincés et égouttés (19 oz/540 ml)	1
3 t	chou vert frisé haché	750 ml

1. Dans une grande casserole, chauffer l'huile à feu moyen. Ajouter l'oignon, l'ail, la sauge et le poivre et cuire, en brassant de temps à autre, pendant environ 5 minutes ou jusqu'à ce que l'oignon ait ramolli. Ajouter le bouillon, l'eau, les patates douces, le jambon, le poivron et les pois chiches.

2. Porter à ébullition. Réduire le feu, couvrir et laisser mijoter pendant 15 minutes ou jusqu'à ce que les patates douces soient tendres. Ajouter le chou et laisser mijoter pendant environ 5 minutes ou jusqu'à ce qu'il soit tendre. (Vous pouvez préparer la soupe à l'avance, la laisser refroidir et la mettre dans un contenant hermétique. Elle se conservera jusqu'à 3 jours au réfrigérateur.)

PAR PORTION : cal. : 260 ; pro. : 14 g ; m.g. : 8 g (1 g sat.) ; chol. : 14 mg ; gluc. : 34 g ; fibres : 5 g ; sodium : 645 mg.

VARIANTE

Soupe aux épinards et aux pois chiches
Remplacer le chou vert frisé par des épinards et cuire pendant environ 1 minute ou jusqu'à ce qu'ils aient ramolli.

Casserole de pommes de terre, de champignons et de jambon

8 PORTIONS

6	pommes de terre (de type Yukon Gold) pelées	6
1	paquet d'épinards frais, parés (10 oz/284 g)	1
1 c. à tab	huile végétale	15 ml
3 t	champignons coupés en tranches fines	750 ml
1	oignon haché	1
2	gousses d'ail hachées finement	2
½ c. à thé	thym séché	2 ml
¼ c. à thé	sel	1 ml
¼ c. à thé	poivre noir du moulin	1 ml
3 c. à tab	farine	45 ml
1 t	bouillon de poulet	250 ml
1	boîte de lait évaporé à 2 % (385 ml)	1
1 c. à tab	moutarde de Dijon	15 ml
1 lb	jambon Forêt-Noire coupé en dés	500 g
1 t	cheddar râpé	250 ml
½ t	mie de pain frais émiettée	125 ml

1. Dans une casserole d'eau bouillante salée, cuire les pommes de terre à couvert pendant environ 10 minutes ou jusqu'à ce qu'elles soient tendres. Égoutter et laisser refroidir.

2. Entre-temps, laver les épinards et les secouer pour enlever l'excédent d'eau. Dans un grand poêlon, mettre les épinards, couvrir et cuire (sans ajouter d'eau) pendant environ 3 minutes ou jusqu'à ce qu'ils aient ramolli (remuer une fois). Égoutter dans une passoire en pressant pour enlever l'excédent d'eau.

3. Dans le poêlon, chauffer l'huile à feu moyen-vif. Ajouter les champignons, l'oignon, l'ail, le thym, le sel et le poivre et cuire, en brassant, pendant environ 8 minutes ou jusqu'à ce que les légumes soient dorés et que le liquide se soit évaporé. Parsemer de la farine et cuire, en brassant, pendant 1 minute. Ajouter le bouillon, le lait évaporé et la moutarde et cuire à feu moyen, en brassant, pendant 10 minutes ou jusqu'à ce que la sauce ait épaissi.

4. Couper les pommes de terre refroidies en tranches fines. Étendre le tiers des pommes de terre dans un plat allant au four de 11 po x 7 po (33 cm x 18 cm), huilé. Couvrir de la moitié des épinards. Faire un autre étage de pommes de terre et d'épinards. Couvrir du reste des pommes de terre et parsemer du jambon. Étendre uniformément la sauce aux champignons sur la préparation. Parsemer du cheddar et de la mie de pain. (Vous pouvez préparer la casserole de pommes de terre jusqu'à cette étape et la couvrir. Elle se conservera jusqu'au lendemain au réfrigérateur. Ajouter 10 minutes au temps de cuisson.)

5. Mettre la casserole sur une plaque de cuisson et cuire au four préchauffé à 350°F (180°C) pendant environ 1 heure ou jusqu'à ce que la préparation soit bouillonnante et que le dessus soit doré et croustillant. Laisser reposer pendant 10 minutes avant de servir.

PAR PORTION : cal. : 323 ; prot. : 26 g ; m.g. : 11 g (5 g sat.) ; chol. : 50 mg ; gluc. : 31 g ; fibres : 3 g ; sodium : 1 330 mg.

CHAPITRE 5

Directement du garde-manger

Pizza au poulet et aux coeurs d'artichauts

Les restes de poulet du souper de la veille ou d'un poulet rôti acheté à l'épicerie conviennent très bien.

4 PORTIONS

1	pot de poivrons rouges grillés (piments doux rôtis), égouttés (370 ml)	1
2	gousses d'ail écrasées	2
2 c. à tab	huile d'olive	30 ml
½ c. à thé	sel	2 ml
1	grand pain plat mince (de type Splendido/227 g) ou croûte à pizza mince de 12 po (30 cm) de diamètre	1
1 t	fromage mozzarella râpé ou fromage de chèvre émietté	250 ml
1 ¾ t	poulet cuit, coupé en tranches	430 ml
½	oignon rouge coupé en tranches fines	½
1	pot de coeurs d'artichauts marinés, égouttés (6 oz/170 ml)	1
¼ t	olives noires coupées en tranches (facultatif)	60 ml
½ c. à thé	origan séché	2 ml

1. Au robot culinaire ou au mélangeur, réduire les poivrons et l'ail en purée avec l'huile et le sel. Mettre le pain plat sur une plaque à pizza et le badigeonner uniformément de la purée de poivrons. Parsemer de la moitié du fromage, puis garnir du poulet, de l'oignon, des coeurs d'artichauts, des olives, si désiré, et de l'origan. Parsemer du reste du fromage.

2. Cuire dans le tiers inférieur du four préchauffé à 500°F (260°C) pendant 15 minutes ou jusqu'à ce que le fromage soit doré et que la garniture soit bouillonnante (ou cuire selon les instructions sur l'emballage du pain plat).

PAR PORTION : cal.: 486 ; prot.: 31 g ; m.g.: 23 g (7 g sat.); chol.: 80 mg ; gluc.: 39 g ; fibres : 4 g ; sodium : 947 mg.

Soupe tex-mex aux tomates et au riz

À garnir de cheddar râpé et de crème sure. Les enfants en raffoleront !

6 PORTIONS

2 c. à tab	huile végétale	30 ml
1	oignon haché	1
2	gousses d'ail hachées finement	2
1	piment chili frais (de type jalapeño), épépiné et haché finement	1
¼ c. à thé	sel	1 ml
½ c. à thé	poivre noir du moulin	2 ml
½ c. à thé	cumin moulu	2 ml
¼ c. à thé	assaisonnement au chili	1 ml
2	carottes hachées	2
¼ t	riz à grain long	60 ml
1	boîte de tomates en dés (28 oz/796 ml)	1
4 t	eau	1 L
¼ t	coriandre fraîche, hachée finement	60 ml
1 c. à tab	jus de lime	15 ml

1. Dans une grande casserole, chauffer l'huile à feu moyen. Ajouter l'oignon, l'ail, le piment chili, le sel, le poivre, le cumin et l'assaisonnement au chili et cuire, en brassant de temps à autre, pendant environ 5 minutes ou jusqu'à ce que l'oignon ait ramolli. Ajouter les carottes, le riz, les tomates et l'eau. Porter à ébullition. Réduire le feu et laisser mijoter pendant environ 20 minutes ou jusqu'à ce que le riz et les carottes soient tendres. (Vous pouvez préparer la soupe jusqu'à cette étape, la laisser refroidir et la mettre dans un contenant hermétique. Elle se conservera jusqu'à 3 jours au réfrigérateur.)

2. Au moment de servir, ajouter la coriandre et le jus de lime et mélanger.

PAR PORTION : cal.: 116 ; pro.: 2 g ; m.g.: 5 g (traces sat.); chol.: aucun ; gluc.: 17 g ; fibres : 2 g ; sodium : 205 mg.

Fajitas au saumon

4 PORTIONS

¼ t	menthe fraîche, hachée finement ou	60 ml
½ c. à thé	menthe séchée	2 ml
¼ t	mayonnaise légère	60 ml
1 c. à tab	jus de lime ou de citron	15 ml
1 c. à thé	gingembre frais, râpé ou	5 ml
¾ c. à thé	gingembre moulu	4 ml
1	oignon vert haché finement	1
¼ c. à thé	sel	1 ml
¼ c. à thé	poivre noir du moulin	1 ml
2	boîtes de saumon sockeye égoutté (7 ½ oz/213 g chacune)	2
4	grandes tortillas de blé entier	4
2 t	laitue déchiquetée	500 ml

1. Dans un bol, mélanger la menthe, la mayonnaise, le jus de lime, le gingembre, l'oignon vert, le sel et le poivre. Ajouter le saumon et mélanger en le défaisant en morceaux et en écrasant les arêtes.

2. Parsemer les tortillas de la laitue. Répartir la préparation de saumon au centre de chaque tortilla. Replier les côtés des tortillas sur la garniture et rouler. Au moment de servir, couper les tortillas en deux, si désiré.

PAR PORTION : cal. : 352 ; prot. : 27 g ; m.g. : 12 g (2 g sat.) ; chol. : 43 mg ; gluc. : 44 g ; fibres : 5 g ; sodium : 913 mg.

POUR GAGNER DU TEMPS...

• On planifie les repas de la semaine ou même un menu pour deux semaines.

• On dresse notre liste d'épicerie en fonction de nos menus et on l'organise selon la disposition des rayons (fruits et légumes, produits laitiers, viande, etc.). De cette façon, on évite les oublis et les visites répétées au supermarché.

• Chaque semaine, on prépare au moins un repas qui donnera des restes. On les réchauffe simplement le lendemain ou on se sert de notre imagination : on cuisine un poulet rôti le mardi soir et on prépare une pizza au poulet le mercredi.

• On double nos recettes préférées et on les congèle dans des contenants appropriés, en indiquant sur une étiquette le nom des plats, la date de préparation et les instructions pour réchauffer.

• On essaie les produits préparés au rayon des fruits et légumes, de plus en plus populaires : déjà pelés (ananas), prémélangés (verdures) ou précoupés (champignons).

• On n'écarte pas les fruits et les légumes surgelés : ils sont aussi nourrissants que les frais, et on gagne énormément de temps quand on n'a pas besoin de peler les carottes, de parer les haricots et le brocoli ou d'écosser les petits pois.

• On lave les légumes verts et les fines herbes dès le retour du supermarché (voir Conservation des verdures, des fines herbes et des légumes, p. 203).

Sauté de tofu aux légumes

Si on a pris soin de bien garnir notre garde-manger et notre frigo en produits asiatiques, cuisiner ce plat est plus rapide que de le faire livrer. Pour se faciliter la tâche, on achète du gingembre et de l'ail hachés en pots, qu'on garde au frigo.

4 PORTIONS

2 c. à tab	fécule de maïs	30 ml
2 c. à tab	sauce soja réduite en sel	30 ml
2 c. à tab	sauce aux haricots noirs et à l'ail	30 ml
2 c. à tab	sauce d'huîtres ou hoisin	30 ml
¼ c. à thé	sauce tabasco	1 ml
1 c. à tab	huile végétale	15 ml
2	carottes coupées en dés	2
6	oignons verts coupés en tranches, les parties blanche et verte réservées séparément	6
3	gousses d'ail hachées finement	3
1 c. à tab	gingembre frais, haché finement	15 ml
⅛ c. à thé	clou de girofle moulu	0,5 ml
⅛ c. à thé	poivre noir du moulin	0,5 ml
1	paquet de protéines de soja précuites (de type Yves Veggie Cuisine) (12 oz/340 g)	1
1 ¾ t	eau	430 ml
1	paquet de tofu mi-ferme, égoutté et épongé, coupé en cubes de ¾ po (2 cm) (454 g)	1
1	boîte de champignons coupés en tranches, égouttés (10 oz/300 g)	1
¾ t	petits pois surgelés ou haricots verts en morceaux surgelés	180 ml

1. Dans un petit bol, mélanger la fécule de maïs, la sauce soja, la sauce aux haricots noirs, la sauce d'huîtres et la sauce tabasco. Réserver.

2. Dans un wok, chauffer l'huile à feu moyen-vif. Ajouter les carottes, la partie blanche des oignons verts, l'ail, le gingembre, le clou de girofle et le poivre et cuire, en brassant, pendant environ 6 minutes ou jusqu'à ce que les légumes soient tendres. Ajouter les protéines de soja et poursuivre la cuisson pendant 1 minute ou jusqu'à ce qu'elles soient chaudes.

3. Ajouter le mélange de fécule réservé et l'eau en brassant. Porter à ébullition. Ajouter le tofu et les champignons et mélanger. Réduire à feu doux, couvrir et poursuivre la cuisson pendant environ 10 minutes ou jusqu'à ce que la préparation ait épaissi. Ajouter les petits pois et la partie verte des oignons verts et cuire pendant 1 minute.

PAR PORTION : cal.: 289 ; prot.: 27 g ; m.g.: 8 g (1 g sat.) ; chol.: aucun ; gluc.: 28 g ; fibres: 10 g ; sodium: 1 280 mg.

Soufflé au fromage infaillible

Difficile de réussir un soufflé? Pas celui-ci, qui est l'un des soupers les plus faciles à préparer de ce chapitre.

4 PORTIONS

¼ t	beurre ramolli	60 ml
2 c. à tab	parmesan râpé	30 ml
⅓ t	farine	80 ml
½ c. à thé	sel	2 ml
¼ c. à thé	piment de Cayenne	1 ml
1 ½ t	lait	375 ml
6	jaunes d'oeufs	6
1 ½ t	cheddar fort râpé	375 ml
2 c. à tab	oignons verts hachés	30 ml
8	blancs d'oeufs	8
¼ c. à thé	crème de tartre (facultatif)	1 ml

1. Beurrer un moule à soufflé de 8 po x 3 ¾ po (20 cm x 9,5 cm) avec 1 c. à thé (5 ml) du beurre et le parsemer uniformément du parmesan. Réserver.

2. Dans une casserole, faire fondre le reste du beurre à feu moyen. Ajouter la farine, le sel et le piment de Cayenne et cuire, en brassant, pendant 2 minutes. À l'aide d'un fouet, ajouter le lait, en trois fois, et cuire, en brassant, pendant environ 4 minutes ou jusqu'à ce que la préparation ait la consistance d'une pâte épaisse. Retirer la casserole du feu. À l'aide du fouet, incorporer les jaunes d'oeufs, puis le cheddar et les oignons verts. Verser la préparation dans un grand bol et laisser refroidir pendant 10 minutes.

3. Dans un autre grand bol, à l'aide d'un batteur électrique, battre les blancs d'oeufs avec la crème de tartre, si désiré, jusqu'à ce qu'ils forment des pics fermes. Incorporer le tiers du mélange de blancs d'oeufs à la préparation de fromage en soulevant délicatement la masse. Incorporer le reste du mélange de blancs d'oeufs de la même manière. Verser la préparation dans le moule réservé. Mettre le moule sur une plaque de cuisson.

4. Cuire au centre du four préchauffé à 375°F (190°C) pendant environ 55 minutes ou jusqu'à ce que le soufflé ait gonflé et soit doré. Servir aussitôt.

PAR PORTION: cal.: 494; prot.: 27 g; m.g.: 37 g (20 g sat.); chol.: 395 mg; gluc.: 14 g; fibres: traces; sodium: 885 mg.

Risotto aux tomates séchées et aux haricots blancs

Le riz à grain rond est essentiel pour préparer un risotto, mais on peut y mettre les haricots de notre choix. Alors, si on a seulement des haricots rouges ou des pois chiches dans le garde-manger, on les utilise.

4 PORTIONS

1 c. à tab	huile d'olive	15 ml
1	oignon haché	1
2	gousses d'ail hachées finement	2
1 c. à thé	mélange de fines herbes séchées à l'italienne	5 ml
¼ c. à thé	poivre noir du moulin	1 ml
1 t	riz à grain rond (de type arborio ou carnaroli)	250 ml
2 ½ t	bouillon de légumes chaud	625 ml
1	boîte de petits haricots blancs (de type navy), rincés et égouttés (19 oz/540 ml)	1
½ t	tomates séchées conservées dans l'huile, égouttées et hachées	125 ml
½ t	parmesan râpé	125 ml

1. Dans une grande casserole, chauffer l'huile à feu moyen. Ajouter l'oignon, l'ail, le mélange de fines herbes et le poivre et cuire, en brassant de temps à autre, pendant environ 3 minutes ou jusqu'à ce que l'oignon ait ramolli.

2. Ajouter le riz et mélanger pour bien l'enrober du mélange d'oignon. Ajouter le bouillon de légumes et porter à ébullition. Réduire à feu doux, couvrir et laisser mijoter pendant 10 minutes (brasser à la mi-cuisson). Brasser vigoureusement la préparation pendant 15 secondes. Couvrir et laisser mijoter pendant 5 minutes.

3. Ajouter les haricots et mélanger. Couvrir et laisser mijoter pendant environ 2 minutes ou jusqu'à ce que le riz soit crémeux et encore légèrement ferme sous la dent. Ajouter les tomates séchées et le fromage et mélanger délicatement.

PAR PORTION : cal. : 490 ; prot. : 20 g ; m.g. : 10 g (3 g sat.) ; chol. : 11 mg ; gluc. : 81 g ; fibres : 10 g ; sodium : 1 184 mg.

VARIANTE

Risotto aux tomates séchées et aux deux haricots

Ajouter ½ t (125 ml) de haricots verts coupés en morceaux en même temps que les petits haricots blancs.

Fettucine aux olives vertes et aux câpres

Grâce à quelques ingrédients de base, ce succulent plat de pâtes se prépare en 10 minutes.

4 PORTIONS

10 oz	fettucine ou spaghettis	300 g
2 c. à tab	huile d'olive	30 ml
2	gousses d'ail coupées en tranches fines	2
¼ c. à thé	flocons de piment fort	1 ml
1 t	olives vertes dénoyautées, coupées en tranches	250 ml
⅓ t	persil frais, haché	80 ml
2 c. à tab	câpres égouttées et rincées, hachées grossièrement	30 ml
1 c. à thé	zeste d'orange râpé	5 ml
1 c. à tab	jus d'orange	15 ml
1 c. à thé	pâte d'anchois (facultatif)	5 ml

1. Dans une grande casserole d'eau bouillante salée, cuire les pâtes pendant environ 8 minutes ou jusqu'à ce qu'elles soient al dente. Égoutter les pâtes en réservant ½ t (125 ml) de l'eau de cuisson et les remettre dans la casserole.

2. Entre-temps, dans un grand poêlon, chauffer l'huile à feu moyen. Ajouter l'ail et les flocons de piment fort et cuire, en brassant de temps à autre, pendant environ 1 minute ou jusqu'à ce qu'ils dégagent leur arôme. Ajouter les olives, la moitié du persil, les câpres, le zeste et le jus d'orange et la pâte d'anchois, si désiré, et cuire, en brassant, pendant environ 2 minutes ou jusqu'à ce que la préparation soit chaude.

3. Verser la préparation aux olives sur les pâtes et mélanger pour bien les enrober (si la préparation est trop épaisse, ajouter un peu de l'eau de cuisson des pâtes réservée). Ajouter le reste du persil et mélanger délicatement.

PAR PORTION : cal.: 378 ; prot.: 10 g ; m.g.: 13 g (2 g sat.) ; chol.: aucun ; gluc.: 56 g ; fibres: 5 g ; sodium: 834 mg.

ASTUCE

Il existe sur le marché des pâtes sans gluten qui remplacent facilement les pâtes à base de farine de blé. Pour cette recette, par exemple, on opte pour des fettucine de riz brun, ou des spaghettis de riz blanc ou brun.

Pâtes aux poivrons rouges grillés

Les fusilli et les rotini sont les pâtes à privilégier ici, car leur forme retient bien la sauce. Au moment de servir, parsemer chaque portion de fromage à pâte dure fraîchement râpé (parmesan, grana padano, pecorino ou asiago).

4 PORTIONS

2 c. à tab	huile d'olive	30 ml
4	gousses d'ail hachées finement	4
1	oignon haché finement	1
1	pot de poivrons rouges grillés (piments doux rôtis) (313 ml)	1
1	boîte de tomates (19 oz/540 ml)	1
2 c. à thé	basilic (ou menthe) séché	10 ml
½ c. à thé	sel	2 ml
½ c. à thé	poivre noir du moulin	2 ml
5 t	fusilli ou rotini (environ 1 lb/500 g en tout)	1,25 L

1. Dans un grand poêlon, chauffer l'huile à feu moyen. Ajouter l'ail et l'oignon et cuire, en brassant de temps à autre, pendant environ 3 minutes ou jusqu'à ce qu'ils aient ramolli.

2. Égoutter les poivrons rouges en réservant le liquide de conservation. Au robot culinaire ou au mélangeur, réduire les poivrons en purée presque lisse avec les tomates.

3. Dans le poêlon, ajouter la purée de poivrons, le basilic, le sel et le poivre et porter à ébullition. Réduire le feu et laisser mijoter, en brassant souvent, pendant environ 10 minutes ou jusqu'à ce que la sauce ait suffisamment épaissi pour tenir en petit monticule dans une cuillère.

4. Entre-temps, dans une grande casserole d'eau bouillante salée, cuire les pâtes pendant environ 8 minutes ou jusqu'à ce qu'elles soient al dente. Égoutter les pâtes et les remettre dans la casserole. Ajouter la sauce et, si désiré, un peu du liquide de conservation des poivrons réservé, et mélanger pour bien enrober les pâtes.

PAR PORTION : cal.: 532 ; prot.: 16 g ; m.g.: 9 g (1 g sat.) ; chol.: aucun ; gluc.: 97 g ; fibres: 8 g ; sodium: 891 mg.

MÉLANGES MAISON D'HERBES AROMATIQUES

Ces savoureux mélanges donnent de la personnalité à nos farces, vinaigrettes, soupes, trempettes, hamburgers, pains de viande, pizzas et sauces. Ou encore, on ajoute le mélange de notre choix à de l'huile végétale ou de l'huile d'olive et on en frotte toute la surface des côtelettes, des rôtis et des biftecks. On prépare ces mélanges à l'avance et on les range dans des contenants hermétiques : ils se conserveront jusqu'à 3 mois dans un endroit frais et sec, à l'abri de la lumière. On utilise des feuilles séchées et non des herbes moulues.

● **Herbes de Provence :** Mélanger ¼ t (60 ml) d'origan, ¼ t (60 ml) de thym, ¼ t (60 ml) de sarriette, 1 c. à thé (5 ml) de basilic, 1 c. à thé (5 ml) de romarin et ½ c. à thé (2 ml) de sauge. (Donne environ ¾ t/180 ml.)

● **Assaisonnement pour volaille :** Mélanger ¼ t (60 ml) de sauge, ¼ t (60 ml) de thym et ¼ t (60 ml) d'origan. (Donne environ ¾ t/180 ml.)

● **Assaisonnement à l'italienne :** Mélanger 2 c. à tab (30 ml) de basilic, 2 c. à tab (30 ml) de thym, 2 c. à tab (30 ml) de marjolaine, 2 c. à tab (30 ml) d'origan, 2 c. à tab (30 ml) de sauge et 2 c. à tab (30 ml) de romarin. (Donne environ ¾ t/180 ml.)

Pâtes de blé entier aux poivrons, aux tomates et aux olives

4 PORTIONS

2 c. à tab	huile d'olive	30 ml
3	poivrons rouges ou jaunes (ou un mélange des deux), coupés en tranches fines	3
1	oignon coupé en tranches fines	1
2	gousses d'ail hachées finement	2
1 c. à thé	thym séché	5 ml
¼ c. à thé	sel	1 ml
¼ c. à thé	poivre noir du moulin	1 ml
1	pincée de flocons de piment fort	1
2	tomates italiennes fraîches ou en conserve, coupées en dés	2
¼ t	olives noires conservées dans l'huile, coupées en deux et dénoyautées	60 ml
2 c. à tab	vinaigre de cidre ou vinaigre de vin	30 ml
8 oz	spaghettinis de blé entier ou autres pâtes longues	250 g
¼ t	persil frais, haché	60 ml

1. Dans un grand poêlon, chauffer l'huile à feu moyen. Ajouter les poivrons, l'oignon, l'ail, le thym, le sel, le poivre et les flocons de piment fort et cuire, en brassant souvent, pendant environ 18 minutes ou jusqu'à ce que les poivrons soient très tendres. Ajouter les tomates, les olives et le vinaigre et poursuivre la cuisson, en brassant, pendant environ 1 minute ou jusqu'à ce que la préparation soit chaude.

2. Entre-temps, dans une grande casserole d'eau bouillante salée, cuire les pâtes pendant environ 8 minutes ou jusqu'à ce qu'elles soient al dente. Égoutter les pâtes en réservant ½ t (125 ml) de l'eau de cuisson et les remettre dans la casserole. Ajouter la préparation de poivrons et le persil et mélanger pour bien enrober les pâtes (si la préparation est trop épaisse, ajouter un peu de l'eau de cuisson des pâtes réservée).

PAR PORTION : cal. : 328 ; prot. : 10 g ; m.g. : 11 g (2 g sat.) ; chol. : aucun ; gluc. : 53 g ; fibres : 7 g ; sodium : 638 mg.

DES PÂTES PARFAITES À TOUT COUP !

Il est important de cuire les pâtes dans une grande quantité d'eau bouillante. Pour 1 lb (500 g) de pâtes, porter 20 t (5 L) d'eau à ébullition dans une grande casserole couverte. Ajouter 2 c. à tab (30 ml) de sel et attendre environ 2 minutes ou jusqu'à ce qu'il soit dissous. Ajouter les pâtes, remuer délicatement avec une cuillère de bois et laisser bouillir jusqu'à ce qu'elles soient al dente (tendres mais encore fermes sous la dent). Égoutter les pâtes, les remettre dans la casserole et ajouter la sauce. Réchauffer à feu doux, au besoin.

Casserole de tortellini au fromage

Oui, c'est possible de servir un plat en casserole un soir de semaine si on a pensé à acheter des tortellini farcis à la viande ou au fromage, histoire d'en avoir en réserve au frigo ou au congélo.

4 PORTIONS

12 oz	tortellini au fromage	375 g
1 c. à tab	beurre	15 ml
¼ t	farine	60 ml
3 t	lait à 1%, chaud	750 ml
1 t	parmesan râpé	250 ml
¼ c. à thé	sel	1 ml
¼ c. à thé	poivre noir du moulin	1 ml
1	pincée de muscade moulue	1
½ t	mie de pain frais, émiettée grossièrement	125 ml
¼ t	persil frais, haché	60 ml

1. Dans une grande casserole d'eau bouillante salée, cuire les pâtes pendant environ 8 minutes ou jusqu'à ce qu'elles soient al dente. Égoutter les pâtes et réserver.

2. Entre-temps, dans une autre casserole, faire fondre le beurre à feu moyen. Ajouter la farine et cuire, en brassant, pendant environ 1 minute ou jusqu'à ce qu'elle soit légèrement dorée. À l'aide d'un fouet, ajouter le lait petit à petit. Porter à ébullition en brassant sans arrêt à l'aide du fouet. Réduire à feu moyen-doux et laisser mijoter, en brassant sans arrêt, pendant environ 7 minutes ou jusqu'à ce que la sauce ait suffisamment épaissi pour napper le dos d'une cuillère.

3. Incorporer ¾ t (180 ml) du parmesan, le sel, le poivre et la muscade. Ajouter les tortellini et mélanger. Mettre la préparation de tortellini dans un plat allant au four de 8 po (20 cm) de côté.

4. Dans un bol, mélanger la mie de pain, le persil et le reste du parmesan. Parsemer la préparation de tortellini du mélange de mie de pain. Cuire au four préchauffé à 400°F (200°C) pendant environ 10 minutes ou jusqu'à ce que la préparation soit bouillonnante et que le dessus soit doré.

PAR PORTION : cal. : 504 ; prot. : 29 g ; m.g. : 18 g (10 g sat.) ; chol. : 91 mg ; gluc. : 56 g ; fibres : 2 g ; sodium : 1 249 mg.

Salade d'épinards aux poivrons grillés

4 PORTIONS

¼ t	poivrons rouges grillés (piments doux rôtis), hachés grossièrement	60 ml
2 c. à tab	huile d'olive	30 ml
2 c. à tab	vinaigre de vin	30 ml
¼ c. à thé	sel	1 ml
¼ c. à thé	poivre noir du moulin	1 ml
4 t	jeunes feuilles d'épinards	1 L
1 t	champignons coupés en tranches	250 ml

1. Dans un grand bol, à l'aide d'un fouet, mélanger les poivrons, l'huile, le vinaigre, le sel et le poivre. Ajouter les épinards et les champignons et mélanger délicatement pour bien les enrober.

PAR PORTION : cal. : 75 ; prot. : 2 g ; m.g. : 7 g (1 g sat.) ; chol. : aucun ; gluc. : 3 g ; fibres : 1 g ; sodium : 195 mg.

Spaghettis, sauce aux tomates et au thon

4 PORTIONS

1 c. à tab	huile d'olive	15 ml
1	oignon haché	1
2	gousses d'ail hachées finement	2
1 c. à thé	origan séché	5 ml
½ c. à thé	poivre noir du moulin	2 ml
1	boîte de tomates entières (28 oz/796 ml)	1
2 c. à tab	pâte de tomates	30 ml
½ c. à thé	zeste de citron râpé	2 ml
2	boîtes de thon égoutté et défait en morceaux (6 oz/170 g chacune)	2
⅓ t	olives noires dénoyautées conservées dans l'huile, coupées en quatre (environ)	80 ml
12 oz	spaghettis ou autres pâtes longues	375 g
¼ t	persil frais, haché	60 ml
¼ c. à thé	flocons de piment fort (facultatif)	1 ml

1. Dans un grand poêlon, chauffer l'huile à feu moyen. Ajouter l'oignon, l'ail, l'origan et le poivre et cuire, en brassant de temps à autre, pendant environ 3 minutes ou jusqu'à ce que l'oignon ait ramolli.

2. Ajouter les tomates, en les défaisant à l'aide d'une cuillère de bois, la pâte de tomates et le zeste de citron et mélanger. Réduire le feu et laisser mijoter pendant environ 15 minutes ou jusqu'à ce que la sauce ait épaissi. Ajouter le thon et les olives et réchauffer pendant environ 2 minutes.

3. Entre-temps, dans une grande casserole d'eau bouillante salée, cuire les pâtes de 8 à 10 minutes ou jusqu'à ce qu'elles soient al dente. Égoutter les pâtes et les remettre dans la casserole. Ajouter la sauce et le persil et mélanger pour bien enrober les pâtes. Au moment de servir, parsemer chaque portion des flocons de piment fort et d'olives supplémentaires, si désiré.

PAR PORTION : cal. : 529 ; prot. : 30 g ; m.g. : 11 g (2 g sat.) ; chol. : 28 mg ; gluc. : 78 g ; fibres : 7 g ; sodium : 1 085 mg.

Spaghettis au pain à l'ail

Le plat parfait pour passer un reste de pain baguette.

4 PORTIONS

8 oz	spaghettis ou autres pâtes longues	250 g
1	morceau de pain baguette d'environ 6 po (15 cm) de longueur, coupé en cubes	1
¼ t	huile d'olive	60 ml
3	gousses d'ail hachées finement	3
¼ t	câpres égouttées, hachées	60 ml
¼ t	persil frais, haché	60 ml
2 c. à tab	jus de citron	30 ml
½ t	parmesan râpé	125 ml

1. Dans une grande casserole d'eau bouillante salée, cuire les pâtes pendant environ 8 minutes ou jusqu'à ce qu'elles soient al dente. Égoutter les pâtes en réservant ½ t (125 ml) de l'eau de cuisson et les remettre dans la casserole.

2. Entre-temps, au robot culinaire ou au mélangeur, hacher le pain baguette jusqu'à ce qu'il ait la texture d'une chapelure grossière. Réserver.

3. Dans un poêlon, chauffer l'huile à feu moyen. Ajouter le pain et l'ail et cuire, en brassant de temps à autre, pendant environ 4 minutes ou jusqu'à ce que l'ail soit doré. Ajouter les câpres, le persil et le jus de citron et mélanger. Verser la préparation de pain sur les pâtes, ajouter l'eau de cuisson des pâtes réservée et mélanger délicatement. Réchauffer à feu doux. Au moment de servir, parsemer chaque portion du fromage.

PAR PORTION : cal. : 456 ; prot. : 15 g ; m.g. : 19 g (4 g sat.) ; chol. : 11 mg ; gluc. : 57 g ; fibres : 4 g ; sodium : 788 mg.

CHAPITRE 6

Grâce à la mijoteuse

La plupart des recettes présentées dans ce chapitre se préparent aussi
sur la cuisinière ou au four. Vous trouverez les instructions à cet effet à la suite de chaque recette.

Pot-au-feu à l'espagnole

8 PORTIONS

3 lb	rôti de côtes croisées désossé	1,5 kg
¼ c. à thé	sel	1 ml
¼ c. à thé	poivre noir du moulin	1 ml
2 c. à tab	huile végétale (environ)	30 ml
1	oignon coupé en tranches fines	1
2	gousses d'ail hachées finement	2
½ t	prosciutto coupé en dés (environ 4 oz/125 g)	125 ml
½ c. à thé	marjolaine (ou origan) séchée	2 ml
1 t	bouillon de boeuf réduit en sel	250 ml
½ t	xérès (sherry) ou bouillon de boeuf réduit en sel	125 ml
1	boîte de tomates égouttées (28 oz/796 ml)	1
1 t	poivrons rouges grillés (piments doux rôtis), coupés en tranches	250 ml
2 c. à tab	farine	30 ml
3 c. à tab	eau	45 ml
¼ t	amandes moulues	60 ml
2 c. à tab	pâte de tomates	30 ml
1	poivron vert coupé en tranches fines	1

1. Parsemer le rôti de boeuf du sel et du poivre. Dans une grosse cocotte, chauffer la moitié de l'huile à feu moyen-vif. Faire dorer le rôti de boeuf de tous les côtés (ajouter de l'huile, au besoin). Mettre le rôti dans la mijoteuse.

2. Dégraisser la cocotte. Chauffer le reste de l'huile. Ajouter l'oignon, l'ail, le prosciutto et la marjolaine et cuire à feu moyen, en brassant de temps à autre, pendant environ 5 minutes ou jusqu'à ce que l'oignon ait ramolli. Ajouter le bouillon de boeuf et le xérès et porter à ébullition en raclant le fond de la cocotte pour en détacher les particules. Verser la préparation de bouillon dans la mijoteuse, puis ajouter les tomates et les poivrons rouges. Couvrir et cuire à faible intensité de 6 à 8 heures. Mettre le rôti de boeuf sur une planche à découper et le couvrir de papier d'aluminium, sans serrer. Laisser reposer pendant 15 minutes.

3. Entre-temps, dans un petit bol, mélanger la farine et l'eau. Ajouter la préparation de farine dans la mijoteuse et mélanger. Ajouter les amandes et la pâte de tomates et mélanger. Ajouter le poivron vert. Couvrir et cuire à intensité élevée pendant 15 minutes ou jusqu'à ce que la sauce ait épaissi. Couper le rôti en tranches fines et servir nappé de la sauce.

PAR PORTION : cal. : 397 ; prot. : 36 g ; m.g. : 23 g (7 g sat.) ; chol. : 110 mg ; gluc. : 12 g ; fibres : 2 g ; sodium : 565 mg.

SUR LA CUISINIÈRE

• Dans une grosse cocotte, faire dorer le rôti de boeuf tel qu'indiqué à l'étape 1. Retirer le rôti de la cocotte et réserver.

• Dans la cocotte, cuire l'oignon, l'ail, le prosciutto et la marjolaine tel qu'indiqué. Ajouter le bouillon de boeuf et le xérès, et porter à ébullition en raclant le fond de la cocotte pour en détacher les particules. Ajouter les tomates et les poivrons rouges et porter de nouveau à ébullition. Remettre le rôti de boeuf réservé dans la cocotte. Couvrir et laisser mijoter pendant environ 2 heures ou jusqu'à ce que le boeuf soit tendre. Mettre le rôti de boeuf sur une planche à découper et le couvrir de papier d'aluminium, sans serrer. Laisser reposer pendant 15 minutes.

• Dans la cocotte, ajouter les amandes, la pâte de tomates et le poivron vert. Porter à ébullition et cuire à feu moyen pendant 10 minutes. Dans un petit bol, mélanger la farine et l'eau. Ajouter la préparation de farine dans la cocotte et mélanger. Porter à ébullition et cuire, en brassant, pendant environ 5 minutes ou jusqu'à ce que la sauce ait épaissi. Couper le rôti en tranches fines et servir nappé de la sauce.

Chili aux deux haricots

8 À 12 PORTIONS

2 c. à tab	huile végétale	30 ml
2 lb	cubes de boeuf à ragoût	1 kg
2	oignons coupés en dés	2
2	carottes coupées en dés	2
2	branches de céleri coupées en dés	2
3	gousses d'ail hachées finement	3
1 c. à tab	origan séché	15 ml
1	boîte de tomates étuvées (28 oz/796 ml)	1
1	boîte de pâte de tomates (5 ½ oz/156 ml)	1
1	boîte de haricots noirs rincés et égouttés (19 oz/540 ml)	1
1	boîte de haricots rouges rincés et égouttés (19 oz/540 ml)	1
2 c. à tab	assaisonnement au chili	30 ml
½ c. à thé	sel	2 ml
1	poivron vert coupé en dés	1
1 c. à thé	sauce tabasco (facultatif)	5 ml

1. Dans un poêlon, chauffer l'huile à feu moyen-vif. Ajouter les cubes de boeuf, en plusieurs fois, et cuire jusqu'à ce qu'ils soient dorés. Mettre les cubes de boeuf dans la mijoteuse.

2. Dégraisser le poêlon. Ajouter les oignons, les carottes, le céleri, l'ail et l'origan et cuire à feu moyen pendant 5 minutes ou jusqu'à ce que les légumes aient ramolli. Mettre le mélange de légumes dans la mijoteuse, puis ajouter les tomates, la pâte de tomates, les haricots noirs et rouges, l'assaisonnement au chili et le sel. Couvrir et cuire à faible intensité pendant 6 heures.

3. Dégraisser le liquide de cuisson. Ajouter le poivron et la sauce tabasco, si désiré, et mélanger. Couvrir et poursuivre la cuisson pendant 30 minutes ou jusqu'à ce que le poivron soit tendre.

PAR PORTION : cal.: 300; prot.: 20 g; m.g.: 15 g (5 g sat.); chol.: 51 mg; gluc.: 23 g; fibres: 7 g; sodium: 560 mg.

SUR LA CUISINIÈRE

● Dans une grosse cocotte, faire dorer les cubes de boeuf tel qu'indiqué à l'étape 1. Retirer les cubes de boeuf de la cocotte et les réserver dans une assiette.

● Dégraisser la cocotte. Ajouter les oignons, les carottes, le céleri, le poivron, l'ail et l'origan et cuire tel qu'indiqué. Ajouter les tomates, la pâte de tomates, les haricots noirs et rouges, l'assaisonnement au chili, le sel, la sauce tabasco, si désiré, et les cubes de boeuf réservés, avec le jus de cuisson accumulé dans l'assiette, et bien mélanger. Porter à ébullition.

● Réduire le feu, couvrir et laisser mijoter, en brassant de temps à autre, pendant 1 heure 30 minutes ou jusqu'à ce que le boeuf soit tendre.

TECHNIQUE
SAISIR

Cuire un aliment à feu vif en début de cuisson permet d'obtenir une belle coloration et une croûte riche en arômes sur la viande, la volaille et le poisson.

● Éponger la viande avec des essuie-tout et l'assaisonner.

● Chauffer le poêlon : s'il est froid, la viande collera au fond. Ajouter le gras demandé (huile ou beurre) et le chauffer. Ajouter la viande et cuire jusqu'à ce qu'elle soit dorée et qu'on puisse la retourner facilement.

● En ajoutant du liquide (bouillon, vin ou eau) dans le poêlon et en raclant le fond pour en détacher les particules (c'est le déglaçage), on obtient une sauce ou un jus de cuisson délicieux.

Côtes levées de porc, sauce barbecue

Les côtes levées de dos sont plus fournies en chair que les côtes levées de flanc, mais l'une ou l'autre sont parfaites pour cette recette.

4 À 6 PORTIONS

3 lb	côtes levées de porc (2 carrés)	1,5 kg
4 c. à thé	assaisonnement à saveur de mesquite ou assaisonnement à la cajun	20 ml
½ c. à thé	sel	2 ml
½ c. à thé	poivre noir du moulin	2 ml
2 t	ketchup	500 ml
½ t	vinaigre de vin	125 ml
2 c. à tab	sucre	30 ml
2 c. à tab	sauce Worcestershire	30 ml

1. À l'aide d'un petit couteau, enlever l'excédent de gras des carrés de côtes levées. Au besoin, retirer la membrane sous les carrés, puis les couper en portions individuelles de deux côtes.

2. Dans un petit bol, mélanger l'assaisonnement à saveur de mesquite, le sel et le poivre. Frotter uniformément les côtes levées de ce mélange et les mettre en une seule couche, le côté chair sur le dessus, sur une plaque de cuisson ou dans une rôtissoire peu profonde. Cuire sous le gril préchauffé du four pendant environ 10 minutes ou jusqu'à ce qu'elles soient dorées (les retourner à la mi-cuisson). Mettre les côtes levées dans la mijoteuse.

3. Dans un bol, mélanger le ketchup, le vinaigre de vin, le sucre et la sauce Worcestershire. Verser la préparation de ketchup dans la mijoteuse et mélanger pour bien enrober les côtes. Couvrir et cuire à faible intensité de 8 à 10 heures.

PAR PORTION : cal. : 533 ; prot. : 33 g ; m.g. : 32 g (12 g sat.) ; chol. : 88 mg ; gluc. : 31 g ; fibres : 2 g ; sodium : 1 452 mg.

VARIANTE

Version simplifiée

Enlever l'excédent de gras des carrés de côtes levées, les couper en portions et les assaisonner tel qu'indiqué. Mettre les côtes levées dans la mijoteuse et les couvrir de la préparation de ketchup. Couvrir et cuire à intensité élevée pendant 6 heures.

LA CAPACITÉ DE LA MIJOTEUSE

On trouve sur le marché des mijoteuses de différentes formes et capacités. Il faut donc tenir compte du nombre de personnes à nourrir et des recettes envisagées. On la choisit en fonction de nos besoins :

- pour 4 à 8 personnes : 20 à 24 t (5 à 6 L) ;
- pour 2 à 4 personnes : 10 à 16 t (2,5 à 4 L) ;
- pour les trempettes, sauces et hors-d'oeuvre : 2 à 6 t (500 ml à 1,5 L).

Ragoût de boeuf aux champignons

8 PORTIONS

2 lb	cubes de boeuf à ragoût	1 kg
½ t	farine	125 ml
¾ c. à thé	sel	4 ml
¼ c. à thé	poivre noir du moulin	1 ml
2 c. à tab	huile végétale (environ)	30 ml
2 t	bouillon de boeuf réduit en sel	500 ml
1	oignon coupé en tranches	1
2	tranches de bacon hachées	2
1 c. à thé	thym séché	5 ml
4 t	petits champignons blancs, coupés en deux (environ 12 oz/375 g)	1 L
2	branches de céleri hachées	2
3 t	pommes de terre pelées et coupées en cubes	750 ml
1	paquet de champignons porcini séchés (14 g)	1
1	feuille de laurier	1
1 ¼ t	eau	310 ml
1 t	petits pois surgelés	250 ml

1. Dans un grand bol, mélanger les cubes de boeuf et ¼ t (60 ml) de la farine. Parsemer du sel et du poivre. Dans un grand poêlon, chauffer la moitié de l'huile à feu moyen-vif. Ajouter les cubes de boeuf, en quatre fois, et cuire jusqu'à ce qu'ils soient dorés (ajouter de l'huile, au besoin). Mettre les cubes de boeuf dans la mijoteuse.

2. Dans le poêlon, ajouter le bouillon de boeuf et porter à ébullition, en raclant le fond pour en détacher les particules. Verser le liquide dans la mijoteuse.

3. Dans le poêlon, chauffer le reste de l'huile à feu moyen. Ajouter l'oignon, le bacon et le thym et cuire, en brassant de temps à autre, pendant 1 minute. Ajouter les petits champignons blancs et cuire, en brassant de temps à autre, pendant environ 8 minutes ou jusqu'à ce qu'ils aient ramolli et que presque tout le liquide se soit évaporé. Mettre le mélange de champignons dans la mijoteuse, puis ajouter le céleri, les pommes de terre, les champignons porcini, la feuille de laurier

et 1 t (250 ml) de l'eau et bien mélanger. Couvrir et cuire à faible intensité pendant 6 heures.

4. Dans un petit bol, mélanger le reste de la farine et le reste de l'eau. Ajouter la préparation de farine dans la mijoteuse et mélanger. Ajouter les petits pois. Couvrir et cuire à intensité élevée pendant 15 minutes ou jusqu'à ce que la sauce ait épaissi. Retirer la feuille de laurier. (Vous pouvez préparer le ragoût à l'avance, le laisser refroidir pendant 30 minutes, le mettre dans un contenant hermétique, sans le couvrir, le réfrigérer jusqu'à ce qu'il soit froid, puis le couvrir. Il se conservera jusqu'à 2 jours au réfrigérateur ou jusqu'à 1 mois au congélateur.)

PAR PORTION : cal. : 344 ; prot. : 30 g ; m.g. : 14 g (5 g sat.) ; chol. : 60 mg ; gluc. : 23 g ; fibres : 3 g ; sodium : 503 mg.

SUR LA CUISINIÈRE

● Réduire la quantité de farine à ¼ t (60 ml) et ne l'utiliser que pour faire dorer les cubes de boeuf. Réduire également la quantité d'eau à 1 t (250 ml).

● Dans une grosse cocotte, faire dorer les cubes de boeuf tel qu'indiqué à l'étape 1. Les retirer de la cocotte et les réserver dans une assiette. Déglacer la cocotte avec le bouillon de boeuf tel qu'indiqué. Réserver le liquide dans un bol.

● Dans la cocotte, cuire l'oignon, le bacon, le thym et les petits champignons blancs tel qu'indiqué. Ajouter le céleri, les pommes de terre, les champignons porcini, la feuille de laurier, le liquide réservé, l'eau et les cubes de boeuf réservés. Porter à ébullition. Réduire le feu, couvrir et laisser mijoter pendant 1 heure ou jusqu'à ce que le boeuf soit tendre.

● Ajouter les petits pois et laisser mijoter jusqu'à ce qu'ils soient chauds. Retirer la feuille de laurier de la cocotte.

Côtes levées de boeuf, sauce au vin rouge

6 À 8 PORTIONS

1	paquet de champignons porcini ou shiitake séchés (14 g)	1
3 lb	bouts de côtes de boeuf	1,5 kg
1 c. à tab	huile végétale	15 ml
2 t	petits champignons blancs	500 ml
2	oignons hachés	2
3	gousses d'ail hachées finement	3
2	carottes coupées en dés	2
1 c. à tab	romarin séché, émietté	15 ml
¾ c. à thé	sel	4 ml
½ c. à thé	poivre noir du moulin	2 ml
1	boîte de tomates en dés (28 oz/796 ml)	1
¾ t	vin rouge sec	180 ml
2 c. à tab	pâte de tomates	30 ml
¼ t	farine	60 ml
2 c. à tab	vinaigre balsamique ou vinaigre de vin	30 ml
⅓ t	eau	80 ml
2 c. à tab	persil frais, haché	30 ml

1. Dans une tasse à mesurer, mettre les champignons porcini et les couvrir d'eau bouillante. Laisser reposer pendant 20 minutes.

2. Entre-temps, couper les côtes levées en portions individuelles de deux côtes et les mettre en une seule couche, le côté chair sur le dessus, sur une plaque de cuisson ou dans une rôtissoire peu profonde. Cuire sous le gril préchauffé du four pendant environ 5 minutes ou jusqu'à ce qu'elles soient dorées (les retourner à la mi-cuisson). Mettre les côtes levées dans la mijoteuse.

3. Égoutter les champignons porcini en réservant le liquide de trempage. Dans un poêlon, chauffer l'huile à feu moyen-vif. Ajouter les champignons porcini, les petits champignons blancs, les oignons, l'ail, les carottes, le romarin, le sel et le poivre et cuire, en brassant, pendant 5 minutes ou jusqu'à ce que les légumes aient ramolli. Mettre la préparation de champignons dans la mijoteuse, puis ajouter les tomates.

4. Mélanger le liquide de trempage réservé, le vin rouge et la pâte de tomates et verser dans la mijoteuse. Couvrir et cuire à faible intensité de 7 à 8 heures. Dégraisser le liquide de cuisson.

5. Dans un petit bol, mélanger la farine, le vinaigre balsamique et l'eau. Ajouter la préparation de farine dans la mijoteuse et mélanger. Couvrir et cuire à intensité élevée pendant 15 minutes ou jusqu'à ce que la sauce ait épaissi. Ajouter le persil et mélanger.

PAR PORTION : cal. : 468 ; prot. : 20 g ; m.g. : 36 g (15 g sat.) ; chol. : 69 mg ; gluc. : 17 g ; fibres : 3 g ; sodium : 441 mg.

SUR LA CUISINIÈRE

● Dans une grosse cocotte, préparer la recette tel qu'indiqué. Couvrir et laisser mijoter à feu moyen-doux pendant environ 2 heures ou jusqu'à ce que les côtes levées soient tendres. Dégraisser le liquide de cuisson. Réduire la quantité de farine à 2 c. à tab (30 ml) et l'eau à ¼ t (60 ml). Ajouter la préparation de farine dans la cocotte et mélanger. Laisser mijoter pendant environ 5 minutes ou jusqu'à ce que la sauce ait épaissi. Ajouter le persil et mélanger.

Pommes de terre à la normande

Un gratin de pommes de terre à la mijoteuse ? Et comment ! Si on le préfère en version végétarienne, on omet le jambon, tout simplement.

6 PORTIONS

¼ t	beurre	60 ml
1	petit oignon, coupé en dés	1
¼ t	farine	60 ml
1 c. à thé	sel	5 ml
½ c. à thé	poivre noir du moulin	2 ml
½ c. à thé	thym (ou marjolaine) séché	2 ml
2 ½ t	lait	625 ml
1 t	gruyère ou emmenthal râpé	250 ml
1 c. à tab	persil séché	15 ml
6	pommes de terre (de type Yukon Gold), pelées et coupées en tranches fines	6
½ t	jambon ou dindon cuit, haché (facultatif)	125 ml

1. Dans une casserole, faire fondre le beurre à feu moyen. Ajouter l'oignon et cuire, en brassant de temps à autre, pendant 5 minutes ou jusqu'à ce qu'il ait ramolli. À l'aide d'un fouet, ajouter la farine, le sel, le poivre et le thym et poursuivre la cuisson, en brassant, pendant 1 minute. Ajouter le lait petit à petit, en brassant, et porter à ébullition. Réduire à feu moyen-doux et cuire, en brassant, de 5 à 8 minutes ou jusqu'à ce que la sauce ait épaissi. Ajouter la moitié du fromage et du persil et mélanger jusqu'à ce que le fromage ait fondu.

2. Ajouter les pommes de terre et le jambon, si désiré, et mélanger pour les enrober. Mettre la préparation de pommes de terre dans la mijoteuse. Parsemer du reste du fromage et du persil. Couvrir et cuire à faible intensité pendant 6 heures.

PAR PORTION : cal. : 360 ; prot. : 13 g ; m.g. : 16 g (10 g sat.) ; chol. : 53 mg ; gluc. : 42 g ; fibres : 3 g ; sodium : 587 mg.

DE LA CUISINIÈRE OU DU FOUR À LA MIJOTEUSE

La plupart de nos recettes préférées s'adaptent facilement à la cuisson à la mijoteuse si on suit quelques règles de base.

● Dans la mijoteuse, les légumes-racines cuisent plus lentement que la viande. Pour cette raison, on les coupe en morceaux de 1 po (2,5 cm) et on les place dans le fond de la mijoteuse, sous la viande ou la volaille, là où la température est la plus chaude.

● Contrairement à la cuisson au four ou sur la cuisinière, la cuisson à la mijoteuse ne laisse pas le liquide s'évaporer. La plupart des recettes pour la mijoteuse demandent donc la moitié moins de liquide. Si on doit ajouter un agent épaississant, on le fait vers la fin de la cuisson.

● La cuisson prolongée atténue la saveur des fines herbes et des épices. Pour en conserver le goût, on augmente la quantité de moitié ou on en rajoute vers la fin de la cuisson.

● Les poivrons verts deviennent amers si on les cuit longtemps. On les ajoute seulement de 10 à 15 minutes avant la fin de la cuisson et on augmente à intensité élevée.

Sauce pour pâtes

Cette recette donne une quantité suffisante de sauce pour un repas entre amis et des restes qu'on apprête dans les trois jours ou qu'on garde au congélateur. Pour varier, on remplace le boeuf haché par du poulet ou du porc maigre haché.

8 PORTIONS

1 ½ lb	boeuf haché maigre	750 g
2	boîtes de tomates (28 oz/796 ml chacune)	2
1	boîte de pâte de tomates (5 ½ oz/156 ml)	1
1 ½ t	champignons coupés en tranches	375 ml
2	carottes hachées	2
2	branches de céleri hachées	2
1	oignon haché	1
1	poivron rouge ou jaune, haché	1
4	gousses d'ail hachées finement	4
1 c. à tab	basilic séché	15 ml
1 c. à tab	origan séché	15 ml
1 c. à thé	thym séché	5 ml
1 c. à thé	sel	5 ml
½ c. à thé	poivre noir du moulin	2 ml
¼ c. à thé	piment de Cayenne	1 ml
4 c. à thé	vinaigre balsamique	20 ml

1. Dans un grand poêlon, cuire le boeuf haché à feu moyen-vif, en le défaisant à l'aide d'une fourchette, de 5 à 8 minutes ou jusqu'à ce qu'il ait perdu sa teinte rosée. Retirer le gras du poêlon.

2. Mettre les tomates dans la mijoteuse et les écraser grossièrement à l'aide d'un presse-purée. Ajouter la pâte de tomates, le boeuf haché, les champignons, les carottes, le céleri, l'oignon, le poivron, l'ail, le basilic, l'origan, le thym, le sel, le poivre et le piment de Cayenne et mélanger.

3. Couvrir et cuire à faible intensité de 8 à 10 heures. Ajouter le vinaigre balsamique et mélanger.

PAR PORTION : cal.: 243 ; prot.: 20 g ; m.g.: 10 g (4 g sat.) ; chol.: 44 mg ; gluc.: 20 g ; fibres : 4 g ; sodium : 706 mg.

SUR LA CUISINIÈRE

● Dans une grosse cocotte, faire dorer le boeuf haché tel qu'indiqué à l'étape 1. Retirer le boeuf haché de la cocotte et le réserver dans une assiette.

● Dégraisser la cocotte. Ajouter les champignons, les carottes, le céleri, l'oignon, le poivron, l'ail, le basilic, l'origan, le thym, le sel, le poivre et le piment de Cayenne et cuire, en brassant de temps à autre, pendant environ 8 minutes ou jusqu'à ce que l'oignon ait ramolli. Ajouter les tomates, la pâte de tomates et le boeuf haché réservé, avec le jus accumulé dans l'assiette, et bien mélanger. Porter à ébullition.

● Réduire le feu, couvrir et laisser mijoter, en brassant de temps à autre, pendant environ 1 heure ou jusqu'à ce que la sauce ait épaissi. Ajouter le vinaigre balsamique et mélanger.

Macaronis au fromage

4 À 6 PORTIONS

2 c. à tab	beurre	30 ml
1	oignon haché	1
⅓ t	farine	80 ml
3 t	lait	750 ml
3 t	cheddar fort râpé	750 ml
2 c. à thé	moutarde de Dijon	10 ml
¾ c. à thé	sel	4 ml
½ c. à thé	poivre noir du moulin	2 ml
2 t	macaronis	500 ml
¼ t	persil frais, haché	60 ml

1. Dans une casserole, faire fondre le beurre à feu moyen. Ajouter l'oignon et cuire, en brassant, pendant 3 minutes ou jusqu'à ce qu'il ait ramolli. À l'aide d'un fouet, ajouter la farine et poursuivre la cuisson, en brassant, pendant 1 minute. Incorporer petit à petit le lait et cuire, en brassant, pendant environ 8 minutes ou jusqu'à ce que la sauce ait épaissi. Ajouter le fromage, la moutarde de Dijon, le sel et le poivre et mélanger jusqu'à ce que le fromage ait fondu. Verser la sauce au fromage dans la mijoteuse.

2. Entre-temps, dans une grande casserole d'eau bouillante salée, cuire les pâtes pendant environ 8 minutes ou jusqu'à ce qu'elles soient al dente. Égoutter les pâtes, les mettre dans la mijoteuse et mélanger pour bien les enrober de la sauce. Couvrir et cuire à faible intensité pendant 3 heures ou jusqu'à ce que la préparation soit bouillonnante. Ajouter le persil et mélanger.

PAR PORTION : cal. : 487 ; prot. : 24 g ; m.g. : 26 g (16 g sat.) ; chol. : 81 mg ; gluc. : 40 g ; fibres : 2 g ; sodium : 854 mg.

AU FOUR

• Préparer la sauce et cuire les macaronis tel qu'indiqué. Dans un plat en verre allant au four de 8 po (20 cm) de côté, étendre les macaronis et la sauce au fromage. Parsemer de ¼ t (60 ml) de chapelure nature (omettre le persil). Cuire au four préchauffé à 350°F (180°C) pendant environ 30 minutes ou jusqu'à ce que le dessus de la préparation soit doré et croustillant.

Rôti de porc au porto et aux pruneaux

8 PORTIONS

2	patates douces coupées en tranches de ¾ po (2 cm) d'épaisseur	2
1	paquet d'oignons perlés pelés (10 oz/300 g)	1
3 lb	rôti d'épaule (palette) de porc désossé	1,5 kg
¼ c. à thé	sel	1 ml
½ c. à thé	poivre noir du moulin	2 ml
1 c. à tab	huile végétale (environ)	15 ml
1 ½ t	bouillon de poulet réduit en sel	375 ml
½ t	porto ou bouillon de poulet réduit en sel	125 ml
1 t	pruneaux dénoyautés	250 ml
2	feuilles de laurier	2
½ c. à thé	sauge séchée	2 ml
½ c. à thé	thym séché	2 ml
½ c. à thé	moutarde en poudre	2 ml
⅓ t	farine	80 ml
⅓ t	eau	80 ml

1. Dans la mijoteuse, mélanger les patates douces et les oignons perlés. Au besoin, amincir la couche de gras à la surface du rôti de porc. Parsemer le rôti du sel et du poivre. Dans un grand poêlon, chauffer l'huile à feu moyen-vif. Ajouter le rôti et le faire dorer de tous les côtés (ajouter de l'huile, au besoin). Mettre le rôti de porc dans la mijoteuse.

2. Dégraisser le poêlon. Ajouter le bouillon de poulet et le porto et porter à ébullition, en raclant le fond du poêlon pour en détacher les particules. Verser le mélange de bouillon dans la mijoteuse, puis ajouter les pruneaux, les feuilles de laurier, la sauge, le thym et la moutarde et mélanger.

3. Couvrir et cuire à faible intensité pendant 6 heures. Mettre le rôti de porc et les légumes dans une assiette, les couvrir de papier d'aluminium, sans serrer, et réserver au chaud. Retirer les feuilles de laurier de la mijoteuse.

4. Dans un petit bol, mélanger la farine et l'eau. Ajouter la préparation de farine dans la mijoteuse et mélanger. Couvrir et poursuivre la cuisson à intensité élevée pendant 15 minutes ou jusqu'à ce que la sauce ait épaissi. Couper le rôti en tranches fines. Servir accompagné de la sauce et des légumes.

PAR PORTION : cal. : 357 ; prot. : 29 g ; m.g. : 12 g (4 g sat.) ; chol. : 89 mg ; gluc. : 35 g ; fibres : 4 g ; sodium : 308 mg.

SUR LA CUISINIÈRE

- Dans une grosse cocotte, faire dorer le rôti de porc tel qu'indiqué à l'étape 1. Retirer le rôti de la cocotte et le réserver dans une assiette.

- Dégraisser la cocotte en conservant 1 c. à tab (15 ml) du gras. Réduire à feu moyen-doux. Ajouter les oignons perlés, la sauge, le thym et la moutarde et cuire, en brassant de temps à autre, pendant environ 5 minutes ou jusqu'à ce que les oignons soient dorés. Ajouter le bouillon de poulet et le porto et porter à ébullition, en raclant le fond de la cocotte pour en détacher les particules.

- Remettre le rôti dans la cocotte, puis ajouter les patates douces, les pruneaux et les feuilles de laurier. Couvrir et laisser mijoter pendant environ 2 heures ou jusqu'à ce que le porc soit tendre. Mettre le rôti de porc et les légumes dans une assiette de service, couvrir de papier d'aluminium, sans serrer, et réserver au chaud. Retirer les feuilles de laurier de la cocotte.

- Réduire la quantité d'eau et de farine à 3 c. à tab (45 ml) chacun. Dans un petit bol, mélanger la farine et l'eau. Ajouter la préparation de farine dans la cocotte et mélanger. Porter à ébullition et cuire, en brassant, pendant environ 4 minutes ou jusqu'à ce que la sauce ait épaissi. Couper le rôti de porc en tranches fines. Servir accompagné de la sauce et des légumes.

Casserole d'agneau à la grecque

Cette succulente casserole regroupe des saveurs (origan, citron et cannelle) et des ingrédients classiques de la cuisine grecque (coeurs d'artichauts, agneau et fromage feta). Elle se prépare à l'avance et se sert très bien à des invités.

6 À 8 PORTIONS

1 c. à tab	huile d'olive	15 ml
3 lb	cubes d'agneau à ragoût	1,5 kg
3	oignons coupés en tranches	3
6	gousses d'ail hachées finement	6
1 c. à tab	origan séché	15 ml
1 c. à tab	zeste de citron râpé	15 ml
¼ c. à thé	sel	1 ml
1	pincée de piment de la Jamaïque moulu	1
1	pincée de cannelle moulue	1
2 c. à tab	farine	30 ml
1 ½ t	bouillon de boeuf	375 ml
¼ t	pâte de tomates	60 ml
1	boîte de coeurs d'artichauts, égouttés et coupés en quatre (14 oz/398 ml)	1
½ t	fromage feta émietté	125 ml
2 c. à tab	persil frais, haché	30 ml

1. Dans une grosse cocotte, chauffer l'huile à feu moyen-vif. Faire dorer l'agneau en plusieurs fois, puis le retirer de la cocotte et le réserver dans une assiette.

2. Dégraisser la cocotte. Ajouter les oignons, l'ail, l'origan, le zeste de citron, le sel, le piment de la Jamaïque et la cannelle. Cuire à feu moyen, en brassant de temps à autre, pendant environ 5 minutes ou jusqu'à ce que les oignons aient ramolli. Parsemer de la farine et cuire, en brassant, pendant 1 minute. Ajouter le bouillon et la pâte de tomates. Porter à ébullition en raclant le fond de la cocotte pour en détacher les particules.

3. Verser la préparation de bouillon dans la mijoteuse, ajouter l'agneau réservé, avec le jus de cuisson accumulé dans l'assiette, et mélanger. Couvrir et cuire à faible intensité de 6 à 8 heures (ou de 4 à 6 heures à intensité élevée).

4. Ajouter les coeurs d'artichauts. Couvrir et poursuivre la cuisson pendant 15 minutes ou jusqu'à ce qu'ils soient chauds. Au moment de servir, parsemer chaque portion du fromage feta et du persil. (Vous pouvez préparer la casserole à l'avance, la laisser refroidir pendant 30 minutes, la mettre dans un contenant hermétique, sans la couvrir, la réfrigérer jusqu'à ce qu'elle soit froide, puis la couvrir. Elle se conservera jusqu'à 2 jours au réfrigérateur ou jusqu'à 2 semaines au congélateur.)

PAR PORTION : cal. : 242 ; prot. : 25 g ; m.g. : 11 g (4 g sat.) ; chol. : 77 mg ; gluc. : 11 g ; fibres : 3 g ; sodium : 535 mg.

SUR LA CUISINIÈRE

● Faire la recette tel qu'indiqué dans les deux premières étapes en augmentant la quantité de bouillon de boeuf à 2 t (500 ml).

● Remettre l'agneau dans la cocotte, avec le jus accumulé dans l'assiette. Couvrir et laisser mijoter pendant environ 45 minutes ou jusqu'à ce que l'agneau soit tendre. Ajouter les artichauts et poursuivre la cuisson pendant environ 15 minutes ou jusqu'à ce qu'ils soient chauds. Au moment de servir, parsemer chaque portion du fromage feta et du persil.

Ragoût de saucisses, de moules et de poisson

Si on le désire, on remplace le vin blanc par la même quantité de bouillon de poulet réduit en sel, en ajoutant 1 c. à tab (15 ml) de vinaigre de vin pour lui donner le petit goût acide du vin.

8 À 10 PORTIONS

1 c. à tab	huile d'olive	15 ml
1 lb	saucisses chorizo portugaises ou saucisses italiennes douces, coupées en morceaux	500 g
1	oignon haché	1
2	gousses d'ail hachées finement	2
½ t	céleri coupé en dés	125 ml
½ c. à thé	thym séché	2 ml
1	aubergine coupée en cubes de 1 po (2,5 cm)	1
1	boîte de tomates en dés (28 oz/796 ml)	1
¾ t	vin blanc sec	180 ml
¼ t	pâte de tomates	60 ml
1 c. à tab	paprika	15 ml
2 lb	moules	1 kg
12 oz	filets de poisson (pangasius ou mérou), coupés en morceaux de 2 po (5 cm)	375 g
2 c. à tab	persil frais, haché	30 ml

1. Dans un grand poêlon, chauffer l'huile à feu moyen-vif. Ajouter les saucisses, en plusieurs fois, et les faire dorer. Mettre les saucisses dans la mijoteuse.

2. Dégraisser le poêlon. Ajouter l'oignon, l'ail, le céleri et le thym et cuire, en brassant souvent, pendant environ 5 minutes ou jusqu'à ce que les légumes aient ramolli. Mettre la préparation d'oignon dans la mijoteuse, puis ajouter l'aubergine, les tomates, le vin blanc, la pâte de tomates et le paprika. Couvrir et cuire à faible intensité pendant 6 heures.

3. Entre-temps, brosser les moules et retirer la barbe (éliminer les moules dont la coquille est brisée ou qui ne se referment pas lorsqu'on les frappe délicatement sur le comptoir). Mettre les moules et le poisson dans la mijoteuse en les plongeant dans le liquide de cuisson. Couvrir et cuire à intensité élevée pendant environ 20 minutes ou jusqu'à ce que les moules s'ouvrent (éliminer celles qui restent fermées). Au moment de servir, parsemer du persil.

PAR PORTION : cal. : 313 ; prot. : 22 g ; m.g. : 20 g (7 g sat.) ; chol. : 63 mg ; gluc. : 11 g ; fibres : 2 g ; sodium : 781 mg.

SUR LA CUISINIÈRE

● Dans une grosse cocotte, faire dorer les saucisses tel qu'indiqué à l'étape 1. Retirer les saucisses de la cocotte et les réserver dans une assiette.

● Dégraisser la cocotte. Ajouter l'oignon, l'ail, le céleri et le thym et cuire tel qu'indiqué. Ajouter le vin blanc et porter à ébullition, en raclant le fond de la cocotte pour en détacher les particules. Ajouter l'aubergine, les tomates, la pâte de tomates et le paprika et porter à ébullition. Remettre les saucisses dans la cocotte. Couvrir et laisser mijoter, en brassant de temps à autre, pendant environ 40 minutes ou jusqu'à ce que l'aubergine soit tendre.

● Plonger les moules et le poisson dans le liquide de cuisson. Couvrir et cuire pendant environ 10 minutes ou jusqu'à ce que les moules s'ouvrent (remuer délicatement à la mi-cuisson ; à la fin de la cuisson, éliminer les moules qui restent fermées). Au moment de servir, parsemer du persil.

Cari de courge et de pois chiches

D'où vient le goût si riche de ce cari aromatique ? Du beurre de noix de cajou ou d'arachides qu'on y ajoute.
Un délice !

6 À 8 PORTIONS

2 t	courge musquée pelée et coupée en cubes	500 ml
2 t	pommes de terre pelées et coupées en cubes	500 ml
1	boîte de pois chiches, rincés et égouttés (19 oz/540 ml)	1
1 c. à tab	huile végétale	15 ml
1	oignon haché	1
2	gousses d'ail hachées finement	2
1 c. à tab	gingembre frais, haché finement	15 ml
3 c. à tab	pâte de cari douce (de type Patak's)	45 ml
1	boîte de lait de coco léger (400 ml)	1
1 t	bouillon de légumes	250 ml
¼ t	beurre de noix de cajou ou d'arachides naturel	60 ml
¼ c. à thé	sel	1 ml
2 t	bette à carde déchiquetée, tassée	500 ml
1 t	petits pois surgelés	250 ml
2 c. à tab	coriandre fraîche, hachée	30 ml

1. Dans la mijoteuse, mélanger la courge, les pommes de terre et les pois chiches.

2. Dans un grand poêlon, chauffer l'huile à feu moyen. Ajouter l'oignon, l'ail et le gingembre et cuire, en brassant de temps à autre, pendant environ 7 minutes ou jusqu'à ce que l'oignon soit légèrement doré. Ajouter la pâte de cari et poursuivre la cuisson, en brassant, pendant environ 1 minute ou jusqu'à ce qu'elle dégage son arôme. Mettre le mélange d'oignon dans la mijoteuse, puis ajouter le lait de coco, le bouillon de légumes, le beurre de noix de cajou et le sel et bien mélanger. Couvrir et cuire à faible intensité pendant environ 4 heures.

3. Ajouter la bette à carde et les petits pois et mélanger délicatement. Couvrir et cuire à intensité élevée pendant 15 minutes ou jusqu'à ce que la bette à carde ait ramolli. Au moment de servir, parsemer de la coriandre.

PAR PORTION : cal. : 217 ; prot. : 6 g ; m.g. : 8 g (3 g sat.) ; chol. : aucun ; gluc. : 32 g ; fibres : 5 g ; sodium : 543 mg.

SUR LA CUISINIÈRE

• Dans une grosse cocotte, cuire l'oignon, l'ail et le gingembre tel qu'indiqué. Ajouter la pâte de cari et poursuivre la cuisson, en brassant, pendant environ 1 minute ou jusqu'à ce qu'elle dégage son arôme.

• Ajouter la courge, les pommes de terre et les pois chiches et mélanger pour bien les enrober. Ajouter le lait de coco, le bouillon de légumes, le beurre de noix de cajou et le sel et porter à ébullition. Couvrir et laisser mijoter pendant environ 30 minutes ou jusqu'à ce que les légumes soient tendres (brasser deux fois en cours de cuisson).

• Ajouter la bette à carde et les petits pois et mélanger délicatement. Cuire, en brassant, pendant environ 5 minutes ou jusqu'à ce que la bette à carde ait ramolli. Au moment de servir, parsemer de la coriandre.

Poulet au citron et aux figues

8 PORTIONS

1 c. à tab	huile végétale	15 ml
3 lb	hauts de cuisses de poulet (ou hauts de cuisses et pilons) non désossés, avec la peau	1,5 kg
3	gousses d'ail hachées finement	3
1	oignon haché	1
1 c. à thé	coriandre moulue	5 ml
1 c. à thé	sel	5 ml
1 c. à thé	poivre noir du moulin	5 ml
2 t	bouillon de poulet réduit en sel	500 ml
16	figues séchées, la queue enlevée	16
2 c. à thé	zeste de citron râpé	10 ml
3 c. à tab	jus de citron	45 ml
⅓ t	coriandre fraîche, hachée	80 ml
2 c. à tab	fécule de maïs	30 ml
2 c. à tab	eau	30 ml
½	citron coupé en tranches fines	½

1. Dans une grosse cocotte, chauffer l'huile à feu moyen-vif. Ajouter les hauts de cuisses de poulet, en plusieurs fois, et les faire dorer de chaque côté. Mettre le poulet dans la mijoteuse.

2. Dégraisser la cocotte. Ajouter l'ail, l'oignon, la coriandre moulue, le sel et le poivre et cuire à feu moyen, en brassant de temps à autre, pendant environ 3 minutes ou jusqu'à ce que l'oignon ait ramolli. Ajouter le bouillon de poulet et porter à ébullition, en raclant le fond de la cocotte pour en détacher les particules. Verser la préparation de bouillon dans la mijoteuse et ajouter les figues. Couvrir et cuire à faible intensité de 5 à 6 heures. Retirer la peau du poulet, si désiré. Mettre le poulet dans un plat de service et réserver au chaud.

3. Dégraisser le liquide de cuisson. Ajouter le zeste et le jus de citron et la moitié de la coriandre fraîche et mélanger. Dans un petit bol, délayer la fécule de maïs dans l'eau. Incorporer le mélange de fécule au liquide de cuisson. Couvrir et cuire à intensité élevée pendant 20 minutes ou jusqu'à ce que la sauce ait épaissi. Verser la sauce sur le poulet réservé, parsemer du reste de la coriandre fraîche et garnir des tranches de citron.

PAR PORTION : cal. : 190 ; prot. : 17 g ; m.g. : 6 g (1 g sat.) ; chol. : 58 mg ; gluc. : 17 g ; fibres : 3 g ; sodium : 358 mg.

SUR LA CUISINIÈRE

● Réduire la quantité de sel et de poivre à ½ c. à thé (2 ml) chacun, la quantité de zeste de citron à 1 c. à thé (5 ml) et la quantité de fécule de maïs et d'eau à 1 c. à tab (15 ml). Omettre la coriandre moulue.

● Retirer la peau du poulet. Parsemer le poulet de ¼ c. à thé (1 ml) du sel et de ¼ c. à thé (1 ml) du poivre. Faire dorer le poulet tel qu'indiqué à l'étape 1 et le réserver dans une assiette. Dégraisser la cocotte. Ajouter l'ail, l'oignon et le reste du sel et du poivre et cuire tel qu'indiqué. Ajouter le bouillon de poulet et le zeste et le jus de citron. Porter à ébullition, en raclant le fond de la cocotte. Remettre le poulet réservé dans la cocotte, avec le jus de cuisson accumulé dans l'assiette.

● Ajouter les figues et la moitié de la coriandre fraîche et porter à ébullition. Couvrir et poursuivre la cuisson au four préchauffé à 325°F (160°C) de 45 à 60 minutes ou jusqu'à ce que le jus qui s'écoule du poulet lorsqu'on le pique à la fourchette soit clair. Retirer le poulet de la cocotte et le réserver dans un plat de service profond.

● Dans un petit bol, délayer la fécule de maïs dans l'eau. Dégraisser le liquide de cuisson et porter à ébullition. Incorporer le mélange de fécule au liquide de cuisson et laisser mijoter, en brassant, pendant environ 1 minute ou jusqu'à ce que la sauce ait épaissi. Verser la sauce sur le poulet, parsemer du reste de la coriandre fraîche et garnir des tranches de citron.

Poulet au cari

6 PORTIONS

POULET AU CARI

1 c. à tab	huile végétale	15 ml
12	hauts de cuisses de poulet non désossés, avec la peau	12
4 t	oignons coupés en tranches fines	1 L
½ t	jus d'orange	125 ml
½ t	bouillon de poulet réduit en sel	125 ml
2 c. à tab	pâte de cari douce (de type Patak's)	30 ml
3	gousses d'ail hachées finement	3
1 c. à tab	gingembre frais, râpé	15 ml
3 c. à tab	farine	45 ml
¼ t	eau	60 ml

GARNITURE À L'OIGNON ROUGE

⅔ t	oignon rouge coupé en tranches fines	160 ml
½ c. à thé	sel	2 ml
2 c. à tab	jus de lime ou de citron	30 ml
¾ t	yogourt nature	180 ml
2 c. à tab	coriandre fraîche, hachée	30 ml

PRÉPARATION DU POULET

1. Dans une grosse cocotte, chauffer l'huile à feu moyen-vif. Ajouter les hauts de cuisses de poulet, en plusieurs fois, et les faire dorer de chaque côté. Mettre le poulet dans la mijoteuse.

2. Dégraisser la cocotte. Ajouter les oignons et cuire, en brassant de temps à autre, pendant environ 10 minutes ou jusqu'à ce qu'ils aient légèrement ramolli. Mettre les oignons sur le poulet, dans la mijoteuse.

3. Dans un petit bol, mélanger le jus d'orange, le bouillon de poulet, la pâte de cari, l'ail et le gingembre. Verser la préparation de bouillon dans la mijoteuse et mélanger. Couvrir et cuire à faible intensité de 4 à 6 heures.

4. En raclant délicatement, enlever les oignons restés sur le poulet et les mettre dans le bouillon. À l'aide d'une écumoire, déposer le poulet dans un plat de service, retirer la peau, couvrir et réserver au chaud. Dans un petit bol, mélanger la farine et l'eau. Ajouter la préparation de farine dans la mijoteuse et mélanger. Couvrir et cuire à intensité élevée pendant environ 15 minutes ou jusqu'à ce que la sauce ait épaissi. Verser la sauce sur le poulet.

PRÉPARATION DE LA GARNITURE

5. Entre-temps, mettre l'oignon rouge dans un petit bol et le parsemer du sel. Laisser reposer pendant 15 minutes. Rincer l'oignon à l'eau froide, bien l'égoutter et l'éponger avec des essuie-tout. Mettre l'oignon dans un bol propre, ajouter le jus de lime et mélanger pour bien l'enrober. Au moment de servir, garnir chaque portion de poulet du yogourt, puis de la garniture à l'oignon rouge. Parsemer de la coriandre.

PAR PORTION : cal.: 276 ; prot.: 26 g ; m.g.: 12 g (2 g sat.) ; chol.: 98 mg ; gluc.: 17 g ; fibres : 2 g ; sodium : 321 mg.

SUR LA CUISINIÈRE

• Utiliser des hauts de cuisses de poulet sans la peau. Dans une grosse cocotte, cuire les oignons dans un peu d'huile tel qu'indiqué, puis les mettre dans un bol. Faire dorer le poulet et le couvrir des oignons. Ajouter la préparation de bouillon, couvrir et laisser mijoter pendant environ 45 minutes ou jusqu'à ce que le jus qui s'écoule du poulet lorsqu'on le pique à la fourchette soit clair.

• Réserver le poulet au chaud dans un plat de service. Réduire la quantité de farine à 1 c. à tab (15 ml) et la quantité d'eau à 2 c. à tab (30 ml). Mélanger la farine et l'eau. Ajouter la préparation de farine dans la cocotte et mélanger. Porter à ébullition, réduire le feu et laisser mijoter pendant environ 2 minutes ou jusqu'à ce que la sauce ait épaissi. Verser la sauce sur le poulet. Préparer la garniture à l'oignon rouge tel qu'indiqué à l'étape 5.

Bouillon de poulet maison

Préparé à la mijoteuse, le bouillon de poulet est tout simplement savoureux.

DONNE 8 T (2 L).

2 lb	dos, cous et ailerons de poulet	1 kg
2	oignons non pelés, hachés	2
2	grosses branches de céleri avec les feuilles, hachées	2
1	carotte hachée	1
1	poireau haché (facultatif)	1
6	brins de persil frais	6
2	brins de thym frais	2
2	feuilles de laurier	2
½ c. à thé	grains de poivre noir	2 ml
8 t	eau	2 L

1. Rincer les morceaux de poulet et les mettre dans la mijoteuse. Ajouter le reste des ingrédients, couvrir et cuire à faible intensité pendant 12 heures.

2. Jeter les morceaux de poulet. Dans une passoire fine tapissée d'étamine (coton à fromage) et placée sur un grand bol, filtrer le bouillon en pressant les légumes pour en extraire le liquide (jeter les légumes). Couvrir et réfrigérer pendant 8 heures ou jusqu'à ce que le gras ait figé à la surface. Dégraisser le bouillon.

PAR PORTION de 1 t (250 ml) : cal. : 39 ; prot. : 5 g ; m.g. : 1 g (traces sat.) ; chol. : 1 mg ; gluc. : 1 g ; fibres : aucune ; sodium : 32 mg.

SUR LA CUISINIÈRE

● Dans une grande casserole, mélanger tous les ingrédients, en augmentant la quantité d'eau à 14 t (3,5 L). Porter à ébullition. Réduire le feu et laisser mijoter, en écumant le bouillon de temps à autre, pendant environ 4 heures. Après la cuisson, poursuivre la recette tel qu'indiqué.

Goulash au boeuf, sauce barbecue

Le paprika hongrois est particulièrement indiqué pour ce repas d'inspiration hongroise.

4 À 6 PORTIONS

2	oignons coupés en tranches	2
2	gousses d'ail hachées finement	2
2 lb	cubes de boeuf à ragoût	1 kg
1 ¼ t	eau	310 ml
½ t	sauce chili	125 ml
2 c. à tab	cassonade tassée	30 ml
2 c. à tab	sauce Worcestershire	30 ml
1 c. à tab	paprika	15 ml
1 c. à thé	marjolaine séchée	5 ml
½ c. à thé	moutarde en poudre	2 ml
½ c. à thé	sel	2 ml
¼ c. à thé	poivre noir du moulin	1 ml
3 c. à tab	farine	45 ml

1. Mettre les oignons et l'ail dans la mijoteuse. Couvrir des cubes de boeuf.

2. Dans un bol, mélanger 1 t (250 ml) de l'eau, la sauce chili, la cassonade, la sauce Worcestershire, le paprika, la marjolaine, la moutarde en poudre, le sel et le poivre, puis verser la préparation dans la mijoteuse. Couvrir et cuire à faible intensité de 8 à 10 heures.

3. Dans un bol, mélanger la farine et le reste de l'eau. Ajouter la préparation de farine dans la mijoteuse et mélanger. Couvrir et cuire à intensité élevée de 10 à 15 minutes ou jusqu'à ce que la sauce ait épaissi.

PAR PORTION : cal. : 320 ; prot. : 36 g ; m.g. : 11 g (4 g sat.) ; chol. : 74 mg ; gluc. : 18 g ; fibres : 2 g ; sodium : 650 mg.

Soupe au dindon fumé et aux nouilles

Si la cuisse de dindon qu'on s'est procurée est plus grosse que celle indiquée dans la recette, on utilise 2 t (500 ml) de chair pour cette soupe et le reste pour des pâtes, des sandwichs ou une salade. Les hauts de cuisses de dindon fumé conviennent également.

8 À 10 PORTIONS

1	cuisse de dindon fumé (environ 1 lb/500 g)	1
1 ½ t	carottes hachées	375 ml
1 ½ t	céleri haché	375 ml
1 t	champignons coupés en tranches	250 ml
1	oignon coupé en dés	1
2	brins de persil frais	2
1	feuille de laurier	1
½ c. à thé	thym séché	2 ml
½ c. à thé	poivre noir du moulin	2 ml
3 t	bouillon de poulet réduit en sel	750 ml
3 t	eau	750 ml
1	poivron rouge coupé en dés	1
½ t	petits pois surgelés	125 ml
2 t	petites pâtes cuites	500 ml

1. Retirer la peau et l'os de la cuisse de dindon (jeter la peau et réserver l'os). Couper la chair en bouchées, la mettre dans un bol et réserver au réfrigérateur.

2. Dans la mijoteuse, mélanger les carottes, le céleri, les champignons, l'oignon, le persil, la feuille de laurier, le thym et le poivre. Ajouter l'os réservé, le bouillon de poulet et l'eau et mélanger. Couvrir et cuire à faible intensité pendant 6 heures.

3. Ajouter le poivron, les petits pois et la chair de dindon réservée. Couvrir et cuire à intensité élevée pendant environ 15 minutes ou jusqu'à ce que les légumes soient tendres mais encore légèrement croquants. Retirer l'os de dindon, la feuille de laurier et le persil de la mijoteuse. Ajouter les pâtes et mélanger.

PAR PORTION : cal. : 108 ; prot. : 10 g ; m.g. : 2 g (1 g sat.) ; chol. : 23 mg ; gluc. : 13 g ; fibres : 2 g ; sodium : 266 mg.

Du congélo à la table

Mini-lasagnes

Ces lasagnes individuelles sont préparées avec du fromage léger : elles sont donc plus faibles en calories et en gras que plusieurs versions du commerce. Si on préfère préparer une grande lasagne (plutôt que quatre portions individuelles) et la congeler, il suffit de suivre les directives données dans Au souper ce soir (à la page suivante). Il faudra alors la laisser décongeler plus longtemps au réfrigérateur et augmenter le premier temps de cuisson au four de 15 minutes.

4 PORTIONS

12 oz	boeuf haché maigre	375 g
1 c. à thé	graines de fenouil	5 ml
1 c. à thé	origan séché	5 ml
2 t	champignons coupés en tranches	500 ml
1	oignon haché	1
6	gousses d'ail hachées finement	6
¾ c. à thé	sel	4 ml
¾ c. à thé	poivre noir du moulin	4 ml
½ c. à thé	flocons de piment fort	2 ml
1	boîte de pâte de tomates (5 ½ oz/156 ml)	1
1	boîte de tomates (19 oz/540 ml)	1
6	lasagnes	6
2 t	fromage ricotta léger	500 ml
1	oeuf battu légèrement	1
1	pincée de muscade moulue	1
1 t	fromage mozzarella partiellement écrémé, râpé	250 ml
2 c. à tab	parmesan râpé	30 ml
1 c. à tab	persil frais, haché	15 ml

1. Dans un grand poêlon, cuire le boeuf haché à feu moyen-vif, en brassant, pendant environ 8 minutes ou jusqu'à ce qu'il ait perdu sa teinte rosée. Retirer le gras du poêlon. Dans un petit bol, écraser les graines de fenouil avec l'origan. Ajouter le mélange de fenouil dans le poêlon, avec les champignons, l'oignon, l'ail, la moitié du sel, la moitié du poivre et les flocons de piment fort. Cuire, en brassant, pendant environ 5 minutes ou jusqu'à ce que l'oignon ait ramolli.

2. Dans le poêlon, ajouter la pâte de tomates et les tomates, en les défaisant à l'aide d'un presse-purée et en raclant le fond du poêlon pour en détacher les particules. Porter à ébullition. Réduire le feu et laisser mijoter pendant environ 15 minutes ou jusqu'à ce que la sauce ait suffisamment épaissi pour tenir en petit monticule dans une cuillère.

3. Entre-temps, dans une grande casserole d'eau bouillante salée, cuire les lasagnes pendant environ 7 minutes ou jusqu'à ce qu'elles soient al dente. Égoutter les lasagnes et les étendre sur un linge humide. Couper chaque lasagne en deux sur la largeur.

4. Dans un petit bol, mélanger le fromage ricotta, l'oeuf battu, la muscade et le reste du sel et du poivre.

5. Dans chacun de quatre mini-moules à pain en métal ou en aluminium de 5 ¾ po x 3 ¼ po (14,5 cm x 8,25 cm), étendre 2 c. à tab (30 ml) de la sauce et couvrir d'une demi-lasagne. Répartir par-dessus 1 t (250 ml) de la sauce et la moitié du mélange de fromage ricotta. Parsemer de la moitié du fromage mozzarella. Couvrir d'une deuxième demi-lasagne, puis répartir par-dessus 1 t (250 ml) du reste de la sauce et le reste du mélange de fromage ricotta. Couvrir du reste des demi-lasagnes, de la sauce et du fromage mozzarella. Parsemer du parmesan et du persil. Réfrigérer les mini-lasagnes jusqu'à ce qu'elles soient froides, puis les couvrir de papier d'aluminium et les envelopper de papier d'aluminium résistant. Elles se conserveront jusqu'à 1 mois au congélateur. Décongeler au réfrigérateur. Retirer le papier d'aluminium résistant avant la cuisson.

6. Cuire au four ou au four grille-pain préchauffé à 400°F (200°C) pendant environ 30 minutes ou jusqu'à ce que le fromage soit bouillonnant et que la lame d'un couteau insérée pendant 5 secondes au centre des mini-lasagnes soit chaude. Poursuivre la cuisson, à découvert, sous le gril du four ou du four grille-pain pendant environ 3 minutes ou jusqu'à ce que le dessus des mini-lasagnes soit doré.

PAR PORTION : cal. : 686 ; prot. : 50 g ; m.g. : 30 g (15 g sat.) ; chol. : 150 mg ; gluc. : 55 g ; fibres : 6 g ; sodium : 1 191 mg.

AU SOUPER CE SOIR

Faire les quatre premières étapes de la recette tel qu'indiqué. Ensuite, dans un plat en verre allant au four de 8 po (20 cm) de côté, étendre ½ t (125 ml) de la sauce. Couvrir de quatre demi-lasagnes, de 1 t (250 ml) de la sauce, de 1 t (250 ml) du mélange de fromage ricotta et de ½ t (125 ml) du fromage mozzarella. Faire un autre étage avec quatre demi-lasagnes et 1 t (250 ml) de la sauce. Étendre en couches successives le reste du mélange de fromage ricotta, des demi-lasagnes, de la sauce et du fromage mozzarella. Parsemer du parmesan et du persil. Couvrir le plat de papier d'aluminium et cuire tel qu'indiqué à la dernière étape.

ASTUCE

On s'entend avec une amie pour préparer chacune une double recette d'un plat apprécié de la famille, puis on partage. On aura ainsi deux repas pour les soirées où on sera trop occupées pour cuisiner.

Sauce tomate aux légumes

Vite préparée, cette recette donne suffisamment de sauce pour 1 lb (500 g) de spaghettis ou d'autres pâtes longues. C'est une bonne idée de la doubler ou même de la tripler pour se faire des réserves.

DONNE 4 T (1 L).

2 c. à tab	huile végétale	30 ml
1	oignon haché	1
1	carotte coupée en dés	1
1	branche de céleri coupée en dés	1
1	poivron vert coupé en dés	1
¾ c. à thé	sel	4 ml
¾ c. à thé	basilic séché	4 ml
1	pincée de flocons de piment fort	1
¼ t	pâte de tomates	60 ml
1	boîte de tomates en dés (28 oz/796 ml)	1

1. Dans une casserole, chauffer l'huile à feu moyen. Ajouter l'oignon, la carotte, le céleri, le poivron, le sel, le basilic et les flocons de piment fort et cuire, en brassant de temps à autre, pendant environ 8 minutes ou jusqu'à ce que les légumes aient ramolli.

2. Ajouter la pâte de tomates et les tomates et porter à ébullition. Réduire le feu et laisser mijoter à découvert pendant environ 30 minutes ou jusqu'à ce que la sauce ait suffisamment épaissi pour tenir en petit monticule dans une cuillère.

3. Laisser refroidir la sauce pendant 30 minutes, puis la mettre dans un contenant hermétique, sans la couvrir. Réfrigérer jusqu'à ce qu'elle soit froide, puis couvrir. Elle se conservera jusqu'à 2 jours au réfrigérateur ou jusqu'à 2 mois au congélateur. Décongeler au réfrigérateur. Réchauffer avant de servir sur des pâtes.

PAR PORTION de ⅔ t (160 ml) : cal. : 91 ; prot. : 2 g ; m.g. : 5 g (traces sat.) ; chol. : aucun ; gluc. : 12 g ; fibres : 2 g ; sodium : 506 mg.

Boulettes de boeuf haché, sauce barbecue

Rien ne nous empêche d'utiliser ces boulettes dans une sauce pour pâtes, une sauce au cari ou aigre-douce, ou même une sauce barbecue du commerce.

4 PORTIONS

BOULETTES DE VIANDE

⅔ t	mie de pain frais, émiettée	160 ml
½ t	eau	125 ml
1	oeuf battu	1
1	gousse d'ail hachée finement	1
¼ t	persil frais, haché	60 ml
2 c. à thé	moutarde de Dijon	10 ml
1 c. à thé	sauce Worcestershire	5 ml
½ c. à thé	sel	2 ml
½ c. à thé	poivre noir du moulin	2 ml
1 lb	boeuf haché maigre	500 g

SAUCE BARBECUE

1 c. à tab	huile végétale	15 ml
1	oignon haché finement	1
1	gousse d'ail hachée finement	1
1	boîte de tomates concassées (28 oz/796 ml)	1
¼ t	cassonade tassée	60 ml
¼ t	vinaigre de cidre	60 ml
1 c. à tab	moutarde de Dijon	15 ml
1 c. à tab	sauce Worcestershire	15 ml
1	trait de sauce tabasco	1

PRÉPARATION DES BOULETTES

1. Dans un bol, mélanger la mie de pain et l'eau. Laisser reposer pendant environ 5 minutes ou jusqu'à ce que l'eau soit absorbée. À l'aide d'un fouet, ajouter l'oeuf battu, l'ail, le persil, la moutarde de Dijon, la sauce Worcestershire, le sel et le poivre et mélanger. Ajouter le boeuf haché et bien mélanger. Façonner la préparation de boeuf haché en boulettes, 1 c. à tab (15 ml) à la fois.

2. Mettre les boulettes de boeuf haché sur une plaque de cuisson tapissée de papier d'aluminium, en les espaçant d'environ 1 po (2,5 cm). Cuire au four préchauffé à 450°F (230°C) pendant environ 20 minutes ou jusqu'à ce que le boeuf ait perdu sa teinte rosée à l'intérieur.

PRÉPARATION DE LA SAUCE

3. Entre-temps, dans un grand poêlon, chauffer l'huile à feu moyen. Ajouter l'oignon et l'ail et cuire, en brassant souvent, pendant 3 minutes. Ajouter le reste des ingrédients et mélanger. Laisser mijoter, en brassant de temps à autre, pendant environ 25 minutes ou jusqu'à ce que la sauce ait légèrement épaissi. Retirer le poêlon du feu.

4. Laisser refroidir la sauce pendant 30 minutes, puis la mettre dans un contenant hermétique peu profond, sans la couvrir. Réfrigérer jusqu'à ce qu'elle soit froide, puis couvrir. Elle se conservera jusqu'à 1 mois au congélateur.

5. Déposer la plaque de boulettes sur une grille et laisser refroidir. Réfrigérer les boulettes jusqu'à ce qu'elles soient froides, puis les mettre dans des sacs de congélation et congeler en une seule couche jusqu'à ce qu'elles soient fermes. Elles se conserveront jusqu'à 1 mois au congélateur. Décongeler les boulettes et la sauce au réfrigérateur.

6. Dans un grand poêlon, mélanger les boulettes et la sauce. Laisser mijoter pendant environ 20 minutes ou jusqu'à ce que la sauce ait épaissi (retourner les boulettes de temps à autre).

PAR PORTION : cal. : 430 ; prot. : 28 g ; m.g. : 18 g (6 g sat.) ; chol. : 110 mg ; gluc. : 38 g ; fibres : 5 g ; sodium : 605 mg.

AU SOUPER CE SOIR

Faire les trois premières étapes tel qu'indiqué. Réchauffer tel qu'indiqué à la dernière étape.

DES SOUPERS TOUT PRÊTS D'AVANCE

L'ABC DE LA CONGÉLATION

Casseroles

● Avant de les remplir, tapisser les plats à mettre au four de papier d'aluminium résistant. Avant de congeler les préparations, les laisser refroidir complètement à la température ambiante, puis au réfrigérateur. Lorsqu'elles sont gelées et prises en bloc, s'aider du papier d'aluminium pour les retirer du plat.

● Envelopper chaque préparation congelée d'une pellicule de plastique ou de papier d'aluminium, en serrant ; l'envelopper ensuite de papier d'aluminium résistant (ou la mettre dans un sac de congélation, retirer l'air en pressant sur le sac et sceller).

● Étiqueter et dater les contenants ou les sacs de congélation (inscrire les instructions pour réchauffer).

● Avant de la décongeler, déballer complètement chaque préparation et la mettre dans son plat de cuisson. Couvrir et laisser décongeler au réfrigérateur jusqu'à 2 jours, selon la densité de la préparation.

Ragoûts, chili et caris

● Laisser refroidir pendant 30 minutes.

● Mettre les préparations dans des contenants hermétiques peu profonds conçus pour la congélation et réfrigérer, sans les couvrir, jusqu'à ce qu'elles soient froides. Sceller les contenants, les étiqueter et les dater (inscrire les instructions pour réchauffer), puis les mettre au congélateur.

● Décongeler au réfrigérateur ou au micro-ondes.

DES IDÉES POUR LES RESTES

● **Sandwichs chauds :** Effilocher un reste de rôti de boeuf ou de porc, le réchauffer dans une sauce barbecue et en garnir des petits pains.

● **Salade César :** Garnir une salade César de fines tranches de poulet ou de jambon cuit.

● **Paninis :** Garnir des petits pains italiens (de type paninis) de fromage, de tranches de viande ou de volaille cuite, de moutarde et de tomates séchées et cuire au poêlon ou au grille-paninis.

● **Garnitures à sandwichs :** Au robot culinaire, hacher grossièrement du jambon, du dindon ou du poulet cuit et mettre dans un bol. Ajouter de la mayonnaise légère, de la moutarde, du céleri et de l'oignon vert hachés, ou encore des tomates séchées ou du poivron rouge grillé (piment doux rôti) coupés en dés.

● **Salade de pâtes :** Mélanger des pâtes cuites, des légumes hachés, de la viande ou de la volaille cuite, du fromage et de la sauce à salade.

● **Oeufs au jambon :** Ajouter des dés de jambon cuit à des oeufs brouillés.

● **Sandwichs roulés garnis de viande et de salade :** À composer avec des tranches de boeuf, de porc ou de poulet cuit, de la laitue déchiquetée, des tomates cerises coupées en deux, des carottes râpées, des radis coupés en tranches et un filet de sauce à salade.

● **Sous-marins :** Garnir des pains à sous-marins de fines tranches de boeuf, de jambon ou de poulet cuit, de laitue déchiquetée, de tranches de tomate, de poivron et d'oignon, de fromage et d'un soupçon de mayonnaise.

Ragoût de porc à la jamaïcaine

Ce plat en sauce inspiré de la cuisine jamaïcaine est un régal avec du riz nature ou notre Riz aux petits pois et au poivron rouge (voir recette, p. 36). On se procure des cubes de porc dans l'épaule dans certains supermarchés et toutes les boucheries. Sinon on profite des prix réduits pour acheter un morceau de porc dans l'épaule, on le pare, on le coupe en cubes et on le congèle en portions de 1 lb (500 g), soit exactement ce qu'il faut pour cette recette.

4 PORTIONS

¼ t	farine	60 ml
1 c. à thé	thym séché	5 ml
½ c. à thé	piment de la Jamaïque moulu	2 ml
¼ c. à thé	piment de Cayenne	1 ml
1 lb	épaule de porc parée et coupée en cubes ou cubes de porc à ragoût	500 g
3 c. à tab	huile végétale	45 ml
3	oignons verts hachés, les parties blanche et verte réservées séparément	3
6	gousses d'ail hachées finement	6
1 c. à tab	gingembre frais, haché finement	15 ml
2 t	bouillon de poulet	500 ml
1 t	eau	250 ml
2 c. à tab	sauce soja	30 ml
1 c. à tab	cassonade tassée	15 ml

1. Dans un sac de plastique refermable (de type Ziploc), mélanger la farine, le thym, le piment de la Jamaïque et le piment de Cayenne. Ajouter les cubes de porc, en plusieurs fois, fermer hermétiquement le sac et l'agiter pour bien les enrober (secouer pour enlever l'excédent). Réserver le reste du mélange de farine.

2. Dans une grosse cocotte, chauffer 2 c. à tab (30 ml) de l'huile à feu moyen. Ajouter les cubes de porc, en deux fois, et cuire pendant environ 5 minutes ou jusqu'à ce qu'ils soient dorés. Retirer le porc de la cocotte et le réserver dans une assiette. Dans la cocotte, chauffer le reste de l'huile. Ajouter la partie blanche des oignons verts, l'ail et le gingembre et cuire, en brassant de temps à autre, pendant environ 2 minutes ou jusqu'à ce qu'ils dégagent leur arôme. Ajouter le mélange de farine réservé et cuire, en brassant, pendant 1 minute. Ajouter le bouillon de poulet et l'eau et porter à ébullition, en raclant le fond de la cocotte pour en détacher les particules.

3. Remettre le porc dans la cocotte, avec le jus de cuisson accumulé dans l'assiette. Ajouter la sauce soja et la cassonade et mélanger. Réduire le feu, couvrir et laisser mijoter, en brassant de temps à autre, pendant environ 45 minutes ou jusqu'à ce que le porc soit tendre. Ajouter la partie verte des oignons verts et laisser mijoter pendant 5 minutes.

4. Laisser refroidir le ragoût pendant 30 minutes, puis le réfrigérer, sans le couvrir, jusqu'à ce qu'il soit froid. Mettre le ragoût dans un contenant hermétique et couvrir. Il se conservera jusqu'à 2 jours au réfrigérateur ou jusqu'à 1 mois au congélateur. Décongeler au réfrigérateur. Réchauffer avant de servir.

PAR PORTION : cal. : 337 ; prot. : 27 g ; m.g. : 19 g (4 g sat.) ; chol. : 76 mg ; gluc. : 14 g ; fibres : 1 g ; sodium : 995 mg.

AU SOUPER CE SOIR

Faire les trois premières étapes de la recette tel qu'indiqué et servir aussitôt.

Pizza double croûte

Si on a pris soin de couper cette pizza en pointes et de les envelopper individuellement, on pourra dégeler seulement le nombre de portions désiré.

6 À 8 PORTIONS

1 c. à tab	huile végétale	15 ml
1	oignon haché	1
2	gousses d'ail hachées finement	2
1	poivron vert haché	1
¼ c. à thé	sel	1 ml
¼ c. à thé	poivre noir du moulin	1 ml
1 lb	pâte à pizza réfrigérée ou surgelée, décongelée	500 g
2	oeufs	2
1 t	fromage mozzarella râpé	250 ml
1 t	cheddar râpé	250 ml
6 oz	salami, jambon ou dindon fumé, coupé en dés	180 g
2 c. à tab	persil frais, haché	30 ml
1	jaune d'oeuf	1
1 c. à thé	eau	5 ml

1. Dans un poêlon, chauffer l'huile à feu moyen. Ajouter l'oignon, l'ail, le poivron, le sel et le poivre et cuire, en brassant de temps à autre, pendant environ 4 minutes ou jusqu'à ce que les légumes aient ramolli. Retirer le poêlon du feu et laisser refroidir.

2. Entre-temps, sur une surface légèrement farinée, abaisser la moitié de la pâte à pizza en un cercle de 10 po (25 cm) de diamètre. Glisser l'abaisse sur une plaque à pizza ou une plaque de cuisson sans rebords, huilée. Réserver.

3. Dans un bol, à l'aide d'un fouet, battre les oeufs. Ajouter le fromage mozzarella, le cheddar, le salami, le persil et la préparation de légumes refroidie et mélanger. Étendre la garniture au fromage sur l'abaisse, en laissant une bordure de 1 po (2,5 cm) sur le pourtour.

4. Abaisser le reste de la pâte à pizza en un cercle de 10 po (25 cm) de diamètre. Dans un bol, mélanger le jaune d'oeuf et l'eau. Badigeonner légèrement la bordure de l'abaisse garnie du mélange de jaune d'oeuf. Déposer la deuxième abaisse sur la garniture. Sceller les bords en pressant à l'aide d'une fourchette. Badigeonner le dessus de la pizza du reste du mélange de jaune d'oeuf. À l'aide d'un petit couteau, pratiquer trois entailles sur le dessus de la pizza pour permettre à la vapeur de s'échapper.

5. Cuire au four préchauffé à 375°F (190°C) pendant environ 45 minutes ou jusqu'à ce que la pizza soit dorée.

6. Déposer la plaque à pizza sur une grille et laisser refroidir pendant 30 minutes. Réfrigérer la pizza jusqu'à ce qu'elle soit froide, puis l'envelopper d'une double épaisseur de papier d'aluminium résistant (ou la couper en pointes et les envelopper individuellement d'une double épaisseur de papier d'aluminium résistant). Elle se conservera jusqu'à 1 mois au congélateur. Décongeler au réfrigérateur. Mettre la pizza sur une plaque de cuisson huilée et cuire au four préchauffé à 400°F (200°C) pendant environ 12 minutes ou jusqu'à ce qu'elle soit chaude et croustillante.

PAR PORTION : cal. : 353 ; prot. : 16 g ; m.g. : 18 g (8 g sat.) ; chol. : 116 mg ; gluc. : 31 g ; fibres : 1 g ; sodium : 733 mg.

AU SOUPER CE SOIR

Faire les cinq premières étapes de la recette tel qu'indiqué. Servir aussitôt.

Soupe aux pois au jambon

À défaut de jarret de porc fumé, l'os du jambon qu'on a mangé la veille convient tout à fait pour cette recette. Une autre possibilité : une cuisse ou un haut de cuisse de dindon fumé.

8 PORTIONS

1	jarret de porc fumé (environ 1 lb/500 g)	1
1 c. à tab	huile végétale	15 ml
1	oignon haché finement	1
2	carottes hachées finement	2
2	branches de céleri hachées finement	2
2	gousses d'ail hachées finement	2
2	feuilles de laurier	2
½ c. à thé	sel	2 ml
½ c. à thé	poivre noir du moulin	2 ml
4 t	bouillon de poulet réduit en sel	1 L
2 t	pois cassés verts ou jaunes	500 ml
2 t	eau	500 ml
3	oignons verts coupés en tranches fines	3

1. À l'aide d'un couteau d'office, retirer la couenne et le gras qui recouvrent le jarret de porc (les jeter). Réserver.

2. Dans une grosse cocotte, chauffer l'huile à feu moyen-doux. Ajouter l'oignon, les carottes, le céleri, l'ail, les feuilles de laurier, le sel, le poivre et le jarret de porc et cuire, en brassant de temps à autre, pendant environ 5 minutes ou jusqu'à ce que les légumes aient ramolli.

3. Ajouter le bouillon de poulet, les pois cassés et l'eau. Porter à ébullition à feu moyen-vif (au besoin, écumer la mousse qui se forme à la surface). Couvrir et laisser mijoter à feu moyen-doux pendant environ 1 heure 45 minutes ou jusqu'à ce que les pois se défassent et que la viande soit assez tendre pour se détacher de l'os.

4. Retirer le jarret de porc de la cocotte, le désosser et défaire la viande en filaments. Réserver la viande (jeter l'os). Retirer les feuilles de laurier de la cocotte (les jeter). Au robot culinaire ou au mélangeur, réduire la moitié de la soupe en purée. Verser la purée dans la cocotte, ajouter la viande réservée et mélanger.

5. Laisser refroidir la soupe pendant 30 minutes, puis la mettre dans un contenant hermétique, sans la couvrir. Réfrigérer jusqu'à ce qu'elle soit froide, puis couvrir. Elle se conservera jusqu'à 2 jours au réfrigérateur ou jusqu'à 1 mois au congélateur. Décongeler au réfrigérateur. Réchauffer avant de servir.

6. À l'aide d'une louche, répartir la soupe dans des bols et garnir des oignons verts.

PAR PORTION : cal. : 232 ; prot. : 16 g ; m.g. : 3 g (traces sat.) ; chol. : 6 mg ; gluc. : 36 g ; fibres : 5 g ; sodium : 594 mg.

AU SOUPER CE SOIR

Faire les quatre premières étapes de la recette tel qu'indiqué. Servir la soupe et la garnir tel qu'indiqué à la dernière étape.

ASTUCE
Une fois qu'on a retiré le jarret de porc et les feuilles de laurier de la cocotte, on peut y réduire directement la soupe en purée grossière à l'aide d'un mélangeur à main.

Soupe aux quatre légumineuses

Bien que la recette demande quatre sortes de légumineuses, on peut en utiliser une seule, selon nos préférences.

10 PORTIONS

2 c. à thé	huile végétale	10 ml
2	oignons hachés	2
2	gousses d'ail hachées finement	2
1 c. à tab	assaisonnement au chili	15 ml
1	boîte de tomates (28 oz/796 ml)	1
6 t	bouillon de légumes ou de poulet	1,5 L
2 t	eau	500 ml
¾ t	lentilles rouges	180 ml
1	boîte de pois chiches, rincés et égouttés (19 oz/540 ml)	1
1	boîte de haricots rouges, rincés et égouttés (19 oz/540 ml)	1
1	boîte de haricots noirs, rincés et égouttés (19 oz/540 ml)	1
1 c. à tab	coriandre fraîche, hachée	15 ml
1 c. à thé	jus de citron	5 ml
½ c. à thé	sel	2 ml
¼ c. à thé	poivre noir du moulin	1 ml

1. Dans une grande casserole ou une grosse cocotte, chauffer l'huile à feu moyen. Ajouter les oignons, l'ail et l'assaisonnement au chili et cuire, en brassant de temps à autre, pendant environ 5 minutes ou jusqu'à ce que les oignons aient ramolli.

2. Ajouter les tomates, en les écrasant à l'aide d'un presse-purée, puis le bouillon de légumes, l'eau et les lentilles. Porter à ébullition. Réduire à feu moyen-doux et laisser mijoter pendant environ 20 minutes ou jusqu'à ce que les lentilles aient ramolli.

3. Ajouter les pois chiches et les haricots rouges et noirs, et poursuivre la cuisson pendant environ 15 minutes ou jusqu'à ce qu'ils soient chauds.

4. Laisser refroidir la soupe pendant 30 minutes, puis la mettre dans des contenants hermétiques peu profonds. Elle se conservera jusqu'à 2 jours au réfrigérateur ou jusqu'à 2 semaines au congélateur. Réchauffer avant de servir.

5. Au moment de servir, ajouter la coriandre, le jus de citron, le sel et le poivre.

PAR PORTION de 1 ½ t (375 ml) : cal. : 246 ; prot. : 14 g ; m.g. : 4 g (traces sat.) ; chol. : aucun ; gluc. : 41 g ; fibres : 10 g ; sodium : 922 mg.

AU SOUPER CE SOIR

Faire les trois premières étapes de la recette tel qu'indiqué. Ajouter la coriandre, le jus de citron, le sel et le poivre et mélanger. Servir aussitôt.

VARIANTE

À la mijoteuse

Omettre l'huile végétale. Dans une mijoteuse d'une capacité de 16 t (4 L), mélanger les oignons, l'ail, l'assaisonnement au chili, les tomates, le bouillon de légumes, l'eau et les lentilles. Cuire à faible intensité pendant 8 heures. Ajouter les pois chiches et les haricots rouges et noirs, et cuire à intensité élevée pendant 30 minutes ou jusqu'à ce qu'ils soient chauds. Ajouter la coriandre, le jus de citron, le sel et le poivre et mélanger.

Gratin de spaghettis aux saucisses

Aussi appétissant qu'une lasagne, ce petit repas original est beaucoup plus facile à préparer. Lorsqu'on veut congeler des plats à base de pâtes, on évite de trop cuire celles-ci et on y incorpore une bonne quantité de sauce puisqu'une partie sera absorbée au moment de la décongélation. Si on prévoit servir ce gratin à une grande tablée, on le met dans un seul plat en verre allant au four de 13 po x 9 po (33 cm x 23 cm).

8 PORTIONS

2 lb	saucisses italiennes douces, la peau enlevée	1 kg
2	oignons hachés	2
6	gousses d'ail hachées finement	6
1 c. à tab	basilic séché	15 ml
4 t	champignons coupés en tranches	1 L
2	boîtes de tomates hachées (28 oz/796 ml chacune)	2
1	boîte de pâte de tomates (5 ½ oz/156 ml)	1
¾ c. à thé	poivre noir du moulin	4 ml
6 t	épinards frais, hachés	1,5 L
2 c. à tab	beurre	30 ml
⅓ t	farine	80 ml
3 t	lait	750 ml
¾ t	fromage mozzarella râpé	180 ml
¼ c. à thé	sel	1 ml
12 oz	spaghettis	375 g
½ t	parmesan râpé	125 ml

1. Dans une grosse cocotte, cuire la chair des saucisses à feu moyen-vif, en la défaisant à l'aide d'une fourchette, pendant 5 minutes ou jusqu'à ce qu'elle ait perdu sa teinte rosée. Retirer le gras de la cocotte. Ajouter les oignons, l'ail et le basilic et cuire, en brassant de temps à autre, pendant 5 minutes. Ajouter les champignons et cuire pendant 5 minutes ou jusqu'à ce que le liquide se soit évaporé.

2. Dans la cocotte, ajouter les tomates, la pâte de tomates et ½ c. à thé (2 ml) du poivre. Porter à ébullition. Réduire le feu et laisser mijoter pendant environ 15 minutes ou jusqu'à ce que presque tout le liquide se soit évaporé. Ajouter les épinards et mélanger.

3. Entre-temps, dans une casserole à fond épais, faire fondre le beurre à feu moyen. À l'aide d'un fouet, ajouter la farine et cuire, en brassant, pendant 1 minute. Incorporer petit à petit le lait et cuire, en fouettant sans arrêt, de 12 à 15 minutes ou jusqu'à ce que la sauce ait épaissi. Ajouter le fromage mozzarella, le sel et le reste du poivre et mélanger.

4. Entre-temps, dans une grande casserole d'eau bouillante salée, cuire les spaghettis pendant 5 minutes ou jusqu'à ce qu'ils soient al dente. Égoutter les spaghettis, les ajouter à la sauce aux saucisses et mélanger pour bien les enrober. Étendre la préparation de spaghettis dans deux plats en verre allant au four de 8 po (20 cm) de côté, huilés. Répartir la sauce au fromage sur la préparation de spaghettis et parsemer du parmesan.

5. Laisser refroidir le gratin pendant 30 minutes, puis le couvrir d'une pellicule de plastique. Il se conservera jusqu'à 2 jours au réfrigérateur ou jusqu'à 1 mois au congélateur, enveloppé de papier d'aluminium résistant. Laisser décongeler au réfrigérateur pendant 48 heures.

6. Cuire au four préchauffé à 375°F (190°C) de 50 à 60 minutes ou jusqu'à ce que le gratin soit bouillonnant et doré.

PAR PORTION : cal. : 614 ; prot. : 35 g ; m.g. : 27 g (12 g sat.) ; chol. : 77 mg ; gluc. : 61 g ; fibres : 7 g ; sodium : 1 501 mg.

AU SOUPER CE SOIR

Faire les quatre premières étapes de la recette tel qu'indiqué. Cuire tel qu'indiqué à la dernière étape, en réduisant le temps de cuisson de 20 minutes.

Burritos au poulet et aux haricots noirs

Ces burritos sont parfaits pour un souper de dernière minute. On peut les congeler dans le plat de cuisson ou les envelopper en portions individuelles.

8 PORTIONS

1 c. à tab	huile végétale	15 ml
1	oignon haché	1
2	gousses d'ail hachées finement	2
¼ c. à thé	sel	1 ml
¼ c. à thé	poivre noir du moulin	1 ml
4	poitrines de poulet désossées, la peau et le gras enlevés, coupées en cubes	4
1	piment chili frais (de type jalapeño), épépiné et haché finement	1
1	poivron rouge haché	1
1	boîte de haricots noirs, égouttés et rincés (19 oz/540 ml)	1
1 t	salsa	250 ml
8	grandes tortillas de blé entier	8
2 ½ t	cheddar râpé	625 ml
½ t	crème sure légère	125 ml

1. Dans un poêlon, chauffer l'huile à feu moyen-vif. Ajouter l'oignon, l'ail, le sel et le poivre et cuire, en brassant, pendant environ 3 minutes. Ajouter le poulet, le piment chili, le poivron, les haricots et la salsa. Cuire, en brassant, pendant environ 10 minutes ou jusqu'à ce que le poulet ait perdu sa teinte rosée à l'intérieur. Laisser refroidir.

2. Mettre environ ¾ t (180 ml) de la garniture au poulet au centre de chaque tortilla. Parsemer chacune de ¼ t (60 ml) du cheddar. Replier la base de la tortilla sur la garniture, puis replier les côtés et rouler. Mettre les burritos, l'ouverture dessous, dans un plat en verre allant au four de 13 po x 9 po (33 cm x 23 cm), huilé. Parsemer du reste du cheddar.

3. Laisser refroidir les burritos pendant 30 minutes, puis les réfrigérer jusqu'à ce qu'ils soient froids. Couvrir le plat d'une double épaisseur de papier d'aluminium résistant (ou envelopper les burritos séparément). Ils se conserveront jusqu'à 1 mois au congélateur.

4. Retirer l'un des papiers d'aluminium et cuire sans décongeler au four préchauffé à 400°F (200°C) pendant environ 25 minutes ou jusqu'à ce que les burritos soient chauds et que le fromage ait fondu et soit doré. Au moment de servir, napper de la crème sure.

PAR PORTION : cal. : 436 ; prot. : 34 g ; m.g. : 16 g (9 g sat.) ; chol. : 78 mg ; gluc. : 48 g ; fibres : 8 g ; sodium : 938 mg.

AU SOUPER CE SOIR

Faire les deux premières étapes de la recette tel qu'indiqué. Ensuite, cuire les burritos au four préchauffé à 400°F (200°C) pendant environ 15 minutes ou jusqu'à ce qu'ils soient chauds et que le fromage ait fondu et soit doré. Au moment de servir, napper de la crème sure.

Poitrines de poulet à la mangue et au brie

Un plat congelé n'est pas nécessairement synonyme de repas ordinaire. La preuve : cette recette de poulet à la mangue, assez raffinée pour donner l'impression qu'on mange au resto.

4 PORTIONS

4	poitrines de poulet désossées, la peau et le gras enlevés (environ 1 ¼ lb/625 g en tout)	4
¼ t	moutarde de Dijon	60 ml
2	gousses d'ail hachées finement	2
¼ c. à thé	thym séché	1 ml
¼ c. à thé	sel	1 ml
¼ c. à thé	poivre noir du moulin	1 ml
⅔ t	chapelure nature	160 ml
2 c. à tab	huile végétale (environ)	30 ml
¼ t	chutney à la mangue chaud	60 ml
4 oz	brie coupé en tranches	125 g

1. Mettre les poitrines de poulet côte à côte entre deux pellicules de plastique et, à l'aide d'un maillet ou d'un gros poêlon en fonte, les aplatir à environ ½ po (1 cm) d'épaisseur.

2. Dans un petit bol, mélanger la moutarde de Dijon, l'ail, le thym, le sel et le poivre. Mettre la chapelure dans un plat peu profond. Badigeonner les deux côtés des poitrines de poulet du mélange de moutarde, puis les passer dans la chapelure, en les pressant et en les retournant pour bien les enrober (secouer pour enlever l'excédent).

3. Dans un grand poêlon, chauffer l'huile à feu moyen. Ajouter les poitrines de poulet et cuire 4 minutes de chaque côté ou jusqu'à ce qu'elles soient dorées et qu'elles aient perdu leur teinte rosée à l'intérieur (ajouter de l'huile, au besoin).

4. Mettre les poitrines de poulet dans quatre plats allant au four ou moules en aluminium de 8 po x 5 po (20 cm x 12 cm), ou dans un plat en verre allant au four de 13 po x 9 po (33 cm x 23 cm). Arroser les poitrines de poulet du chutney à la mangue et couvrir du fromage. Couvrir les plats d'une pellicule de plastique. Les poitrines de poulet se conserveront jusqu'au lendemain au réfrigérateur ou jusqu'à 1 mois au congélateur, enveloppées de papier d'aluminium résistant. Décongeler au réfrigérateur. Retirer le papier d'aluminium avant la cuisson au four.

5. Cuire au four préchauffé à 400°F (200°C) pendant environ 18 minutes ou jusqu'à ce que le poulet soit très chaud et que le fromage soit bouillonnant.

PAR PORTION : cal. : 416 ; prot. : 39 g ; m.g. : 19 g (6 g sat.) ; chol. : 106 mg ; gluc. : 22 g ; fibres : 1 g ; sodium : 929 mg.

AU SOUPER CE SOIR

Faire les trois premières étapes de la recette tel qu'indiqué. Mettre les poitrines de poulet dans un plat en verre allant au four de 13 po x 9 po (33 cm x 23 cm). Les arroser du chutney à la mangue et couvrir du fromage. Couvrir le plat de papier d'aluminium et cuire au four préchauffé à 400°F (200°C) pendant environ 15 minutes ou jusqu'à ce que la préparation soit chaude.

FRIGO ET CONGÉLO
LES ESSENTIELS

- **Produits laitiers :** lait, beurre, yogourt nature (ordinaire ou épais), gros oeufs, parmesan (en pointe, de préférence), cheddar fort, mozzarella et autres fromages
- **Fruits :** frais (oranges, citrons et pommes) et surgelés (bleuets, fraises, framboises ou mélange de fruits des champs)
- **Légumes :** frais (carottes et céleri) et surgelés (petits pois et maïs)
- **Sauce :** mayonnaise légère
- **Pâtes :** tortellini et gnocchis surgelés

Poulet à l'orientale

Lorsqu'on congèle du poulet dans une marinade, on le divise en portions individuelles : de cette façon, on décongèle seulement la quantité dont on a besoin.

4 PORTIONS

½ t	sauce hoisin	125 ml
2 c. à tab	sauce soja	30 ml
2 c. à tab	vinaigre de riz	30 ml
2	gousses d'ail hachées finement	2
1 c. à tab	gingembre frais, haché ou	15 ml
1 c. à thé	gingembre moulu	5 ml
¼ c. à thé	sel	1 ml
¼ c. à thé	poivre noir du moulin	1 ml
2 lb	poulet coupé en morceaux (poitrines, pilons et hauts de cuisses non désossés), la peau et le gras enlevés	1 kg
1 c. à tab	graines de sésame grillées	15 ml

1. Dans un plat en verre peu profond, mélanger la sauce hoisin, la sauce soja, le vinaigre de riz, l'ail, le gingembre, le sel et le poivre. Ajouter les morceaux de poulet et les retourner pour bien les enrober. Couvrir le plat d'une pellicule de plastique et laisser mariner au réfrigérateur pendant 4 heures.

2. Répartir les morceaux de poulet dans deux grands sacs de congélation refermables (de type Ziploc), puis ajouter la marinade. Retirer l'air en pressant sur les sacs et sceller. Le poulet se conservera jusqu'à 1 mois au congélateur. Décongeler au réfrigérateur.

3. Pour préparer le barbecue pour une cuisson indirecte, allumer l'un des deux brûleurs du barbecue au gaz et le régler à puissance moyenne. Mettre les morceaux de poulet, les os dessous, sur la grille huilée du barbecue, du côté éteint. Fermer le couvercle et cuire pendant environ 25 minutes ou jusqu'à ce que le poulet soit marqué. Retourner les morceaux de poulet et poursuivre la cuisson pendant environ 20 minutes ou jusqu'à ce que le jus qui s'écoule lorsqu'on les pique à la fourchette soit clair. Si le poulet n'est pas assez doré ou croustillant, le mettre sur le côté allumé. Fermer le couvercle et poursuivre la cuisson pendant environ 5 minutes ou jusqu'à ce qu'il soit bien doré. (Ou encore, mettre les morceaux de poulet, les os dessous, dans un plat allant au four et les badigeonner de la marinade qui reste dans les sacs. Cuire au four préchauffé à 425°F/220°C pendant environ 30 minutes ou jusqu'à ce que le jus qui s'écoule du poulet lorsqu'on le pique à la fourchette soit clair.) Servir le poulet parsemé des graines de sésame.

PAR PORTION (avec la peau) : cal. : 366 ; prot. : 32 g ; m.g. : 19 g (5 g sat.) ; chol. : 111 mg ; gluc. : 17 g ; fibres : 1 g ; sodium : 1 272 mg.

AU SOUPER CE SOIR

Faire la première étape de la recette tel qu'indiqué. Cuire le poulet et le garnir tel qu'indiqué à la dernière étape.

ASTUCE

Pour faire griller les graines de sésame, les mettre dans un petit poêlon sans gras et cuire à feu moyen, en brassant souvent, jusqu'à ce qu'elles dégagent leur arôme.

Bâtonnets de poulet, sauce à la moutarde et au miel

Relevé d'une bonne portion de parmesan, l'enrobage de ces bâtonnets de poulet est doré et croustillant. Si on prévoit les congeler, on attend le moment de les servir pour préparer la sauce.

4 PORTIONS

⅓ t	mayonnaise légère	80 ml
2 c. à tab	moutarde de Dijon	30 ml
1 c. à tab	miel liquide	15 ml
4	poitrines de poulet désossées, la peau et le gras enlevés	4
2	oeufs	2
1 t	parmesan râpé finement	250 ml
1 t	mie de pain frais	250 ml
4 c. à thé	origan frais, haché ou	20 ml
2 c. à thé	origan séché	10 ml
1 c. à thé	sel	5 ml
½ c. à thé	poivre noir du moulin	2 ml
½ c. à thé	paprika	2 ml
¼ t	beurre fondu	60 ml

1. Dans un petit bol, mélanger la mayonnaise, la moutarde de Dijon et le miel jusqu'à ce que la préparation soit homogène. (Vous pouvez préparer la sauce à l'avance et la couvrir. Elle se conservera jusqu'à 3 jours au réfrigérateur.)

2. Mettre les poitrines de poulet côte à côte entre deux pellicules de plastique et, à l'aide d'un rouleau à pâtisserie ou du côté plat d'un maillet, les aplatir à environ ½ po (1 cm) d'épaisseur. Couper les poitrines de poulet en diagonale sur la longueur en lanières de 4 po x 1 ½ po (10 cm x 4 cm). Dans un bol, battre les oeufs à l'aide d'un fouet. Dans un plat peu profond, mélanger le fromage, la mie de pain, l'origan, le sel, le poivre et le paprika.

3. Tremper les lanières de poulet dans les oeufs battus, une à la fois (laisser égoutter l'excédent dans le bol), puis les passer dans la préparation de fromage, en les pressant pour la faire adhérer et en les retournant pour bien les enrober.

4. Disposer les lanières de poulet entre deux feuilles de papier ciré, puis les placer dans un contenant hermétique. Elles se conserveront jusqu'au lendemain au réfrigérateur ou jusqu'à 2 semaines au congélateur. Cuire sans décongeler.

5. Étendre les lanières de poulet sur des plaques de cuisson huilées et les arroser du beurre fondu. Cuire au four préchauffé à 425°F (220°C) pendant environ 20 minutes ou jusqu'à ce qu'elles soient dorées et croustillantes et qu'elles aient perdu leur teinte rosée à l'intérieur. Servir accompagnées de la sauce à la moutarde et au miel.

PAR PORTION : cal. : 556 ; prot. : 53 g ; m.g. : 32 g (14 g sat.) ; chol. : 251 mg ; gluc. : 14 g ; fibres : 1 g ; sodium : 1 455 mg.

AU SOUPER CE SOIR

Faire les trois premières étapes de la recette tel qu'indiqué. Cuire tel qu'indiqué à la dernière étape, en réduisant le temps de cuisson à 15 minutes.

ASTUCE

La mie de pain frais permet d'obtenir une belle panure légèrement croustillante. Pour se faciliter la tâche, on réduit une ou deux tranches de pain croûté en chapelure grossière au robot culinaire. On peut s'en faire une réserve pour un prochain souper de bâtonnets de poulet et la conserver au congélateur.

Filets de porc épicés à la mexicaine

Pratiques, ces filets de porc marinés et congelés : on en fait griller un ou deux, selon le nombre de convives.

4 À 6 PORTIONS

½ t	bière	125 ml
⅓ t	jus de lime	80 ml
2	gousses d'ail hachées finement	2
2 c. à tab	persil frais, haché finement	30 ml
1 c. à thé	assaisonnement au chili	5 ml
½ c. à thé	cumin moulu	2 ml
¼ c. à thé	coriandre moulue	1 ml
¼ c. à thé	sel	1 ml
¼ c. à thé	poivre noir du moulin	1 ml
2	filets de porc (environ 1 ½ lb/750 g en tout)	2

1. Dans un plat en verre peu profond, mélanger la bière, le jus de lime, l'ail, le persil, l'assaisonnement au chili, le cumin, la coriandre, le sel et le poivre. Ajouter les filets de porc et les retourner pour bien les enrober.

2. Mettre chaque filet de porc dans un grand sac de congélation refermable (de type Ziploc). Répartir la marinade dans les sacs. Retirer l'air en pressant sur les sacs et sceller. Les filets de porc se conserveront jusqu'à 1 mois au congélateur. Décongeler au réfrigérateur.

3. Régler le barbecue au gaz à puissance moyenne-élevée. Mettre les filets de porc sur la grille huilée du barbecue et les badigeonner de la marinade. Fermer le couvercle et cuire de 15 à 20 minutes ou jusqu'à ce que le porc soit encore légèrement rosé à l'intérieur (retourner les filets à la mi-cuisson).

4. Mettre les filets de porc sur une planche à découper et les couvrir de papier d'aluminium, sans serrer. Laisser reposer pendant 5 minutes, puis couper en tranches.

PAR PORTION : cal. : 157 ; prot. : 28 g ; m.g. : 3 g (1 g sat.) ; chol. : 61 mg ; gluc. : 2 g ; fibres : traces ; sodium : 154 mg.

AU SOUPER CE SOIR

Faire la première étape de la recette tel qu'indiqué. Ensuite, couvrir le plat d'une pellicule de plastique et laisser mariner au réfrigérateur pendant 4 heures. Faire griller les filets de porc et servir tel qu'indiqué aux deux dernières étapes.

CHAPITRE 8

Juste pour nous deux

Bien que la quantité soit prévue pour le four grille-pain, toutes les recettes présentées dans ce chapitre peuvent également être cuites au four.

Pain de viande aux tomates séchées

Le goût de ce plat classique est rehaussé par l'addition de champignons shiitake et de tomates séchées.

4 PORTIONS

1 c. à tab	huile végétale	15 ml
1 ½ t	champignons shiitake, les pieds enlevés (ou champignons blancs), coupés en tranches fines	375 ml
½ t	oignon haché	125 ml
1	branche de céleri hachée finement	1
2	gousses d'ail hachées finement	2
2 c. à tab	vinaigre balsamique ou vinaigre de vin	30 ml
1	oeuf	1
½ t	chapelure nature	125 ml
⅓ t	tomates séchées conservées dans l'huile, égouttées et hachées	80 ml
¾ c. à thé	thym séché	4 ml
¼ c. à thé	sel	1 ml
¼ c. à thé	poivre noir du moulin	1 ml
1 lb	porc ou boeuf haché maigre	500 g
3 c. à tab	sauce chili ou ketchup	45 ml
1 c. à tab	moutarde de Dijon	15 ml

1. Dans un poêlon, chauffer l'huile à feu moyen-vif. Ajouter les champignons, l'oignon, le céleri et l'ail et cuire, en brassant de temps à autre, pendant environ 5 minutes ou jusqu'à ce que les légumes aient ramolli. Ajouter le vinaigre balsamique et mélanger. Poursuivre la cuisson pendant environ 30 secondes ou jusqu'à ce que le vinaigre se soit évaporé. Laisser refroidir légèrement.

2. Entre-temps, dans un grand bol, battre l'oeuf à l'aide d'une fourchette. Ajouter la chapelure, les tomates séchées, ½ c. à thé (2 ml) du thym, le sel et le poivre et mélanger jusqu'à ce que la préparation soit homogène. Ajouter le mélange de champignons refroidi et le porc haché et bien mélanger. Mettre la préparation de porc dans un moule de 8 po x 4 po (20 cm x 10 cm), en la tassant.

3. Dans un petit bol, mélanger la sauce chili, la moutarde de Dijon et le reste du thym. Étendre le mélange de sauce chili sur le pain de viande. (Vous pouvez préparer le pain de viande jusqu'à cette étape et le couvrir d'une pellicule de plastique. Il se conservera jusqu'au lendemain au réfrigérateur.)

4. Cuire au four grille-pain préchauffé à 350°F (180°C) de 45 à 50 minutes ou jusqu'à ce qu'un thermomètre à viande inséré au centre du pain de viande indique 170°F (75°C). Laisser reposer pendant 5 minutes, puis retirer le gras.

PAR PORTION : cal. : 382 ; prot. : 26 g ; m.g. : 21 g (6 g sat.) ; chol. : 116 mg ; gluc. : 21 g ; fibres : 3 g ; sodium : 592 mg.

PRATIQUES ET CLASSIQUES, LES POMMES DE TERRE EN 2 VERSIONS

Compter une pomme de terre par personne et en ajouter une en surplus. Servir les pommes de terre bouillies, arrosées d'huile d'olive ou de beurre fondu et parsemées de poivre noir du moulin. Ou encore, réduire en purée fine en ajoutant (pour 4 grosses pommes de terre) 1 c. à tab (15 ml) de beurre et jusqu'à 1 t (250 ml) de lait chaud ou de babeurre froid. Saler et poivrer.

Poulet rôti au cumin, salade de courgettes et de carottes

4 PORTIONS

1 c. à tab	jus de citron	15 ml
2 c. à thé	huile végétale	10 ml
1 c. à thé	cumin moulu	5 ml
1 c. à thé	assaisonnement au chili	5 ml
½ c. à thé	sel	2 ml
¼ c. à thé	poivre noir du moulin	1 ml
1 lb	poitrines de poulet désossées, la peau et le gras enlevés	500 g
1 ½ t	courgettes râpées (environ 2 courgettes)	375 ml
1 ½ t	carottes râpées (environ 2 carottes)	375 ml
1	oignon vert haché finement	1

1. Dans un petit bol, mélanger 1 c. à thé (5 ml) du jus de citron et 1 c. à thé (5 ml) de l'huile. Ajouter le cumin, l'assaisonnement au chili, la moitié du sel et la moitié du poivre et mélanger jusqu'à ce que la préparation forme une pâte claire.

2. Mettre le poulet sur la grille huilée de la lèchefrite du four grille-pain. Badigeonner le dessus du poulet de la moitié de la pâte au cumin. Retourner le poulet et badigeonner le dessous du reste de la pâte. Cuire sous le gril du four grille-pain pendant environ 12 minutes ou jusqu'à ce que le poulet soit bien doré et qu'il ait perdu sa teinte rosée à l'intérieur (le retourner à la mi-cuisson). Mettre le poulet sur une planche à découper et le couvrir de papier d'aluminium, sans serrer. Laisser reposer pendant 10 minutes.

3. Dans un grand bol, mélanger le reste du jus de citron, de l'huile, du sel et du poivre. Ajouter les courgettes, les carottes et l'oignon vert et mélanger pour bien les enrober. Répartir la salade dans quatre assiettes. Couper le poulet en tranches fines et les répartir sur la salade.

PAR PORTION : cal. : 175 ; prot. : 27 g ; m.g. : 4 g (1 g sat.) ; chol. : 67 mg ; gluc. : 7 g ; fibres : 2 g ; sodium : 369 mg.

MATÉRIEL
FOUR GRILLE-PAIN

● CAPACITÉ
On choisit un modèle adapté à nos besoins et à l'espace dont on dispose. Dans les appareils de grande capacité, on peut cuire une pizza de 12 po (30 cm) de diamètre ou un poulet.

● RÉGLAGES
La plupart des modèles permettent de cuire et de griller des aliments et de les garder au chaud, mais certains ne permettent pas la cuisson sous le gril. Les appareils plus récents offrent la cuisson par convection, qui fait circuler de l'air chaud à l'intérieur du four : la température est ainsi répartie de façon plus uniforme, et la cuisson est plus rapide.

● MINUTERIE
Certains modèles s'éteignent automatiquement au signal sonore de la minuterie.

● PLATS DE CUISSON
La plupart des appareils comprennent une lèchefrite munie d'une grille. On peut se procurer des plats de cuisson appropriés dans les boutiques spécialisées.

● GRILLE
La grille amovible et réversible à multiposition s'adapte à tous les aliments, des rôtis aux biscuits. Sur certains modèles, elle glisse vers l'extérieur à l'ouverture de la porte.

● ISOLATION THERMIQUE
Certains appareils sont particulièrement sécuritaires puisque les poignées et le boîtier restent froids au toucher.

Poitrines de poulet au cari

Si on le préfère, on utilise dans cette recette des poitrines ou des cuisses de poulet non désossées. Il faut alors augmenter le temps de cuisson d'environ 15 minutes.

4 PORTIONS

⅓ t	yogourt nature	80 ml
3 c. à tab	miel liquide	45 ml
2 c. à tab	pâte de cari (de type Patak's)	30 ml
2 c. à tab	sauce soja	30 ml
1 c. à tab	huile végétale	15 ml
2 c. à thé	moutarde de Dijon	10 ml
¼ c. à thé	poivre noir du moulin	1 ml
4	poitrines de poulet désossées, la peau et le gras enlevés	4

1. Dans un plat en verre peu profond, mélanger le yogourt, le miel, la pâte de cari, la sauce soja, l'huile, la moutarde de Dijon et le poivre. Ajouter les poitrines de poulet et les retourner pour bien les enrober. Mettre les poitrines de poulet et la préparation de yogourt restant dans le plat dans la lèchefrite du four grille-pain.

2. Cuire au four grille-pain préchauffé à 375°F (190°C) pendant environ 30 minutes ou jusqu'à ce que la sauce ait épaissi et que le poulet soit doré et qu'il ait perdu sa teinte rosée à l'intérieur (badigeonner le poulet de la sauce de temps à autre).

PAR PORTION : cal. : 288 ; prot. : 32 g ; m.g. : 10 g (1 g sat.) ; chol. : 79 mg ; gluc. : 16 g ; fibres : 1 g ; sodium : 846 mg.

Haricots verts aux amandes

4 PORTIONS

1 lb	haricots verts parés	500 g
1 c. à tab	beurre	15 ml
2 c. à tab	amandes en bâtonnets	30 ml
1 c. à tab	jus de citron	15 ml

1. Dans une grande casserole d'eau bouillante salée, cuire les haricots pendant environ 7 minutes ou jusqu'à ce qu'ils soient tendres mais encore croquants. Égoutter les haricots.

2. Entre-temps, dans un poêlon, faire fondre le beurre à feu moyen. Ajouter les amandes et cuire, en brassant de temps à autre, pendant environ 3 minutes ou jusqu'à ce qu'elles soient légèrement dorées. Ajouter le jus de citron et les haricots et mélanger délicatement pour bien les enrober.

PAR PORTION : cal. : 87 ; prot. : 3 g ; m.g. : 5 g (2 g sat.) ; chol. : 9 mg ; gluc. : 9 g ; fibres : 4 g ; sodium : 273 mg.

GARDE-MANGER
LES PRODUITS CÉRÉALIERS INDISPENSABLES

• **Riz :** étuvé à grain long (blanc et complet), basmati et à grain rond (arborio ou autres)

• **Semoule de maïs :** moyenne et grossière

• **Couscous :** ordinaire et de blé entier

• **Pâtes :** courtes (macaronis, fusilli, rigatoni et penne) et longues (spaghettis, linguine et fettuccine) – de préférence de blé entier

• **Divers :** croûtons, chapelure et craquelins

Gratin de pâtes au pesto et aux légumes

4 PORTIONS

2 t	penne	500 ml
1 c. à tab	huile d'olive	15 ml
2	petits oignons, hachés	2
2 t	carottes hachées	500 ml
2 t	chou-fleur défait en bouquets	500 ml
¼ c. à thé	sel	1 ml
¼ c. à thé	poivre noir du moulin	1 ml
⅓ t	pesto	80 ml
2	oeufs	2
2 t	fromage cottage	500 ml
2	tomates italiennes coupées en tranches	2
¼ t	parmesan râpé	60 ml

1. Dans une casserole d'eau bouillante salée, cuire les pâtes pendant environ 10 minutes ou jusqu'à ce qu'elles soient al dente. Égoutter et réserver.

2. Dans la casserole, chauffer l'huile à feu moyen. Ajouter les oignons, les carottes, le chou-fleur, le sel et le poivre et cuire, en brassant de temps à autre, pendant environ 5 minutes ou jusqu'à ce que les légumes soient tendres mais encore croquants. Ajouter le pesto et les pâtes réservées et mélanger pour bien les enrober.

3. Dans un bol, à l'aide d'un fouet, mélanger les oeufs et le fromage cottage. Ajouter à la préparation de pâtes et mélanger pour bien enrober les ingrédients. Mettre la préparation dans un plat allant au four d'une capacité de 8 t (2 L). Presser légèrement. Couvrir des tranches de tomates et parsemer du parmesan. Cuire au four grille-pain préchauffé à 375°F (190°C) pendant environ 30 minutes ou jusqu'à ce que la préparation soit dorée et bouillonnante.

PAR PORTION : cal. : 512 ; prot. : 31 g ; m.g. : 22 g (7 g sat.) ; chol. : 117 mg ; gluc. : 49 g ; fibres : 6 g ; sodium : 1 296 mg.

Poulets de Cornouailles au citron et au romarin

Le point de départ d'un souper pour deux simple mais élégant!

2 PORTIONS

2 c. à thé	romarin frais, haché ou	10 ml
½ c. à thé	romarin séché	2 ml
1 c. à thé	zeste de citron râpé finement	5 ml
¼ c. à thé	sel	1 ml
¼ c. à thé	poivre noir du moulin	1 ml
2	poulets de Cornouailles (environ 1 lb/500 g chacun)	2
½	citron coupé en quatre quartiers	½
2 c. à tab	beurre fondu	30 ml

1. Dans un petit bol, mélanger le romarin, le zeste de citron, le sel et le poivre. Réserver.

2. Retirer les abats (gésier, coeur, foie) des poulets (les réserver pour un usage ultérieur). Avec les doigts, détacher délicatement la peau des deux côtés des poitrines des poulets de manière à former des pochettes (prendre soin de ne pas déchirer la peau). Étendre uniformément la préparation de romarin sous la peau de chaque poitrine en pressant pour bien la répartir. Mettre deux quartiers de citron dans la cavité de chaque poulet. Replier les ailes sur le dos et, si désiré, attacher fermement les cuisses ensemble avec de la ficelle à rôti. Badigeonner les poulets du beurre fondu. (Vous pouvez préparer les poulets jusqu'à cette étape et les couvrir. Ils se conserveront jusqu'au lendemain au réfrigérateur. Ajouter 5 minutes au temps de cuisson).

3. Mettre les poulets, la poitrine vers le haut, sur la grille huilée de la lèchefrite du four grille-pain. Cuire au four grille-pain préchauffé à 400°F (200°C) de 55 à 60 minutes ou jusqu'à ce que le jus qui s'écoule des poulets quand on pique une cuisse à la fourchette soit clair (s'ils dorent trop rapidement, les couvrir de papier d'aluminium, sans serrer). Mettre les poulets dans une assiette de service et les couvrir de papier d'aluminium, sans serrer. Laisser reposer pendant 10 minutes. Au moment de servir, couper les poulets en deux ou en quatre avec des ciseaux de cuisine.

PAR PORTION: cal.: 321; prot.: 38 g; m.g.: 18 g (9 g sat.); chol.: 208 mg; gluc.: traces; fibres: traces; sodium: 507 mg.

Filets de truite à l'aneth et au citron

D'autres poissons à saveur douce, comme le pangasius et le tilapia, sont parfaits pour ce plat.

2 PORTIONS

1 c. à tab	huile d'olive	15 ml
1	échalote française, hachée finement ou	1
2 c. à tab	oignon haché finement	30 ml
1 c. à tab	aneth frais, haché finement ou	15 ml
1 c. à thé	aneth séché	5 ml
1 c. à thé	zeste de citron râpé finement	5 ml
2 c. à thé	jus de citron	10 ml
1 c. à thé	câpres égouttées, hachées (facultatif)	5 ml
1	pincée de sel	1
1	pincée de poivre noir du moulin	1
2	filets de truite arc-en-ciel, avec la peau (environ 12 oz/375 g en tout)	2

1. Dans un petit bol, mélanger l'huile, l'échalote, l'aneth, le zeste et le jus de citron, les câpres, si désiré, le sel et le poivre.

2. Déposer les filets de truite, la peau vers le bas, sur la grille huilée de la lèchefrite du four grille-pain. Badigeonner les filets du mélange d'huile au citron. Cuire sous le gril du four grille-pain pendant environ 10 minutes ou jusqu'à ce que les filets de poisson soient dorés et que la chair se défasse facilement à la fourchette (surveiller la cuisson de près).

PAR PORTION : cal. : 263 ; prot. : 29 g ; m.g. : 15 g (3 g sat.) ; chol. : 80 mg ; gluc. : 1 g ; fibres : traces ; sodium : 50 mg.

Salade de laitue Boston et de radicchio

4 PORTIONS

2 c. à tab	huile d'olive	30 ml
1 c. à tab	vinaigre de vin rouge	15 ml
½ c. à thé	moutarde de Dijon	2 ml
1	pincée de sucre	1
1	pincée de sel	1
1	pincée de poivre noir du moulin	1
6 t	laitue Boston déchiquetée	1,5 L
1 t	radicchio déchiqueté	250 ml
½ t	céleri coupé en tranches	125 ml

1. Dans un saladier, mélanger l'huile, le vinaigre de vin, la moutarde de Dijon, le sucre, le sel et le poivre.

2. Ajouter la laitue Boston, le radicchio et le céleri et mélanger pour bien enrober les ingrédients.

PAR PORTION : cal. : 76 ; prot. : 1 g ; m.g. : 7 g (1 g sat.) ; chol. : aucun ; gluc. : 3 g ; fibres : 1 g ; sodium : 27 mg.

BROCOLI AROMATISÉ AUX TOMATES SÉCHÉES

Ce plat de brocoli accompagne délicieusement les Filets de truite à l'aneth et au citron. Défaire le brocoli en bouquets après avoir paré et pelé les tiges. Dans une casserole contenant environ 1 po (2,5 cm) d'eau bouillante, cuire le brocoli à couvert pendant environ 4 minutes (ou le déposer dans une marguerite et le cuire à la vapeur pendant 7 minutes) ou jusqu'à ce qu'il soit tendre mais encore légèrement croquant et d'un vert intense. Égoutter le brocoli et le remettre dans la casserole. Ajouter de l'huile provenant d'un pot de tomates séchées conservées dans l'huile et mélanger pour bien enrober le brocoli.

Filets de poisson aux coeurs d'artichauts et aux tomates séchées

Si on préfère utiliser des tomates séchées non conservées dans l'huile, on les fait d'abord tremper dans de l'eau bouillante pendant 15 minutes, puis on les égoutte et on les coupe en tranches fines. Nos suggestions de poisson pour cette recette : flétan, tilapia ou turbot.

4 PORTIONS

4	filets de poisson à chair blanche (environ 1 ½ lb/750 g en tout)	4
2	gousses d'ail hachées finement	2
¼ c. à thé	sel	1 ml
¼ c. à thé	poivre noir du moulin	1 ml
⅓ t	tomates séchées conservées dans l'huile, égouttées et coupées en tranches fines	80 ml
1	pot de coeurs d'artichauts marinés, égouttés et coupés en deux (6 oz/170 ml)	1
1 c. à tab	huile d'olive	15 ml
1 c. à tab	persil frais, haché	15 ml
1	citron coupé en quartiers	1

1. Mettre les filets de poisson dans la lèchefrite légèrement huilée du four grille-pain. Parsemer les filets de poisson de l'ail, du sel et du poivre. Couvrir des tomates séchées et des coeurs d'artichauts. Arroser de l'huile.

2. Cuire au four grille-pain préchauffé à 400°F (200°C) pendant environ 12 minutes ou jusqu'à ce que la chair du poisson se défasse facilement à la fourchette. Parsemer du persil. Servir avec les quartiers de citron.

PAR PORTION : cal. : 276 ; prot. : 37 g ; m.g. : 11 g (2 g sat.) ; chol. : 54 mg ; gluc. : 7 g ; fibres : 2 g ; sodium : 288 mg.

Filets de poisson au citron

Comme l'huile et le beurre, la mayonnaise donne beaucoup de goût au poisson à saveur douce, garde le moelleux des filets et se prépare en un tournemain.

4 PORTIONS

4	filets de poisson à chair blanche (environ 1 ½ lb/750 g en tout)	4
2 c. à tab	mayonnaise légère	30 ml
2 c. à thé	jus de citron	10 ml
1 c. à thé	mélange de fines herbes séchées à l'italienne	5 ml
¼ c. à thé	sel	1 ml
¼ c. à thé	poivre noir du moulin	1 ml

1. Éponger les filets de poisson avec des essuie-tout et les mettre sur la grille huilée de la lèchefrite du four grille-pain.

2. Dans un petit bol, mélanger la mayonnaise, le jus de citron, le mélange de fines herbes, le sel et le poivre. Étendre la préparation de mayonnaise sur les filets.

3. Cuire sous le gril du four grille-pain pendant environ 8 minutes ou jusqu'à ce que la chair du poisson se défasse facilement à la fourchette.

PAR PORTION : cal. : 204 ; prot. : 21 g ; m.g. : 13 g (3 g sat.) ; chol. : 65 mg ; gluc. : 1 g ; fibres : traces ; sodium : 264 mg.

Filets de poisson grillés au persil

Pour cette recette, utiliser des filets de poisson blanc comme le tilapia ou la sole.

4 PORTIONS

¼ t	persil frais, haché	60 ml
2 c. à tab	huile d'olive	30 ml
1 c. à thé	zeste de citron râpé	5 ml
1 c. à tab	jus de citron	15 ml
½ c. à thé	sel	2 ml
¼ c. à thé	flocons de piment fort (facultatif)	1 ml
3	gousses d'ail hachées finement	3
4	filets de poisson (environ 1 ½ lb/750 g en tout)	4

1. Dans un plat, mélanger le persil, l'huile, le zeste et le jus de citron, le sel, les flocons de piment fort, si désiré, et l'ail. Éponger les filets de poisson à l'aide d'essuie-tout. Ajouter les filets de poisson au mélange de persil et les retourner pour bien les enrober.

2. Mettre les filets de poisson sur la grille huilée de la lèchefrite du four grille-pain. Parsemer du mélange de persil qui reste dans le plat. Cuire au four grille-pain préchauffé à 450°F (230°C) pendant environ 10 minutes ou jusqu'à ce que la chair du poisson se défasse facilement à la fourchette.

PAR PORTION : cal. : 229 ; prot. : 30 g ; m.g. : 11 g (2 g sat.) ; chol. : 78 mg ; gluc. : 1 g ; fibres : traces ; sodium : 434 mg.

Pommes de terre rouges et pois mange-tout

4 PORTIONS

8	petites pommes de terre rouges, coupées en quatre	8
8 oz	pois mange-tout parés	250 g
1 c. à tab	huile d'olive	15 ml
1 c. à tab	jus de citron	15 ml
¼ c. à thé	sel	1 ml
¼ c. à thé	poivre noir du moulin	1 ml
2	oignons verts coupés en tranches	2

1. Dans une casserole d'eau bouillante salée, cuire les pommes de terre à couvert pendant environ 15 minutes ou jusqu'à ce qu'elles soient tendres, sans plus. Ajouter les pois mange-tout et cuire pendant 2 minutes. Égoutter les légumes et les mettre dans un bol.

2. Ajouter l'huile, le jus de citron, le sel, le poivre et les oignons verts et mélanger pour bien enrober les légumes.

PAR PORTION : cal. : 135 ; prot. : 4 g ; m.g. : 4 g (1 g sat.) ; chol. : aucun ; gluc. : 22 g ; fibres : 4 g ; sodium : 500 mg.

Frittata au fromage et au prosciutto

4 PORTIONS

5	oeufs	5
½ t	lait ou crème à 10 %	125 ml
1 c. à tab	moutarde de Dijon	15 ml
1 t	croûtons du commerce	250 ml
¼ t	prosciutto ou jambon haché (environ 2 oz/60 g)	60 ml
½ t	fromage fontina ou provolone râpé	125 ml
¼ t	poivrons rouges grillés (piments doux rôtis), hachés	60 ml
1	oignon vert haché finement	1

1. Dans un bol, à l'aide d'un fouet, mélanger les oeufs avec le lait et la moutarde de Dijon. Ajouter les croûtons, le prosciutto et la moitié du fromage, des poivrons rouges grillés et de l'oignon vert et mélanger. Verser la préparation dans une assiette à tarte en métal de 9 po (23 cm) de diamètre ou dans un moule en métal de 8 po (20 cm) de côté huilé. Parsemer du reste du fromage, des poivrons rouges grillés et de l'oignon vert.

2. Cuire au four grille-pain préchauffé à 350°F (180°C) pendant environ 20 minutes ou jusqu'à ce que le dessus de la frittata ait pris. Poursuivre la cuisson sous le gril du four grille-pain pendant environ 2 minutes ou jusqu'à ce que le dessus de la frittata soit doré et ait légèrement gonflé (surveiller la cuisson de près). Déposer l'assiette à tarte sur une grille et laisser refroidir pendant 5 minutes. À l'aide d'une spatule, détacher délicatement la frittata et la glisser dans une assiette de service. Au moment de servir, couper la frittata en pointes. (Vous pouvez préparer la frittata à l'avance, la laisser refroidir complètement et la couvrir. Elle se conservera jusqu'à 2 jours au réfrigérateur.)

PAR PORTION : cal.: 223; prot.: 16 g; m.g.: 13 g (6 g sat.); chol.: 259 mg; gluc.: 9 g; fibres: 1 g; sodium: 517 mg.

Côtelettes de porc aux oignons verts à l'orientale

Pour mettre de la couleur dans les assiettes, accompagner ces côtelettes, désossées ou non, de brocoli ou de bok choy (chou chinois) miniature cuit à la vapeur. Servir avec des nouilles ou du riz.

4 PORTIONS

¼ t	sauce hoisin	60 ml
2 c. à tab	sauce soja	30 ml
2 c. à tab	jus de lime	30 ml
2	gousses d'ail hachées finement	2
1 c. à thé	gingembre frais, haché ou	5 ml
¼ c. à thé	gingembre moulu	1 ml
¼ c. à thé	poivre noir du moulin	1 ml
4	côtelettes de longe de porc, parées	4
2	oignons verts coupés en tranches fines	2

1. Dans un plat en verre peu profond, mélanger la sauce hoisin, la sauce soja, le jus de lime, l'ail, le gingembre et le poivre. À l'aide d'un petit couteau, pratiquer des entailles sur le pourtour des côtelettes de porc pour les empêcher de retrousser. Ajouter les côtelettes à la marinade et les retourner pour bien les enrober. Couvrir le plat d'une pellicule de plastique et laisser mariner à la température ambiante pendant 30 minutes. (Vous pouvez préparer les côtelettes jusqu'à cette étape et les couvrir. Elles se conserveront jusqu'au lendemain au réfrigérateur; les retourner de temps à autre).

2. Mettre les côtelettes sur la grille tapissée de papier d'aluminium de la lèchefrite du four grille-pain. Verser la marinade sur les côtelettes. Cuire sous le gril du four grille-pain pendant environ 8 minutes ou jusqu'à ce que les côtelettes soient encore légèrement rosées à l'intérieur. Au moment de servir, parsemer des oignons verts.

PAR PORTION : cal.: 213; prot.: 27 g; m.g.: 7 g (2 g sat.); chol.: 72 mg; gluc.: 10 g; fibres: 1 g; sodium: 837 mg.

Pizzas au pesto et aux olives

Un peu d'imagination suffit pour garnir des tortillas ou des pains pitas et en faire en un rien de temps des petites pizzas savoureuses. Voici des idées de garnitures.

2 PORTIONS

2	tortillas de farine blanche ou pains pitas de 6 po (15 cm) de diamètre	2
3 c. à tab	pesto du commerce	45 ml
¼ t	fromage de chèvre émietté	60 ml
2 c. à tab	tomates séchées conservées dans l'huile, égouttées et hachées	30 ml
6	olives (de type Kalamata) dénoyautées, coupées en deux	6

1. Mettre les tortillas sur la grille de la lèchefrite du four grille-pain. Badigeonner les tortillas du pesto, puis les parsemer du fromage, des tomates séchées et des olives.

2. Cuire au four grille-pain préchauffé à 400°F (200°C) de 8 à 10 minutes ou jusqu'à ce que les tortillas soient croustillantes et que la garniture soit chaude.

PAR PORTION : cal. : 264 ; prot. : 7 g ; m.g. : 17 g (4 g sat.) ; chol. : 8 mg ; gluc. : 22 g ; fibres : 3 g ; sodium : 722 mg.

VARIANTE

Pizzas classiques piquantes
Remplacer le pesto par de la sauce pour pizza ; le fromage de chèvre par du fromage mozzarella râpé ; les tomates séchées par 6 tranches de pepperoni ou 3 tranches de salami de Gênes, coupées en deux ; et les olives par du piment fort mariné, coupé en rondelles.

FAIRE L'ÉPICERIE POUR DEUX

● **Viande, volaille et poisson :** Au rayon des viandes et du poisson, on demande au commis de nous faire des portions pour une ou deux personnes, selon nos besoins. On privilégie les rôtis de 1 lb (500 g).

● **Produits laitiers :** De préférence, on achète le beurre en demi-livre (250 g), le yogourt et le fromage cottage en petits contenants et les oeufs en boîte de six. Dans les fromageries et certains supermarchés, il est possible de faire couper le fromage en pointes de grosseur raisonnable.

● **Légumes :** On achète seulement ce qu'on prévoit consommer au cours de la semaine. Les mélanges de salade, les épinards et les légumes en vrac sont préférables à leurs versions préemballées : on achète ce dont on a besoin et on évite ainsi d'en jeter à la fin de la semaine.

● **Aliments surgelés :** Les sacs refermables de fruits et de légumes surgelés séparément sont pratiques : on utilise la quantité nécessaire pour un repas et on évite les pertes.

● **Aliments en vrac :** Si, dans une recette, on nous demande une épice ou une herbe qu'on n'utilise pas habituellement, on l'achète en petite quantité dans les magasins d'aliments en vrac.

● **Comptoirs à salades, à olives ou à légumes marinés :** Ce sont de bons dépanneurs si on a besoin d'une petite quantité d'un ingrédient pour une recette.

● **Surplus :** On congèle les tomates en conserve, les bouillons (poulet, boeuf ou légumes) et le jus de tomate dans des contenants hermétiques, en portions adaptées à nos recettes. On congèle aussi, dans des bacs à glaçons, nos restes de sauce tomate, de pâte de tomates, de piments chipotle en sauce adobo, etc. On glisse ensuite les glaçons dans des sacs de congélation (de type Ziploc).

Sur le barbecue

Biftecks de faux-filet à l'ail

Les biftecks de faux-filet sont l'une des coupes le plus souvent recommandées par les bouchers. Un peu d'ail et de flocons de piment fort suffisent à leur donner ce petit goût de piquant qui fait toute la différence.

4 PORTIONS

¼ t	huile d'olive	60 ml
3	gousses d'ail hachées finement	3
½ c. à thé	sel	2 ml
½ c. à thé	poivre noir du moulin	2 ml
¼ c. à thé	flocons de piment fort	1 ml
2	biftecks de faux-filet d'environ 1 po (2,5 cm) d'épaisseur (environ 1 lb/500 g en tout)	2

1. Dans un plat en verre peu profond, mélanger l'huile, l'ail, le sel, le poivre et les flocons de piment fort. Ajouter les biftecks, les retourner et bien frotter chaque côté de la marinade. Couvrir le plat d'une pellicule de plastique et laisser mariner au réfrigérateur pendant 4 heures. (Vous pouvez préparer les biftecks jusqu'à cette étape et les couvrir. Ils se conserveront jusqu'au lendemain au réfrigérateur.)

2. Régler le barbecue au gaz à puissance moyenne-élevée. Mettre les biftecks sur la grille huilée du barbecue et les badigeonner du reste de la marinade. Fermer le couvercle et cuire pendant environ 10 minutes pour une viande mi-saignante ou jusqu'au degré de cuisson désiré (retourner les biftecks à la mi-cuisson). Mettre les biftecks sur une planche à découper et les couvrir de papier d'aluminium, sans serrer. Laisser reposer pendant 5 minutes. Au moment de servir, couper les biftecks en deux.

PAR PORTION : cal.: 319; prot.: 24 g; m.g.: 24 g (6 g sat.); chol.: 57 mg; gluc.: 1 g; fibres: traces; sodium: 337 mg.

Sauté de maïs et de courgette

4 PORTIONS

1 c. à tab	huile végétale	15 ml
3	oignons verts coupés en tranches	3
1	courgette coupée en deux sur la longueur, puis en tranches	1
½ c. à thé	origan séché	2 ml
¼ c. à thé	sel	1 ml
¼ c. à thé	poivre noir du moulin	1 ml
2 t	maïs en grains surgelé	500 ml

1. Dans un grand poêlon, chauffer l'huile à feu moyen. Ajouter les oignons verts et cuire, en brassant de temps à autre, pendant environ 3 minutes ou jusqu'à ce qu'ils aient ramolli.

2. Ajouter la courgette, l'origan, le sel et le poivre et cuire, en brassant de temps à autre, pendant environ 3 minutes ou jusqu'à ce que la courgette soit tendre mais encore légèrement croquante. Ajouter le maïs et poursuivre la cuisson pendant environ 3 minutes ou jusqu'à ce qu'il soit très chaud.

PAR PORTION : cal.: 104; prot.: 3 g; m.g.: 4 g (traces sat.); chol.: aucun; gluc.: 18 g; fibres: 2 g; sodium: 150 mg.

SÉCURITÉ ALIMENTAIRE ET BARBECUE

● Mettre la viande, la volaille et les fruits de mer cuits dans **une assiette propre** et non dans celle qui a contenu les aliments crus.

● **Jeter la marinade** qui a servi à attendrir la viande, la volaille et les fruits de mer crus ou à en rehausser le goût. Ne jamais en badigeonner les aliments cuits.

● Utiliser **un pinceau propre** pour badigeonner une sauce sur les aliments cuits avant de les retirer de la grille.

Poitrines de poulet et salade niçoise

4 PORTIONS

¼ t	huile d'olive	60 ml
2 c. à tab	vinaigre de vin blanc	30 ml
2 c. à thé	jus de citron	10 ml
1 c. à thé	sucre	5 ml
½ c. à thé	herbes de Provence ou thym séché	2 ml
½ c. à thé	paprika	2 ml
¼ c. à thé	sel	1 ml
¼ c. à thé	poivre noir du moulin	1 ml
4	poitrines de poulet désossées, la peau et le gras enlevés (environ 1 lb/500 g en tout)	4
½ lb	haricots verts parés	250 g
2	tomates coupées en huit quartiers chacune	2
4 t	laitue Boston déchiquetée	1 L
⅓ t	olives noires dénoyautées	80 ml

1. Dans un bol, mélanger l'huile, le vinaigre de vin, le jus de citron, le sucre, les herbes de Provence, le paprika, le sel et le poivre. Mettre 3 c. à tab (45 ml) de la vinaigrette dans un plat en verre peu profond (réserver le reste de la vinaigrette). Ajouter les poitrines de poulet dans le plat et les retourner pour bien les enrober. Couvrir le plat d'une pellicule de plastique et laisser mariner à la température ambiante pendant 10 minutes. (Vous pouvez préparer le poulet jusqu'à cette étape et le couvrir. Il se conservera jusqu'au lendemain au réfrigérateur.)

2. Régler le barbecue au gaz à puissance moyenne-élevée. Mettre les poitrines de poulet sur la grille huilée du barbecue et fermer le couvercle. Cuire pendant environ 12 minutes ou jusqu'à ce que le poulet ait perdu sa teinte rosée à l'intérieur (le retourner à la mi-cuisson). Laisser refroidir légèrement, puis couper en tranches fines.

3. Entre-temps, dans une casserole d'eau bouillante salée, cuire les haricots à couvert pendant environ 2 minutes ou jusqu'à ce qu'ils soient tendres mais encore légèrement croquants. Égoutter les haricots, les rafraîchir sous l'eau froide et les égoutter de nouveau.

4. Dans un grand bol, mettre les haricots égouttés, les tomates, la laitue et les olives. Ajouter la vinaigrette réservée et mélanger délicatement. Au moment de servir, répartir la salade dans les assiettes et garnir des tranches de poulet.

PAR PORTION : cal. : 301 ; prot. : 28 g ; m.g. : 17 g (3 g sat.) ; chol. : 67 mg ; gluc. : 11 g ; fibres : 3 g ; sodium : 425 mg.

ASTUCE

Les tomates sont rarement vendues mûres à point parce qu'elles seraient trop molles. Il faut donc se les procurer quelques jours avant de préparer la recette de Poitrines de poulet et salade niçoise et les laisser mûrir à la température ambiante. Pour accélérer leur mûrissement, les mettre dans un sac de papier avec une pomme ou une banane. Ce truc marche à tout coup grâce à l'éthylène que dégagent les tomates pendant leur maturation.

Brochettes de boeuf haché, pitas grillés et sauce au yogourt à la menthe

4 PORTIONS

1 t	feuilles de persil, tassées légèrement	250 ml
3	oignons verts hachés grossièrement	3
2 c. à thé	menthe séchée	10 ml
½ c. à thé	cumin moulu	2 ml
½ c. à thé	paprika	2 ml
½ c. à thé	sel	2 ml
¼ c. à thé	poivre noir du moulin	1 ml
1	oeuf battu	1
2 c. à tab	eau	30 ml
1 lb	boeuf haché maigre	500 g
4	pains pitas de blé entier de 6 po (15 cm) de diamètre	4
½ t	yogourt nature	125 ml
2 c. à tab	persil frais, haché	30 ml

1. Au robot culinaire, réduire en purée lisse les feuilles de persil, les oignons verts, la moitié de la menthe, le cumin, le paprika, le sel et le poivre. Verser la purée de persil dans un grand bol. Ajouter l'oeuf, l'eau et le boeuf haché et mélanger. Avec les mains mouillées, façonner la préparation de boeuf haché en petites saucisses, environ 2 c. à tab (30 ml) combles à la fois. Sur des brochettes de métal ou de bois préalablement trempées dans l'eau, enfiler les saucisses de boeuf haché sur la longueur.

2. Régler le barbecue au gaz à puissance moyenne. Mettre les brochettes de boeuf haché sur la grille huilée du barbecue, fermer le couvercle et cuire pendant environ 12 minutes ou jusqu'à ce que le boeuf haché ait perdu sa teinte rosée à l'intérieur (retourner les brochettes à la mi-cuisson). (Ou encore, cuire les brochettes sous le gril préchauffé du four pendant 7 minutes; les retourner à la mi-cuisson.)

3. Entre-temps, couper les pains pitas en quatre et les déposer sur la grille du barbecue. Cuire pendant environ 4 minutes ou jusqu'à ce qu'ils soient légèrement croustillants (les retourner à la mi-cuisson). (Ou encore, mettre les pains pitas sur une plaque de cuisson et cuire sous le gril préchauffé du four pendant environ 4 minutes ou jusqu'à ce qu'ils soient légèrement croustillants; les retourner à la mi-cuisson.)

4. Dans un petit bol, mélanger le yogourt, le reste de la menthe et le persil haché jusqu'à ce que la préparation soit homogène. Servir les brochettes de boeuf haché avec les pains pitas et la sauce au yogourt.

PAR PORTION : cal.: 393; prot.: 31 g; m.g.: 14 g (5 g sat.); chol.: 109 mg; gluc.: 37 g; fibres: 5 g; sodium: 712 mg.

Sandwichs au porc au gingembre

4 PORTIONS

2 c. à tab	huile de sésame	30 ml
½ c. à thé	gingembre moulu	2 ml
½ c. à thé	sel	2 ml
½ c. à thé	poivre noir du moulin	2 ml
1	filet de porc paré (environ 12 oz/375 g)	1
½ t	mayonnaise légère	125 ml
2	oignons verts coupés en tranches fines	2
1 c. à thé	vinaigre de riz	5 ml
4	petits pains (de type empereur), coupés en deux	4
8	feuilles de laitue	8
8	fines tranches de tomate	8

1. Dans un plat peu profond, mélanger l'huile, le gingembre, la moitié du sel et la moitié du poivre. Ajouter le filet de porc et le retourner pour bien l'enrober. Régler le barbecue au gaz à puissance moyenne-élevée. Mettre le filet de porc sur la grille huilée du barbecue, fermer le couvercle et cuire pendant environ 18 minutes ou jusqu'à ce qu'il soit encore légèrement rosé à l'intérieur (le retourner à la mi-cuisson). Mettre le filet de porc sur une planche à découper et le couvrir de papier d'aluminium, sans serrer. Laisser reposer pendant 5 minutes avant de le couper en tranches.

2. Entre-temps, dans un bol, mélanger la mayonnaise, les oignons verts, le vinaigre de riz et le reste du sel et du poivre. Badigeonner l'intérieur des petits pains du mélange de mayonnaise et garnir des tranches de porc, de la laitue et des tranches de tomate.

PAR PORTION : cal. : 457 ; prot. : 27 g ; m.g. : 21 g (4 g sat.) ; chol. : 55 mg ; gluc. : 38 g ; fibres : 2 g ; sodium : 888 mg.

Brochettes de saucisses à l'italienne

Servir ces brochettes avec de la moutarde et des poivrons grillés légèrement arrosés de vinaigre balsamique.

4 PORTIONS

4	saucisses italiennes (environ 1 lb/500 g en tout)	4
2 c. à tab	huile d'olive	30 ml
1	gousse d'ail hachée finement	1
1	pincée de sel	1
1	pincée de poivre noir du moulin	1
1	pain baguette de 8 po (20 cm) coupé en cubes de 1 po (2,5 cm)	1
½	oignon rouge coupé en quartiers de 1 po (2,5 cm) de largeur	½

1. Mettre les saucisses dans une assiette allant au micro-ondes et les piquer. Couvrir d'une pellicule de plastique en soulevant l'un des coins et cuire au micro-ondes à intensité maximale pendant environ 5 minutes ou jusqu'à ce qu'elles aient perdu leur teinte rosée à l'intérieur. (Vous pouvez préparer les saucisses à l'avance, les laisser refroidir et les couvrir. Elles se conserveront jusqu'au lendemain au réfrigérateur.) Couper en tranches de 1 ½ po (4 cm) d'épaisseur.

2. Entre-temps, dans un bol, mélanger l'huile, l'ail, le sel et le poivre. Sur des brochettes de métal ou de bois préalablement trempées dans l'eau, enfiler les tranches de saucisses en alternant avec les cubes de pain et les quartiers d'oignon. Badigeonner les brochettes du mélange d'huile.

3. Régler le barbecue au gaz à puissance moyenne. Mettre les brochettes sur la grille huilée du barbecue. Fermer le couvercle et cuire pendant environ 10 minutes ou jusqu'à ce que les saucisses soient grillées et que les oignons soient tendres (retourner les brochettes trois fois en cours de cuisson).

PAR PORTION : cal. : 354 ; prot. : 19 g ; m.g. : 23 g (7 g sat.) ; chol. : 48 mg ; gluc. : 17 g ; fibres : 1 g ; sodium : 854 mg.

Brochettes de saumon à l'aneth

4 PORTIONS

3 c. à tab	aneth frais, haché	45 ml
2 c. à tab	huile d'olive	30 ml
1 c. à thé	zeste de citron râpé	5 ml
2 c. à tab	jus de citron	30 ml
½ c. à thé	sel	2 ml
¼ c. à thé	poivre noir du moulin	1 ml
1	trait de sauce tabasco	1
1 ½ lb	filet de saumon sans la peau, coupé en cubes de 1 ½ po (4 cm) (environ 24 cubes)	750 g
1	citron coupé en huit quartiers	1

1. Dans un grand plat en verre peu profond, mélanger l'aneth, l'huile, le zeste et le jus de citron, le sel, le poivre et la sauce tabasco. Ajouter les cubes de saumon et bien mélanger. Laisser mariner pendant 10 minutes au réfrigérateur.

2. Sur quatre brochettes de métal ou de bois préalablement trempées dans l'eau, enfiler les cubes de saumon et les quartiers de citron, en commençant et en terminant par un quartier de citron (réserver la marinade). Régler le barbecue au gaz à puissance moyenne. Mettre les brochettes de saumon sur la grille huilée du barbecue et les badigeonner de la marinade réservée. Fermer le couvercle et cuire pendant environ 10 minutes ou jusqu'à ce que le saumon se défasse facilement à la fourchette (retourner les brochettes deux fois en cours de cuisson).

PAR PORTION : cal. : 338 ; prot. : 29 g ; m.g. : 23 g (4 g sat.) ; chol. : 84 mg ; gluc. : 2 g ; fibres : traces ; sodium : 368 mg.

Hamburgers classiques au cheddar et au bacon

Cette recette est la base des hamburgers maison. On en fait une version bistrot en ajoutant des fines herbes ou une cuillerée de pesto, ou en les badigeonnant de sauce barbecue. On peut très bien remplacer le boeuf haché par de l'agneau, du poulet, du dindon ou du porc haché maigre.

4 PORTIONS

1	oeuf	1
2 c. à tab	eau	30 ml
¼ t	chapelure nature	60 ml
1	petit oignon, haché finement	1
1 c. à tab	moutarde de Dijon	15 ml
1	gousse d'ail hachée finement	1
½ c. à thé	sel	2 ml
½ c. à thé	poivre noir du moulin	2 ml
1 lb	boeuf haché maigre	500 g
4	tranches de cheddar	4
4	tranches de bacon cuit	4
4	pains à hamburger	4
	feuilles de laitue et tranches de tomate	

1. Dans un grand bol, battre l'oeuf et l'eau. Ajouter la chapelure, l'oignon, la moutarde de Dijon, l'ail, le sel, le poivre et le boeuf haché et mélanger. Façonner la préparation en quatre pâtés de ¾ po (2 cm) d'épaisseur. (Vous pouvez préparer les pâtés à l'avance et les mettre dans un contenant hermétique en les séparant d'une feuille de papier ciré. Ils se conserveront jusqu'au lendemain au réfrigérateur ou jusqu'à 1 mois au congélateur. Décongeler au réfrigérateur.)

2. Régler le barbecue au gaz à puissance moyenne. Mettre les pâtés sur la grille huilée du barbecue, fermer le couvercle et cuire pendant environ 15 minutes ou jusqu'à ce qu'ils aient perdu leur teinte rosée à l'intérieur et qu'un thermomètre à viande inséré au centre des pâtés indique 170°F (77°C) (retourner les pâtés à la mi-cuisson). Déposer les tranches de cheddar et de bacon sur les pâtés et poursuivre la cuisson pendant environ 5 minutes ou jusqu'à ce que le fromage ait fondu.

3. Entre-temps, mettre les pains sur la grille du barbecue et cuire pendant 2 minutes ou jusqu'à ce qu'ils soient dorés. Mettre les pâtés de boeuf dans les pains. Garnir de laitue et de tomate.

PAR PORTION : cal.: 442 ; prot.: 34 g ; m.g.: 30 g (14 g sat.) ; chol.: 149 mg ; gluc.: 8 g ; fibres : traces ; sodium : 760 mg.

Côtelettes de porc aux pommes

4 PORTIONS

4	côtelettes de longe de porc (environ 1 ¼ lb/625 g en tout)	4
½ c. à thé	sel	2 ml
¼ c. à thé	cumin moulu	1 ml
¼ c. à thé	gingembre moulu	1 ml
¼ c. à thé	cannelle moulue	1 ml
1	pincée de piment de Cayenne	1
2	pommes Délicieuse jaunes, le coeur enlevé, coupées en rondelles de ½ po (1 cm) d'épaisseur	2
2 c. à thé	sirop d'érable ou miel liquide	10 ml

1. À l'aide d'un petit couteau, amincir la bordure de gras des côtelettes de porc et pratiquer des entailles à intervalles de ½ po (1 cm) sur le pourtour. Dans un petit bol, mélanger le sel, le cumin, le gingembre, la cannelle et le piment de Cayenne. Frotter chaque côté des côtelettes du mélange d'épices.

2. Régler le barbecue au gaz à puissance moyenne-élevée. Mettre les côtelettes de porc sur la grille huilée du barbecue, fermer le couvercle et cuire de 8 à 10 minutes ou jusqu'à ce qu'elles soient dorées et encore légèrement rosées à l'intérieur (les retourner à la mi-cuisson). (Ou encore, dans un poêlon à fond cannelé, cuire les côtelettes à feu moyen-vif le temps indiqué.)

3. Entre-temps, mettre les rondelles de pommes sur la grille du barbecue, avec les côtelettes, et cuire pendant environ 4 minutes ou jusqu'à ce qu'elles soient marquées et tendres (les retourner à la mi-cuisson). (Ou encore, dégraisser le poêlon, ajouter les pommes et cuire tel qu'indiqué.) Badigeonner les pommes du sirop d'érable et servir avec les côtelettes de porc.

PAR PORTION : cal. : 198 ; prot. : 21 g ; m.g. : 7 g (3 g sat.) ; chol. : 58 mg ; gluc. : 13 g ; fibres : 2 g ; sodium : 336 mg.

SAVOUREUX BEURRES AROMATISÉS

Les beurres aromatisés n'ont pas leur pareil pour ajouter un petit goût irrésistible aux filets de poisson grillés, hamburgers, côtelettes de porc et biftecks. Ils relèvent aussi délicieusement les légumes comme les choux de Bruxelles, épis de maïs et brocoli. Sur du pain croûté ou des pommes de terre en robe des champs, ils sont tout simplement divins ! Il suffit de mélanger dans un bol ¼ t (60 ml) de beurre ramolli et les épices ou aromates proposés dans les recettes ci-dessous.

● **Beurre au poivre :** 2 c. à thé (10 ml) de mélange de grains de poivre concassés. Si désiré, ajouter 1 c. à thé (5 ml) de thym frais, haché, ou une généreuse pincée de thym séché.

● **Beurre à la moutarde et au raifort :** 2 c. à tab (30 ml) de persil frais, haché finement, 1 c. à tab (15 ml) de raifort en crème, 2 c. à thé (10 ml) de moutarde de Meaux (moutarde à l'ancienne) et une généreuse pincée de poivre.

● **Beurre aux fines herbes :** 2 c. à tab (30 ml) de ciboulette fraîche ou de la partie verte d'un oignon vert, hachée finement, 2 c. à thé (10 ml) de moutarde de Dijon, 2 c. à thé (10 ml) d'estragon frais, haché finement, et une généreuse pincée de poivre.

● **Beurre à l'oignon vert et au gingembre :** 2 c. à tab (30 ml) d'oignon vert haché finement, 1 c. à thé (5 ml) de gingembre frais, râpé, ou ½ c. à thé (2 ml) de gingembre moulu, ½ c. à thé (2 ml) de sauce Worcestershire et une généreuse pincée de poivre.

● **Beurre à l'aneth et au citron :** 1 c. à tab (15 ml) d'aneth frais, haché finement, 2 c. à thé (10 ml) de zeste de citron râpé, 1 c. à thé (5 ml) de jus de citron et une généreuse pincée de poivre.

Poulet grillé sur pains pitas, mayonnaise à l'ail

Le temps de marinade du poulet en cubes est beaucoup plus court que celui des poitrines ou des cuisses entières.

4 PORTIONS

POULET GRILLÉ

2 c. à tab	jus de citron	30 ml
2 c. à tab	huile d'olive	30 ml
2	gousses d'ail hachées finement	2
¼ c. à thé	piment de la Jamaïque moulu	1 ml
¼ c. à thé	sel	1 ml
¼ c. à thé	poivre noir du moulin	1 ml
2	poitrines de poulet désossées, la peau et le gras enlevés, coupées en cubes de 1 ½ po (4 cm) (environ 1 lb/500 g en tout)	2
4	pains pitas sans pochette (de type grec)	4
1 t	laitue romaine déchiquetée	250 ml
1	tomate coupée en dés	1

MAYONNAISE À L'AIL

½ t	mayonnaise légère	125 ml
1	gousse d'ail hachée finement	1
2 c. à tab	jus de citron	30 ml
1 c. à tab	persil frais, haché finement	15 ml
1	trait de sauce tabasco	1

PRÉPARATION DU POULET

1. Dans un grand bol en verre, mélanger le jus de citron, l'huile, l'ail, le piment de la Jamaïque, le sel et le poivre. Ajouter les cubes de poulet et mélanger pour bien les enrober. Couvrir le bol d'une pellicule de plastique et laisser mariner au réfrigérateur pendant 1 heure. (Vous pouvez préparer le poulet jusqu'à cette étape et le couvrir. Il se conservera jusqu'à 4 heures au réfrigérateur.)

PRÉPARATION DE LA MAYONNAISE

2. Entre-temps, dans un bol, mélanger la mayonnaise, l'ail, le jus de citron, le persil et la sauce tabasco. (Vous pouvez préparer la mayonnaise à l'avance et la couvrir. Elle se conservera jusqu'au lendemain au réfrigérateur.)

3. Sur quatre brochettes de métal ou de bois préalablement trempées dans l'eau, enfiler les cubes de poulet. Régler le barbecue au gaz à puissance moyenne-élevée. Badigeonner les brochettes de la marinade qui reste dans le bol, les mettre sur la grille huilée du barbecue et fermer le couvercle. Cuire pendant environ 12 minutes ou jusqu'à ce que le poulet ait perdu sa teinte rosée à l'intérieur (retourner les brochettes à la mi-cuisson).

4. Entre-temps, déposer les pains pitas sur la grille du barbecue et cuire pendant environ 3 minutes ou jusqu'à ce qu'ils soient légèrement dorés (les retourner à la mi-cuisson). Au moment de servir, répartir les pains pitas chauds dans quatre assiettes et badigeonner chacun de la mayonnaise à l'ail. Défaire les brochettes de poulet sur les pains pitas. Garnir de la laitue et des dés de tomate. Replier les pains pitas sur la garniture, puis envelopper l'une des extrémités de papier ciré pour éviter que la garniture ne s'échappe.

PAR PORTION : cal. : 455 ; prot. : 32 g ; m.g. : 18 g (3 g sat.) ; chol. : 76 mg ; gluc. : 39 g ; fibres : 2 g ; sodium : 749 mg.

DES MARINADES ORIGINALES

Voici deux marinades parfaites pour les coupes de boeuf moins tendres, le porc maigre, les cuisses ou hauts de cuisses de poulet et le tofu. Les quantités sont suffisantes pour 1 ½ lb (750 g) de viande, de volaille et de tofu. Un conseil : toujours faire mariner les aliments au réfrigérateur et jamais plus de 24 heures.

● **Marinade à la thaïlandaise :** Dans un bol, mélanger ¼ t (60 ml) de coriandre fraîche, hachée, 3 c. à tab (45 ml) d'eau, 2 c. à tab (30 ml) d'huile végétale, 2 c. à tab (30 ml) de jus de lime, 1 c. à tab (15 ml) de sauce de poisson (nuoc-mam) ou de sauce soja, 2 gousses d'ail hachées finement, 1 oignon vert haché finement, 1 c. à thé (5 ml) de sucre et un trait de sauce tabasco. (Donne environ ¾ t/180 ml.)

● **Marinade à la provençale :** Dans un bol, mélanger ¼ t (60 ml) de vin rouge, 2 c. à tab (30 ml) d'huile d'olive, 1 c. à tab (15 ml) d'herbes de Provence, 1 c. à tab (15 ml) de vinaigre de vin, 2 gousses d'ail hachées finement, 1 échalote française (ou 1 petit oignon) hachée finement, ¼ c. à thé (1 ml) de sel et ¼ c. à thé (1 ml) de poivre noir du moulin. (Donne environ ½ t/125 ml.)

SUBSTITUTION
Plus de vin rouge pour cette marinade? On le remplace par du vin blanc ou par 3 c. à tab (45 ml) de bouillon additionné de 1 c. à tab (15 ml) de vinaigre de vin.

Hamburgers à l'agneau et aux légumes grillés

Pour une touche moyen-orientale, garnir ces exquis hamburgers de yogourt nature épais ou d'hoummos maison (voir Hoummos aux haricots blancs, p. 27) ou du commerce. Les glisser ensuite dans des pochettes de pains pitas ou des pains à hamburger.

4 PORTIONS

HAMBURGERS À L'AGNEAU

1	oeuf	1
1 c. à tab	ketchup	15 ml
1 t	oignon rouge haché finement	250 ml
¼ t	mie de pain frais, émiettée	60 ml
¼ t	aneth frais, haché	60 ml
¼ t	persil frais, haché	60 ml
4	gousses d'ail hachées finement	4
1 c. à tab	pignons (facultatif)	15 ml
½ c. à thé	sel	2 ml
½ c. à thé	poivre noir du moulin	2 ml
¼ c. à thé	paprika	1 ml
¼ c. à thé	piment de Cayenne	1 ml
1 lb	agneau ou boeuf haché maigre	500 g
4	pains à hamburger	4

LÉGUMES GRILLÉS

4	tranches épaisses d'aubergine asiatique	4
4	tranches épaisses de tomate	4
2 c. à tab	huile d'olive	30 ml
¼ c. à thé	sel	1 ml
¼ c. à thé	poivre noir du moulin	1 ml

PRÉPARATION DES HAMBURGERS

1. Dans un grand bol, battre l'oeuf et le ketchup. Ajouter l'oignon, la mie de pain, l'aneth, le persil, l'ail, les pignons, si désiré, le sel, le poivre, le paprika, le piment de Cayenne et l'agneau haché et mélanger. Façonner la préparation en quatre pâtés d'environ ¾ po (2 cm) d'épaisseur. (Vous pouvez préparer les pâtés à l'avance et les mettre dans un contenant hermétique, en les séparant d'une feuille de papier ciré. Ils se conserveront jusqu'au lendemain au réfrigérateur et jusqu'à 1 mois au congélateur. Laisser décongeler au réfrigérateur.)

2. Régler le barbecue au gaz à puissance moyenne. Mettre les pâtés d'agneau sur la grille huilée, fermer le couvercle et cuire pendant environ 15 minutes ou jusqu'à ce qu'ils aient perdu leur teinte rosée à l'intérieur et qu'un thermomètre à viande inséré au centre des pâtés indique 170°F (77°C) (retourner les pâtés à la mi-cuisson).

PRÉPARATION DES LÉGUMES GRILLÉS

3. Entre-temps, badigeonner les tranches d'aubergine et de tomate de l'huile, puis les parsemer du sel et du poivre. Mettre les légumes sur la grille du barbecue et cuire l'aubergine pendant environ 5 minutes et la tomate pendant 1 minute, ou jusqu'à ce que les légumes soient tendres (les retourner à la mi-cuisson).

4. Entre-temps, mettre les pains sur la grille du barbecue et cuire pendant 2 minutes ou jusqu'à ce qu'ils soient dorés. Mettre les pâtés d'agneau dans les pains et garnir des légumes grillés.

PAR PORTION (sans le pain) : cal. : 336 ; prot. : 24 g ; m.g. : 21 g (7 g sat.) ; chol. : 126 mg ; gluc. : 13 g ; fibres : 3 g ; sodium : 567 mg.

Brochettes de boeuf à l'asiatique

Il existe deux types de biftecks : les biftecks à griller et les biftecks à mariner. Les premiers sont les plus tendres et les plus persillés : on peut le faire mariner ou simplement les frotter d'un mélange d'épices pour en rehausser la saveur. Par contre, il faut faire mariner les seconds pour les attendrir.

4 PORTIONS

3	gousses d'ail hachées finement	3
2 c. à tab	gingembre frais, râpé ou	30 ml
1 c. à thé	gingembre moulu	5 ml
2 c. à tab	sauce soja	30 ml
2 c. à thé	vinaigre de riz ou vinaigre de cidre	10 ml
2 c. à thé	huile de sésame	10 ml
½ c. à thé	sucre	2 ml
1	bifteck de pointe de surlonge de 1 po (2,5 cm) d'épaisseur (environ 1 lb/500 g)	1
10	oignons verts, la partie blanche seulement, coupés en morceaux de 2 po (5 cm)	10

1. Dans un grand bol en verre, mélanger l'ail, le gingembre, la sauce soja, le vinaigre, l'huile et le sucre. Enlever le gras du bifteck et couper la viande en cubes de 1 po (2,5 cm). Ajouter le boeuf à la marinade et laisser mariner pendant 10 minutes. (Vous pouvez préparer le boeuf jusqu'à cette étape et couvrir le bol d'une pellicule de plastique. Il se conservera jusqu'au lendemain au réfrigérateur.)

2. Sur des brochettes de métal ou de bois préalablement trempées dans l'eau, enfiler les cubes de boeuf en alternant avec les morceaux d'oignons verts. Régler le barbecue au gaz à puissance moyenne-élevée. Badigeonner les brochettes de la marinade et les mettre sur la grille huilée du barbecue. Fermer le couvercle et cuire pendant environ 10 minutes ou jusqu'à ce que le boeuf soit grillé mais encore rosé à l'intérieur (retourner les brochettes trois fois en cours de cuisson).

PAR PORTION : cal. : 179 ; prot. : 22 g ; m.g. : 7 g (2 g sat.) ; chol. : 51 mg ; gluc. : 6 g ; fibres : 1 g ; sodium : 563 mg.

Mini-pizzas au poulet

Pour obtenir le poulet grillé demandé dans cette recette, badigeonner les poitrines de poulet d'un peu d'huile végétale, puis les parsemer de sel et de poivre. Cuire, le couvercle fermé, sur la grille huilée du barbecue au gaz réglé à puissance moyenne-élevée pendant 12 minutes ou jusqu'à ce qu'elles aient perdu leur teinte rosée à l'intérieur (les retourner à la mi-cuisson).

4 PORTIONS

1 lb	pâte à pizza réfrigérée ou surgelée, décongelée	500 g
⅓ t	sauce barbecue maison ou du commerce	80 ml
2 t	fromage Monterey Jack râpé	500 ml
3	poitrines de poulet désossées, la peau et le gras enlevés, grillées et coupées en tranches sur la largeur	3
1	poivron vert épépiné, coupé en rondelles	1
½ c. à thé	flocons de piment fort	2 ml
½ c. à thé	origan séché	2 ml

1. Sur une surface légèrement farinée, diviser la pâte à pizza en quatre portions et aplatir chacune en un disque. Abaisser chaque disque de pâte en un cercle d'environ 8 po (20 cm) de diamètre. Régler le barbecue au gaz à puissance moyenne. Mettre les croûtes à pizza sur la grille huilée du barbecue et fermer le couvercle. Cuire pendant environ 7 minutes ou jusqu'à ce que les croûtes soient croustillantes (les retourner à la mi-cuisson).

2. Retirer les croûtes de la grille, les badigeonner de la moitié de la sauce barbecue et les parsemer uniformément de la moitié du fromage. Garnir des tranches de poulet grillé et du reste de la sauce barbecue. Parsemer du poivron, du reste du fromage, des flocons de piment fort et de l'origan. Remettre les pizzas sur la grille du barbecue et

fermer le couvercle. Cuire pendant environ 10 minutes ou jusqu'à ce que le fromage ait fondu et qu'il soit bouillonnant et que les croûtes soient dorées.

PAR PORTION : cal.: 649 ; prot.: 46 g ; m.g.: 24 g (13 g sat.) ; chol.: 114 mg ; gluc.: 60 g ; fibres: 3 g ; sodium: 1 070 mg.

VARIANTE

Mini-pizzas au poulet au four
Cuire les pizzas dans le tiers inférieur du four préchauffé à 500°F (260°C) pendant 12 minutes.

ASTUCE
Pour varier les garnitures et les plaisirs de cette pizza, on y ajoute un mélange de poivron et d'oignon rouge coupés en tranches fines, de piment chili frais (de type jalapeño), épépiné et haché, et de cheddar râpé.

VIVE LA PIZZA MAISON !

Croyez-le ou non, préparer une pizza maison, c'est plus rapide que la faire livrer. Voici nos trucs.

● **Faire des réserves.** On congèle des croûtes à pizza, des pains pitas ou des tortillas et on stocke des pots de sauce à pizza ou de sauce tomate. On garde au réfrigérateur du fromage à pâte élastique déjà râpé (mozzarella ou provolone). Quand on fait l'épicerie, on pense à se procurer nos garnitures préférées : pepperoni, saucisson sec ou fumé, jambon ou dindon fumé, olives, oignons, poivrons frais ou rôtis, champignons, pesto, filets d'anchois ou ananas coupés en tranches.

● **Mesurer.** Pour une pizza de 12 po (30 cm) de diamètre (suffisante pour deux adultes), il faut environ ¾ t (180 ml) de sauce à pizza ou de sauce tomate, 2 t (500 ml) de fromage râpé et 2 t (500 ml) de garnitures.

● **Assembler.** On glisse la croûte à pizza sur une plaque à pizza ou une plaque de cuisson et on la badigeonne de sauce. On la parsème de la moitié du fromage, des garnitures, puis du reste du fromage.

● **Cuire.** On dépose la plaque à pizza dans le tiers inférieur du four préchauffé à 500°F (260°C) et on cuit la pizza environ 12 minutes ou jusqu'à ce que la croûte soit croustillante et que le fromage soit bouillonnant.

Poitrine de dindon grillée

Pour varier, ajouter à l'huile un peu de sauge séchée et de moutarde de Dijon. Si nécessaire, demander au boucher de désosser une poitrine de dindon pour nous, car les poitrines désossées ne viennent habituellement pas avec la peau.

6 PORTIONS

1 ½ lb	poitrine de dindon désossée, avec la peau	750 g
2 c. à thé	huile d'olive	10 ml
1	pincée de sel	1
1	pincée de poivre noir du moulin	1

1. Badigeonner la poitrine de dindon de l'huile et la parsemer du sel et du poivre. Régler le barbecue au gaz à puissance moyenne. Mettre la poitrine de dindon sur la grille huilée du barbecue et fermer le couvercle. Cuire pendant environ 40 minutes ou jusqu'à ce que le dindon ait perdu sa teinte rosée à l'intérieur (le retourner à la mi-cuisson). Mettre la poitrine de dindon sur une planche à découper et laisser reposer pendant 10 minutes. Couper en tranches fines. (Vous pouvez préparer la poitrine de dindon à l'avance et la couvrir d'une pellicule de plastique. Elle se conservera jusqu'au lendemain au réfrigérateur.)

PAR PORTION (sans la peau) : cal. : 136 ; prot. : 23 g ; m.g. : 4 g (1 g sat.) ; chol. : 54 mg ; gluc. : aucun ; fibres : aucune ; sodium : 50 mg.

Champignons portobello farcis aux amandes et aux tomates séchées

Pour changer des habituels hamburgers, biftecks et côtelettes, on sert ces délicieux champignons farcis qui plairont à tous les invités, végétariens ou non !

4 PORTIONS

4	gros champignons portobello (environ 1 lb/500 g en tout)	4
2 c. à tab	huile végétale	30 ml
1 t	gouda ou gruyère râpé	250 ml
½ t	mie de pain frais, émiettée	125 ml
¼ t	persil frais, haché	60 ml
¼ t	amandes grillées, hachées	60 ml
¼ t	tomates séchées conservées dans l'huile, égouttées et hachées	60 ml
2 c. à tab	ciboulette (ou oignons verts) hachée finement	30 ml
¼ c. à thé	poivre noir du moulin	1 ml

1. Retirer les tiges des champignons (les réserver pour un usage ultérieur). Badigeonner les chapeaux de l'huile. Dans un bol, mélanger le reste des ingrédients. Réserver.

2. Régler le barbecue au gaz à puissance moyenne-élevée. Mettre les champignons, le côté bombé dessus, sur la grille huilée du barbecue. Fermer le couvercle et cuire pendant environ 4 minutes ou jusqu'à ce que les champignons commencent à perdre leur jus. Retourner les champignons et les farcir du mélange au fromage réservé. Fermer le couvercle et poursuivre la cuisson pendant environ 4 minutes ou jusqu'à ce que le fromage ait fondu et que les champignons soient tendres.

PAR PORTION : cal. : 254 ; prot. : 11 g ; m.g. : 20 g (6 g sat.) ; chol. : 33 mg ; gluc. : 10 g ; fibres : 2 g ; sodium : 291 mg.

Salade de verdures au vinaigre balsamique

4 PORTIONS

2 c. à tab	vinaigre balsamique	30 ml
1 c. à tab	huile d'olive	15 ml
¼ c. à thé	sel	1 ml
¼ c. à thé	poivre noir du moulin	1 ml
6 t	verdures mélangées (ou arugula), déchiquetées	1,5 L

1. Dans un saladier, mélanger le vinaigre balsamique, l'huile, le sel et le poivre. Ajouter les verdures et mélanger délicatement pour bien les enrober.

PAR PORTION : cal. : 52 ; prot. : 1 g ; m.g. : 4 g (traces sat.) ; chol. : aucun ; gluc. : 4 g ; fibres : 1 g ; sodium : 164 mg.

Salade de tofu grillé aux arachides

4 PORTIONS

⅓ t	beurre d'arachides naturel	80 ml
¼ t	jus de lime	60 ml
2	gousses d'ail hachées finement	2
2 c. à tab	eau chaude	30 ml
2 c. à tab	miel liquide	30 ml
2 c. à tab	sauce soja	30 ml
½ c. à thé	sel	2 ml
½ c. à thé	poivre noir du moulin	2 ml
1 lb	tofu ferme, épongé et coupé horizontalement en quatre tranches	500 g
1 c. à tab	huile végétale	15 ml
8 t	laitue en feuilles déchiquetée	2 L
2 t	carottes râpées	500 ml
1 t	fèves germées (germes de haricots)	250 ml
2	oignons verts coupés en tranches fines	2
¼ t	arachides grillées, hachées	60 ml

1. Dans un bol, mélanger le beurre d'arachides, le jus de lime, l'ail, l'eau chaude, le miel, la sauce soja et la moitié du sel et du poivre. Réserver.

2. Badigeonner les tranches de tofu de l'huile et les parsemer du reste du sel et du poivre. Régler le barbecue au gaz à puissance moyenne-élevée. Mettre les tranches de tofu sur la grille huilée du barbecue et fermer le couvercle. Cuire pendant 10 minutes (retourner le tofu une fois en cours de cuisson).

3. Répartir la laitue dans quatre assiettes. Disposer les tranches de tofu, les carottes et les fèves germées sur la laitue. Arroser de la sauce au beurre d'arachides réservée, et parsemer des oignons verts et des arachides.

PAR PORTION : cal.: 386 ; prot.: 21 g ; m.g.: 24 g (3 g sat.) ; chol.: aucun ; gluc.: 32 g ; fibres : 7 g ; sodium : 844 mg.

EXQUISES SAUCES À BADIGEONNER

Ces deux sauces maison remplacent délicieusement les sauces barbecue du commerce. Seule précaution: il faut les badigeonner pendant les dernières minutes de cuisson pour éviter que le sucre qu'elles contiennent ne brûle. Les quantités sont suffisantes pour badigeonner 1 ½ lb (750 g) de côtelettes, de filets de porc ou de saumon, de morceaux de poulet, de pâtés de boeuf ou de biftecks.

● **Sauce balsamique**
Dans une casserole, mélanger 1 ¼ t (310 ml) de vinaigre balsamique et ½ t (125 ml) de miel liquide. Porter à ébullition à feu moyen-vif et laisser bouillir pendant environ 15 minutes ou jusqu'à ce que la sauce ait réduit à ¾ t (180 ml). Dans un petit bol, délayer 1 c. à thé (5 ml) de fécule de maïs dans 1 c. à tab (15 ml) d'eau froide. Ajouter le mélange de fécule à la sauce et laisser bouillir pendant environ 1 minute ou jusqu'à ce qu'elle ait épaissi. Laisser refroidir. (Donne environ ¾ t/180 ml.)

● **Sauce à l'orange et à l'abricot**
Dans une casserole, mélanger ⅔ t (160 ml) de jus d'orange, ¼ t (60 ml) de confiture d'abricots filtrée et 1 trait de sauce tabasco. Porter à ébullition à feu moyen-vif et laisser bouillir pendant environ 5 minutes ou jusqu'à ce que la préparation ait réduit à ⅔ t (160 ml). Dans un petit bol, mélanger 3 c. à tab (45 ml) de brandy, 1 c. à tab (15 ml) de moutarde de Meaux (moutarde à l'ancienne), 1 c. à tab (15 ml) d'eau et 2 c. à thé (10 ml) de fécule de maïs. Ajouter le mélange de fécule à la préparation à l'abricot et laisser bouillir pendant environ 2 minutes ou jusqu'à ce qu'elle ait épaissi. Laisser refroidir. (Donne environ ¾ t/180 ml.)

CHAPITRE 10

Pour nos invités

Tartes feuilletées aux asperges et au gruyère

Faciles à préparer, ces belles tartes feuilletées constituent un excellent choix de plat sans viande à servir à l'heure du lunch, du brunch ou du souper.

12 PORTIONS

2	bottes d'asperges fines, parées (environ 1 lb/500 g chacune)	2
1	paquet de pâte feuilletée surgelée, décongelée et encore froide (450 g)	1
2 c. à tab	moutarde de Dijon	30 ml
1 ½ t	gruyère râpé	375 ml
½ c. à thé	poivre concassé	2 ml
1	oeuf	1
1 c. à tab	lait	15 ml

1. Mettre les asperges dans une marguerite (ou un panier à vapeur) placée dans une casserole contenant de l'eau bouillante salée (les asperges ne doivent pas être en contact avec l'eau). Couvrir et cuire pendant environ 3 minutes ou jusqu'à ce que les asperges soient tendres mais encore légèrement croquantes. Rafraîchir sous l'eau froide, égoutter et éponger avec des essuie-tout.

2. Dérouler les feuilles de pâte feuilletée sur deux plaques de cuisson tapissées ou non de papier-parchemin. Badigeonner uniformément la pâte de la moutarde de Dijon en laissant une bordure de 1 po (2,5 cm) sur le pourtour. Disposer les asperges côte à côte sur la pâte feuilletée, en alternant les extrémités. Parsemer du fromage et du poivre.

3. Dans un petit bol, battre l'oeuf avec le lait et en badigeonner légèrement le pourtour de la pâte. Déposer une plaque de cuisson dans le tiers supérieur du four préchauffé à 450°F (230°C) et une autre dans le tiers inférieur. Cuire pendant environ 18 minutes ou jusqu'à ce que la croûte ait gonflé et soit dorée et que le fromage soit bouillonnant (intervertir et tourner les plaques à la mi-cuisson). (Vous pouvez préparer les tartes à l'avance, les laisser refroidir et les couvrir. Elles se conserveront jusqu'à 6 heures à la température ambiante.) Au moment de servir, couper les tartes en six portions chacune. Servir chaud ou froid.

PAR PORTION : cal. : 228 ; prot. : 8 g ; m.g. : 14 g (7 g sat.) ; chol. : 46 mg ; gluc. : 17 g ; fibres : 2 g ; sodium : 211 mg.

DES INVITÉS EN SEMAINE ? POURQUOI PAS !

Pour une soirée sans stress, on garde ces conseils en tête.

- On choisit un plat simple qu'on a déjà fait et qu'on peut préparer à l'avance ou congeler, ou encore des grillades sur le barbecue ou un plat à la mijoteuse.

- On prend de l'avance : on fait les courses, on lave et on pare les légumes, et on prépare les ingrédients de la salade.

- On prévoit une soupe ou une salade en entrée. Pendant qu'on la mange, le plat principal et les accompagnements finissent de cuire.

- On demande aux autres membres de la famille de dresser la table, servir les rafraîchissements et s'occuper du service des assiettes. Si un invité offre son aide, on accepte ; notre geste sera perçu comme un signe d'hospitalité.

- On réchauffe les assiettes, les bols et les plats de service. On met les deux premiers au micro-ondes à intensité maximum environ 3 minutes, avec un bol contenant 1 t (250 ml) d'eau. On réchauffe les plats de service au four préchauffé éteint.

- On prépare les desserts à l'avance. Si on n'en a pas prévu, on sert des fruits frais nappés d'une riche sauce maison (voir recettes, p. 223).

- On oublie la vaisselle. On la rince et on l'empile soigneusement ; on la lavera le lendemain soir. On a bien mérité de se mettre au lit !

Tartinade à la truite fumée

Servie sur des craquelins de céréales entières ou des pains plats au seigle, cette trempette aux accents nordiques sera un succès.

DONNE ENVIRON 2 ½ T (625 ML).

10 oz	truite fumée, sans arêtes ni peau	300 g
4 oz	fromage à la crème léger, ramolli	125 g
3 c. à tab	mayonnaise légère	45 ml
1 c. à tab	raifort en crème	15 ml
2 c. à thé	jus de citron	10 ml
1	pincée de sel	1
1	pincée de piment de Cayenne	1
¼ t	oignons verts hachés finement	60 ml

1. Au robot culinaire ou au mélangeur, réduire en purée lisse la truite fumée avec le fromage à la crème, la mayonnaise, le raifort, le jus de citron, le sel et le piment de Cayenne. Réserver 2 c. à thé (10 ml) des oignons verts. Ajouter le reste des oignons verts à la purée de truite et mélanger jusqu'à ce que la préparation soit homogène. (Vous pouvez préparer la tartinade à l'avance et la mettre dans un contenant hermétique. Elle se conservera jusqu'à 2 jours au réfrigérateur.)

2. Mettre la tartinade dans un bol de service et garnir des oignons verts réservés.

PAR PORTION de 2 c. à tab (30 ml) : cal. : 48 ; prot. : 5 g ; m.g. : 3 g (1 g sat.) ; chol. : 16 mg ; gluc. : 1 g ; fibres : aucune ; sodium : 344 mg.

Trempette au fromage feta et à l'origan

Les enfants adorent les crudités accompagnées de trempette. Très crémeuse, celle-ci plaira à toute la famille.

DONNE 1 ½ T (375 ML).

¾ t	fromage feta émietté finement	180 ml
½ t	crème sure légère	125 ml
½ t	mayonnaise légère	125 ml
2 c. à tab	persil frais, haché finement	30 ml
1 c. à tab	origan frais, haché finement ou	15 ml
½ c. à thé	origan séché	2 ml
1	gousse d'ail hachée finement	1
1	trait de sauce tabasco	1

1. Dans un bol, réduire en purée le fromage feta avec la crème sure, la mayonnaise, le persil, l'origan, l'ail et la sauce tabasco. Couvrir le bol d'une pellicule de plastique et réfrigérer pendant 1 heure. (Vous pouvez préparer la trempette à l'avance et la couvrir. Elle se conservera jusqu'au lendemain au réfrigérateur.)

PAR PORTION de 1 c. à tab (15 ml) : cal. : 31 ; prot. : 1 g ; m.g. : 3 g (1 g sat.) ; chol. : 6 mg ; gluc. : 1 g ; fibres : aucune ; sodium : 84 mg.

Moules au fenouil et aux tomates

4 PORTIONS

2 lb	moules	1 kg
1	boîte de tomates (14 oz/398 ml)	1
1 c. à tab	huile d'olive	15 ml
1	oignon haché	1
1	branche de céleri hachée	1
2	gousses d'ail hachées finement	2
½	bulbe de fenouil coupé en dés	½
1 c. à thé	basilic séché	5 ml
1 c. à thé	origan séché	5 ml
1	feuille de laurier	1
½ c. à thé	sel	2 ml
¼ à thé	poivre noir du moulin	1 ml
¼ t	vin blanc sec ou bouillon de poulet réduit en sel	60 ml
1 c. à tab	pâte de tomates	15 ml
¼ t	persil frais, haché	60 ml

1. Brosser les moules et retirer la barbe (éliminer les moules dont la coquille est brisée ou qui ne se referment pas lorsqu'on les frappe délicatement sur le comptoir). Réserver. Égoutter les tomates (réserver le jus) et les couper en dés. Réserver.

2. Dans une grosse cocotte ou une grande casserole, chauffer l'huile à feu moyen. Ajouter l'oignon, le céleri, l'ail, le fenouil, le basilic, l'origan, la feuille de laurier, le sel et le poivre et cuire, en brassant de temps à autre, pendant 5 minutes ou jusqu'à ce que l'oignon ait ramolli.

3. Ajouter les tomates et leur jus réservés, le vin blanc et la pâte de tomates. Porter à ébullition. Réduire le feu et laisser mijoter pendant environ 5 minutes ou jusqu'à ce que la préparation ait réduit de moitié. Ajouter les moules, couvrir et poursuivre la cuisson à feu moyen-vif pendant environ 5 minutes ou jusqu'à ce que les moules s'ouvrent (remuer une fois en cours de cuisson). Retirer la feuille de laurier de la cocotte (la jeter) et éliminer les moules qui restent fermées. Ajouter le persil et mélanger.

PAR PORTION: cal.: 141; prot.: 10 g; m.g.: 5 g (1 g sat.); chol.: 18 mg; gluc.: 14 g; fibres: 3 g; sodium: 587 mg.

Médaillons de porc, sauce aux champignons

On peut également préparer ce savoureux plat avec la même quantité de poitrines de poulet désossées, coupées sur la largeur en tranches d'environ ½ po (1 cm) d'épaisseur.

4 OU 6 PORTIONS

2	filets de porc coupés en huit médaillons (environ 1 ½ lb/750 g en tout)	2
½ c. à thé	sel	2 ml
½ c. à thé	poivre noir du moulin	2 ml
2 c. à tab	huile végétale	30 ml
2	oignons coupés en tranches	2
4 t	champignons coupés en quatre	1 L
1	poivron rouge coupé en tranches	1
4	gousses d'ail hachées finement	4
1 c. à thé	sauge séchée	5 ml
2 ½ t	bouillon de poulet réduit en sel	625 ml
2 c. à tab	farine	30 ml
¼ t	eau	60 ml
4	oignons verts coupés en tranches	4

1. Parsemer les médaillons de porc de la moitié du sel et de la moitié du poivre. Dans un grand poêlon, chauffer la moitié de l'huile à feu moyen-vif. Ajouter les médaillons et les faire dorer pendant environ 1 minute de chaque côté. Réserver dans une assiette.

2. Dégraisser le poêlon. Chauffer le reste de l'huile à feu moyen-vif. Ajouter les oignons, les champignons, le poivron, l'ail, la sauge et le reste du sel et du poivre et cuire, en brassant, pendant environ 5 minutes ou jusqu'à ce que les oignons et les champignons soient dorés. Ajouter le bouillon, porter à ébullition et laisser bouillir pendant 2 minutes.

3. Dans un bol, mélanger la farine et l'eau. Verser le mélange de farine dans le poêlon en fouettant. Ajouter les médaillons de porc réservés avec le jus accumulé dans l'assiette et laisser mijoter pendant environ 4 minutes ou jusqu'à ce que la sauce ait épaissi et que le porc soit encore légèrement rosé à l'intérieur. Parsemer des oignons verts.

PAR PORTION : cal. : 234 ; prot. : 30 g ; m.g. : 8 g (1 g sat.) ; chol. : 67 mg ; gluc. : 10 g ; fibres : 2 g ; sodium : 504 mg.

PRUDENCE AVEC LES RESTES...

- Toujours réfrigérer ou congeler les restes dans les deux heures qui suivent le service.

- Couper les grosses pièces de viande en tranches et les mettre dans des sacs de congélation en portions prêtes à utiliser.

- Couvrir et réfrigérer le riz dans l'heure qui suit sa cuisson. Ne pas conserver les restes plus de trois jours.

- Répartir les grosses quantités de ragoût ou de chili dans des contenants hermétiques peu profonds et les mettre au réfrigérateur sans les couvrir pour les refroidir rapidement.

- Inspecter le réfrigérateur une fois par semaine et jeter les vieux restes.

Saumon glacé à l'érable

4 PORTIONS

4	filets de saumon (environ 1 ½ lb/750 g en tout)	4
¼ t	sirop d'érable	60 ml
2 c. à thé	sauce soja réduite en sel	10 ml
2 c. à thé	jus de lime	10 ml
1	piment chili frais (de type jalapeño), épépiné et haché	1
1	gousse d'ail hachée finement	1
1	pincée de poivre noir du moulin	1

1. Déposer les filets de saumon dans un plat en verre peu profond. Dans un bol, mélanger le sirop d'érable, la sauce soja, le jus de lime, le piment chili, l'ail et le poivre. Verser la moitié de la marinade sur les filets de saumon et les retourner délicatement pour bien les enrober. Couvrir le plat d'une pellicule de plastique et laisser mariner au réfrigérateur pendant 30 minutes (retourner le saumon une fois).

2. Mettre le saumon sur une plaque de cuisson munie de rebords tapissée de papier-parchemin ou de papier d'aluminium. Cuire au four préchauffé à 450°F (230°C) pendant environ 10 minutes ou jusqu'à ce que la chair du saumon se défasse facilement à la fourchette (le badigeonner du reste de la marinade à la mi-cuisson). Poursuivre la cuisson sous le gril du four pendant environ 3 minutes ou jusqu'à ce que le saumon soit glacé.

PAR PORTION : cal. : 330 ; prot. : 30 g ; m.g. : 17 g (3 g sat.) ; chol. : 84 mg ; gluc. : 14 g ; fibres : traces ; sodium : 172 mg.

Filets de porc farcis aux tomates séchées

Si la température ne permet pas la cuisson sur le barbecue, on fait cuire les filets de porc sur un gril d'intérieur ou dans un poêlon à fond cannelé, qu'on couvre d'un couvercle bombé (ou d'une rôtissoire en aluminium en guise de couvercle).

4 PORTIONS

2	filets de porc (environ 1 ½ lb/750 g en tout)	2
¼ t	parmesan râpé	60 ml
¼ t	persil frais, haché	60 ml
½ c. à thé	sel	2 ml
½ c. à thé	poivre noir du moulin	2 ml
⅔ t	tomates séchées conservées dans l'huile, égouttées et hachées	160 ml

1. Couper les filets de porc en deux sur la longueur en laissant une bordure intacte. Ouvrir les filets en deux et les parsemer du parmesan, du persil, du sel et du poivre. Parsemer le centre des tomates séchées. Refermer les filets de porc sur la garniture. Fixer à l'aide de cure-dents.

2. Régler le barbecue au gaz à puissance moyenne-élevée. Mettre les filets de porc sur la grille huilée du barbecue. Fermer le couvercle et cuire pendant environ 18 minutes ou jusqu'à ce que les filets soient encore légèrement rosés à l'intérieur (les retourner de temps à autre). Mettre les filets de porc sur une planche à découper et les couvrir de papier d'aluminium, sans serrer. Laisser reposer pendant 5 minutes. Retirer les cure-dents et couper en tranches.

PAR PORTION : cal. : 280 ; prot. : 43 g ; m.g. : 10 g (3 g sat.) ; chol. : 120 mg ; gluc. : 5 g ; fibres : 1 g ; sodium : 515 mg.

Salade de pommes de terre chaude

4 PORTIONS

4	pommes de terre pelées, si désiré, et coupées en cubes (environ 2 lb/1 kg en tout)	4
¼ t	huile d'olive	60 ml
2 c. à tab	vinaigre de vin	30 ml
1 c. à tab	moutarde de Dijon	15 ml
½ c. à thé	sel	2 ml
¼ c. à thé	poivre noir du moulin	1 ml
½ t	céleri coupé en dés	125 ml
½ t	poivron vert coupé en dés	125 ml
2 c. à tab	basilic ou persil frais, haché	30 ml

1. Dans une grande casserole d'eau bouillante salée, cuire les pommes de terre à couvert pendant environ 10 minutes ou jusqu'à ce qu'elles soient tendres. Égoutter les pommes de terre et les mettre dans un bol. Laisser refroidir pendant 10 minutes.

2. Entre-temps, dans un petit bol, mélanger l'huile, le vinaigre de vin, la moutarde de Dijon, le sel et le poivre. Verser la vinaigrette sur les pommes de terre encore chaudes. Ajouter le céleri, le poivron et le basilic et mélanger pour bien enrober les pommes de terre.

PAR PORTION : cal. : 274 ; prot. : 3 g ; m.g. : 14 g (2 g sat.) ; chol. : aucun ; gluc. : 36 g ; fibres : 3 g ; sodium : 750 mg.

Fondue au fromage, garniture aux échalotes caramélisées

Pour savourer cette fondue divine, il y a bien sûr les traditionnels croûtons de pain, mais aussi tout plein d'autres possibilités gourmandes, incluant d'autres sortes de pains, des légumes, des fruits, etc. (voir page suivante). Et si on a un pain rassis de la veille, c'est l'idéal pour faire nos cubes de pain, car le pain très frais absorbe trop la préparation au fromage. Autre avantage : on n'a pas besoin, alors, de faire sécher les cubes de pain au four.

4 À 6 PORTIONS

1 c. à tab	beurre	15 ml
8	échalotes françaises pelées et coupées en tranches très fines	8
1 c. à thé	sucre	5 ml
1 ½ t	vin blanc sec (environ)	375 ml
5 oz	fromage Oka classique râpé	150 g
10 oz	gruyère râpé	300 g
10 oz	emmenthal râpé	300 g
2 c. à tab	farine	30 ml
½ c. à thé	muscade fraîchement râpée	2 ml
1	pain baguette coupé en tranches	1
1	gousse d'ail pelée et coupée en deux	1
	sel et poivre noir du moulin	

1. Dans une casserole à fond épais, chauffer le beurre à feu moyen. Ajouter les échalotes et cuire, en brassant, pendant 3 minutes ou jusqu'à ce qu'elles aient ramolli. Réduire à feu doux et parsemer du sucre. Saler et poivrer. Cuire, en brassant de temps à autre, pendant environ 10 minutes ou jusqu'à ce que les échalotes soient caramélisées. Retirer la casserole du feu et réserver les échalotes dans un petit bol.

2. Augmenter à feu moyen-vif. Verser le vin blanc dans la casserole en raclant le fond à l'aide d'une cuillère de bois pour en détacher toutes les particules. Laisser bouillir pendant environ 1 minute ou jusqu'à ce que le vin ait légèrement réduit. Retirer la casserole du feu et réserver.

3. Dans un bol, mélanger les fromages Oka, gruyère et emmenthal. Parsemer de la farine et bien la répartir en la mélangeant avec les doigts. Dans la casserole, ajouter environ la moitié des échalotes caramélisées au vin réservé et mélanger. Ajouter le mélange de fromage râpé, environ ½ t (125 ml) à la fois, et chauffer à feu moyen-doux, en brassant bien après chaque addition, jusqu'à ce que le fromage ait complètement fondu et que la préparation soit homogène (au besoin, ajouter un peu de vin si la fondue est trop épaisse). Ajouter la muscade, saler et poivrer.

4. Entre-temps, à l'aide d'un couteau denté, couper les tranches de pain baguette en cubes d'environ 1 po (2,5 cm) de côté, en prenant soin de garder un morceau de croûte sur chaque bouchée. Étaler les cubes de pain sur une plaque de cuisson et cuire au four préchauffé à 300°F (150°C) pendant environ 5 minutes ou jusqu'à ce que le pain ait légèrement séché.

5. Au moment de servir, frotter l'intérieur d'un caquelon à fondue des demi-gousses d'ail (réserver l'ail pour un usage ultérieur). Verser la préparation de fondue dans le caquelon. Garnir du reste des échalotes caramélisées. Servir avec les cubes de pain.

PAR PORTION : cal. : 757 ; prot. : 43 g ; m.g. : 42 g (25 g sat.) ; chol. : 145 mg ; gluc. : 51 g ; fibres : 2 g ; sodium : 1 125 mg.

POUR ACCOMPAGNER LA FONDUE

Voici un éventail de suggestions gourmandes qui feront délicieusement changement.

● **D'autres variétés de pains**
Au sésame, aux noix, aux noisettes, aux graines de tournesol et même aux raisins secs, en donnant la préférence aux pains de texture compacte, de type artisanal.

● **Des légumes croquants!**
Pommes de terre grelots non pelées et cuites à la vapeur, bouquets de brocoli ou de chou-fleur blanchis, petits champignons frais entiers, poivrons rouges coupés en cubes, petits oignons marinés.

● **Des fruits frais, svp!**
Raisins verts ou rouges, pommes ou poires coupées en cubes.

● **Des charcuteries fines**
Fines tranches de viande séchée (boeuf des Grisons), de jambon cru (prosciutto) ou de jambon cuit.

ASTUCE

Pour ce plat, il faut des escalopes de dindon assez minces. Si on n'en trouve pas, on les remplace par des escalopes de dindon épaisses ou des poitrines de dindon coupées en tranches. On les aplatit alors à environ ¼ po (5 mm) d'épaisseur entre deux pellicules de plastique, avec le côté plat d'un maillet ou d'un gros poêlon en fonte.

Escalopes de dindon sur lit de verdures

4 PORTIONS

2 ½ t	chapelure nature	625 ml
⅓ t	parmesan râpé	80 ml
2 c. à tab	persil frais, haché finement	30 ml
2 c. à thé	thym séché	10 ml
⅓ t	crème à 10 % ou lait	80 ml
4	escalopes de dindon ou de poulet (environ 1 lb/500 g en tout)	4
3 c. à tab	huile végétale (environ)	45 ml
4 t	verdures mélangées, déchiquetées	1 L
1 c. à tab	huile d'olive	15 ml
2 c. à thé	jus de citron	10 ml
½ c. à thé	sel	2 ml
½ c. à thé	poivre noir du moulin	2 ml
	quartiers de citron	

1. Dans un plat peu profond, mélanger la chapelure, le parmesan, le persil et le thym. Verser la crème dans un autre plat peu profond. Tremper les escalopes de dindon dans la crème, laisser égoutter l'excédent, puis les passer dans le mélange de chapelure en les retournant et en les pressant pour bien les enrober. Réserver.

2. Dans un grand poêlon, chauffer 2 c. à tab (30 ml) de l'huile végétale à feu moyen-vif. Ajouter les escalopes réservées, quelques-unes à la fois, et les faire dorer pendant environ 2 minutes de chaque côté (ajouter le reste de l'huile, au besoin).

3. Entre-temps, dans un grand bol, mélanger les verdures, l'huile d'olive, le jus de citron, le sel et le poivre. Répartir la salade dans quatre assiettes. Servir les escalopes sur la salade. Garnir de quartiers de citron.

PAR PORTION : cal. : 587 ; prot. : 39 g ; m.g. : 24 g (6 g sat.) ; chol. : 71 mg ; gluc. : 53 g ; fibres : 3 g ; sodium : 1 123 mg.

Escalopes de poulet aux pacanes

Pour varier, remplacer les pacanes par des noix de Grenoble hachées finement.

4 PORTIONS

¼ t	farine	60 ml
½ c. à thé	sel	2 ml
½ c. à thé	poivre noir du moulin	2 ml
1	oeuf	1
¼ t	lait	60 ml
1 ¼ t	pacanes hachées finement	310 ml
8	escalopes de poulet (environ 1 lb/500 g en tout)	8
2 c. à tab	huile végétale	30 ml
1 ¼ t	bouillon de poulet réduit en sel	310 ml
2 c. à tab	moutarde de Dijon	30 ml
2 c. à thé	persil frais, haché	10 ml
2 c. à thé	beurre	10 ml
2 c. à thé	miel liquide	10 ml

1. Dans un bol peu profond, mélanger la farine, la moitié du sel et la moitié du poivre. Dans un autre bol, à l'aide d'un fouet, battre l'oeuf et le lait. Mettre les pacanes dans un troisième bol.

2. Parsemer les escalopes du reste du sel et du poivre. Passer un côté des escalopes dans le mélange de farine, puis dans le mélange d'oeuf et dans les pacanes.

3. Dans un grand poêlon, chauffer 1 c. à tab (15 ml) de l'huile à feu moyen-doux. Ajouter la moitié des escalopes, l'enrobage de pacanes dessous, et cuire environ 2 minutes ou jusqu'à ce qu'elles commencent à dorer et à devenir croustillantes. Retourner les escalopes et poursuivre la cuisson pendant 4 minutes ou jusqu'à ce que le poulet ait perdu sa teinte rosée à l'intérieur. Couvrir et réserver au chaud. Répéter avec le reste des escalopes et de l'huile.

4. Dégraisser le poêlon. Ajouter le bouillon et porter à ébullition en raclant le fond du poêlon pour en détacher les particules. Laisser bouillir environ 5 minutes ou jusqu'à ce qu'il ait réduit à environ ½ t (125 ml). Ajouter le reste des ingrédients et mélanger. Napper les escalopes de poulet de la sauce.

PAR PORTION : cal. : 479 ; prot. : 32 g ; m.g. : 33 g (5 g sat.) ; chol. : 121 mg ; gluc. : 15 g ; fibres : 3 g ; sodium : 715 mg.

Filets de tilapia à la sauce tomate

Pour varier, plutôt que de laisser les filets de poisson mijoter dans la sauce, on les cuit au poêlon pendant 8 minutes et on les sert nappés de la sauce.

4 PORTIONS

3 c. à tab	huile d'olive (environ)	45 ml
1	oignon coupé en tranches	1
3	gousses d'ail hachées finement	3
1	poivron rouge coupé en tranches	1
1 c. à thé	origan séché	5 ml
½ c. à thé	cumin moulu	2 ml
½ c. à thé	sel	2 ml
½ c. à thé	poivre noir du moulin	2 ml
½ c. à thé	sauce tabasco	2 ml
1	boîte de tomates en dés (28 oz/796 ml)	1
2 c. à tab	coriandre fraîche, hachée	30 ml
2 c. à tab	jus d'orange	30 ml
1 c. à tab	jus de lime	15 ml
4	filets de tilapia ou de pangasius	4

1. Dans une cocotte peu profonde, chauffer 1 c. à tab (15 ml) de l'huile à feu moyen. Ajouter l'oignon, l'ail, le poivron, l'origan, le cumin, la moitié du sel, la moitié du poivre et la sauce tabasco et cuire, en brassant souvent, pendant environ 15 minutes ou jusqu'à ce que les légumes soient très tendres.

2. Ajouter les tomates et porter à ébullition. Réduire le feu et laisser mijoter pendant environ 20 minutes ou jusqu'à ce que la sauce ait épaissi et qu'elle ait réduit à environ 2 t (500 ml). Ajouter la coriandre, les jus d'orange et de lime et mélanger. (Vous pouvez préparer la sauce tomate à l'avance, la laisser refroidir complètement et la mettre dans un contenant hermétique. Elle se conservera jusqu'à 2 jours au réfrigérateur.)

3. Entre-temps, parsemer les filets de poisson du reste du sel et du poivre. Dans un grand poêlon, chauffer le reste de l'huile à feu moyen-vif. Ajouter les filets de poisson et cuire, en plusieurs fois au besoin, pendant environ 4 minutes ou jusqu'à ce qu'ils soient dorés (les retourner à la mi-cuisson et ajouter de l'huile, au besoin). Déposer les filets de poisson dans la sauce chaude et laisser mijoter pendant 4 minutes ou jusqu'à ce que la chair se défasse facilement à la fourchette.

PAR PORTION : cal.: 274; prot.: 28 g; m.g.: 13 g (2 g sat.); chol.: 63 mg; gluc.: 15 g; fibres: 3 g; sodium: 617 mg.

Carrés d'agneau à la gremolata

Lorsqu'on dit d'un carré d'agneau qu'il est paré à la française, c'est qu'on a dégagé l'extrémité des os de la chair qui la recouvre. On voit surtout cette préparation dans les restaurants, mais on peut très bien la réaliser à la maison. Les carrés d'agneau surgelés importés sont souvent présentés de cette façon.

4 PORTIONS

½ t	persil frais, haché	125 ml
2 c. à tab	huile d'olive	30 ml
4 c. à thé	zeste de citron râpé	20 ml
½ c. à thé	coriandre moulue	2 ml
2	gousses d'ail hachées finement	2
½ c. à thé	sel	2 ml
½ c. à thé	poivre noir du moulin	2 ml
2	carrés d'agneau parés à la française (environ 2 ½ lb/1,25 kg en tout)	2

1. Dans un bol, mélanger le persil, l'huile, le zeste de citron, la coriandre, l'ail, la moitié du sel et la moitié du poivre. Réserver la gremolata.

2. À l'aide d'un couteau, retirer la couche de gras qui recouvre les carrés d'agneau. Parsemer l'agneau du reste du sel et du poivre. Presser la gremolata sur la partie bombée des carrés d'agneau et les mettre dans une rôtissoire, la gremolata vers le haut. (Vous pouvez préparer les carrés d'agneau jusqu'à cette étape et les couvrir d'une pellicule de plastique. Ils se conserveront jusqu'au lendemain au réfrigérateur.)

3. Cuire au four préchauffé à 450°F (230°C) pendant 10 minutes. Réduire la température du four à 325°F (160°C) et poursuivre la cuisson pendant environ 15 minutes ou jusqu'à ce qu'un thermomètre à viande indique 145°F (63°C) pour une viande mi-saignante ou jusqu'au degré de cuisson désiré. (Ou encore, cuire les carrés d'agneau pendant 20 minutes sur le barbecue au gaz réglé à puissance moyenne.)

4. Mettre les carrés d'agneau sur une planche à découper et les couvrir de papier d'aluminium, sans serrer. Laisser reposer pendant 5 minutes. Au moment de servir, couper la viande entre les os pour obtenir des côtelettes.

PAR PORTION: cal.: 253; prot.: 24 g; m.g.: 16 g (5 g sat.); chol.: 89 mg; gluc.: 2 g; fibres: 1 g; sodium: 337 mg.

GARDE-MANGER
LES ÉPICES ET FINES HERBES ESSENTIELLES

• **Épices simples :** sel, poivre noir du moulin, cannelle, paprika, cumin, gingembre, moutarde en poudre et flocons de piment fort ou piment de Cayenne.

• **Mélanges d'épices :** assaisonnement au chili, cari, épices à bifteck, assaisonnement à la cajun, cinq-épices, zaatar (un assaisonnement libanais qui gagne en popularité).

• **Fines herbes simples :** thym, basilic, origan, sauge, romarin, aneth, menthe et feuilles de laurier.

• **Mélanges de fines herbes :** mélange de fines herbes séchées à l'italienne et herbes de Provence.

• **Petits extras :** muscade moulue, graines de coriandre, piment de la Jamaïque, clous de girofle et graines de fenouil.

CONSERVATION

Conserver les fines herbes et les épices dans un endroit frais, à l'abri de la lumière (et non près de la cuisinière). Les utiliser abondamment et les renouveler tous les six mois. Si désiré, les garder dans un tiroir; étiqueter alors le dessus des bocaux et les ranger par ordre alphabétique.

ACHAT

Préférer les herbes séchées en feuilles aux herbes moulues. Pendant la belle saison, opter pour des herbes fraîches : multiplier alors par trois la quantité d'herbes séchées demandée dans la recette.

Raclette

La tradition s'adapte au goût du jour dans cette sélection d'ingrédients qu'on peut préparer à l'avance pour passer à table en même temps que nos invités. Habituellement, il faut compter environ 3 oz (90 g) de fromage par personne, mais on peut en prévoir jusqu'à 5 oz (150 g) pour les bonnes fourchettes et les amateurs.

8 PORTIONS

1½ à 2½ lb fromage à raclette		750 g à 1,25 kg
1 ½ lb	saucisses cuites (de type knackwurst), saucissons fumés (de type kielbassa) ou fines tranches de charcuterie	750 g
1 t	cornichons marinés, surs ou sucrés, égouttés	250 ml
1 t	petits oignons marinés, égouttés	250 ml
1	brocoli défait en bouquets	1
1	boîte d'épis de maïs miniatures (14 oz/398 ml) (facultatif)	1
24	pommes de terre nouvelles, coupées en deux (environ 3 lb/1,5 kg en tout)	24
	paprika	
	poivre noir du moulin	

1. Couper le fromage à raclette en tranches fines d'environ 3 ½ po (9 cm) de côté ou selon les dimensions des poêlons. Disposer les tranches de fromage dans une assiette de service. Couper les saucisses sur le biais en tranches de ½ po (1 cm) d'épaisseur et les disposer dans une assiette de service. Mettre les marinades dans des bols. Réserver.

2. Dans une grande casserole d'eau bouillante salée, cuire le brocoli à couvert de 2 à 3 minutes ou jusqu'à ce qu'il soit tendre mais encore croquant. À l'aide d'une écumoire, retirer le brocoli de la casserole (réserver l'eau bouillante) et le plonger dans un bol d'eau froide pour le rafraîchir. Égoutter le brocoli, l'éponger avec des essuie-tout et le mettre dans un bol de service. Réserver.

3. Si désiré, égoutter et rincer les épis de maïs, les éponger avec des essuie-tout et les mettre dans un bol de service. Réserver. (Vous pouvez préparer tous les ingrédients de la raclette à l'avance et les couvrir. Ils se conserveront jusqu'au lendemain au réfrigérateur.)

4. Dans la casserole d'eau bouillante salée, cuire les pommes de terre à couvert de 16 à 18 minutes ou jusqu'à ce qu'elles soient tendres. Bien égoutter les pommes de terre et les mettre dans un bol à l'épreuve de la chaleur tapissé d'un linge propre. Replier le linge sur les pommes de terre pour les tenir au chaud. (Vous pouvez préparer les pommes de terre à l'avance et les laisser refroidir. Elles se conserveront jusqu'au lendemain au réfrigérateur. Réchauffer de 4 à 6 minutes au micro-ondes à intensité maximale.)

5. Pour servir la raclette, disposer les ingrédients réservés sur la table. Préchauffer le four à raclette et huiler la plaque chauffante. Faire griller les saucisses, le brocoli et les pommes de terre sur la plaque chauffante, puis les déposer dans les petits poêlons à raclette avec les épis de maïs miniatures, si désiré. Couvrir de fromage, parsemer de paprika et de poivre et cuire sous la plaque chauffante jusqu'à ce que le fromage ait fondu. Déguster accompagné des cornichons et des petits oignons marinés.

PAR PORTION : cal.: 800; prot.: 40 g; m.g.: 48 g (24 g sat.); chol.: 127 mg; gluc.: 57 g; fibres: 5 g; sodium: 1 597 mg.

Risotto aux crevettes et aux petits pois

Si on a au congélateur des petits pois ou des *edamame* (fèves de soja vertes) écossées et des crevettes (celles-ci décongèleront rapidement dans l'eau froide), on a les ingrédients essentiels de ce petit souper simple mais délicieux. En plus, la méthode de préparation du risotto a été simplifiée (elle nécessite moins de brassage).

4 PORTIONS

1 c. à tab	huile d'olive	15 ml
1	oignon haché finement	1
2	gousses d'ail hachées finement	2
1 c. à thé	zeste de citron râpé	5 ml
¼ c. à thé	sel	1 ml
¼ c. à thé	poivre noir du moulin	1 ml
1 t	riz arborio ou autre riz à grain rond	250 ml
¼ t	vin blanc sec ou bouillon de poulet réduit en sel	60 ml
2 ½ t	bouillon de poulet réduit en sel, chaud	625 ml
10 oz	grosses crevettes crues, fraîches ou surgelées, décongelées, décortiquées et déveinées	300 g
1 t	petits pois surgelés ou *edamame* (fèves de soja vertes) écossées surgelées	250 ml
2 c. à tab	menthe fraîche (ou persil) hachée	30 ml

1. Dans une grande casserole, chauffer l'huile à feu moyen. Ajouter l'oignon, l'ail, le zeste de citron, le sel et le poivre et cuire, en brassant de temps à autre, pendant environ 3 minutes ou jusqu'à ce que l'oignon ait ramolli. Ajouter le riz en brassant pour bien l'enrober. Ajouter le vin blanc, porter à ébullition et laisser bouillir pendant environ 1 minute ou jusqu'à ce qu'il se soit évaporé.

2. Ajouter le bouillon de poulet et porter à ébullition. Réduire à feu doux, couvrir et laisser mijoter, en brassant une fois, pendant 10 minutes. Brasser vigoureusement la préparation pendant 15 secondes. Couvrir et laisser mijoter pendant 5 minutes.

3. Ajouter les crevettes et les petits pois et mélanger délicatement. Couvrir et laisser mijoter pendant environ 3 minutes ou jusqu'à ce que les crevettes soient rosées, que les petits pois soient tendres et que le riz soit crémeux et encore légèrement ferme sous la dent. Au moment de servir, parsemer de la menthe.

PAR PORTION : cal. : 338 ; prot. : 22 g ; m.g. : 5 g (1 g sat.) ; chol. : 108 mg ; gluc. : 49 g ; fibres : 3 g ; sodium : 652 mg.

CHAPITRE 11

Un brunch... ou presque

Croquettes de dindon et de pommes de terre

Cette recette se réalise en un rien de temps si on a un reste de pommes de terre pilées. Sinon on suit les indications de l'astuce, au bas de la page. Servir les croquettes avec des oeufs pochés, une salsa et une salade.

4 PORTIONS

1	oeuf	1
1 ½ t	dindon ou poulet cuit, coupé en dés	375 ml
1 t	pommes de terre pilées	250 ml
¼ t	chapelure nature	60 ml
1	oignon vert haché finement	1
2 c. à tab	persil frais, haché finement	30 ml
2 c. à thé	moutarde de Dijon	10 ml
¼ c. à thé	thym séché	1 ml
¼ c. à thé	sauge séchée	1 ml
¼ c. à thé	sel	1 ml
¼ c. à thé	poivre noir du moulin	1 ml
1 c. à tab	huile végétale (environ)	15 ml

1. Dans un grand bol, battre l'oeuf à l'aide d'une fourchette. Ajouter le dindon, les pommes de terre, la chapelure, l'oignon vert, le persil, la moutarde de Dijon, le thym, la sauge, le sel et le poivre et mélanger jusqu'à ce que la préparation soit homogène. Avec les mains, façonner la préparation de dindon en huit croquettes d'environ ½ po (1 cm) d'épaisseur. (Vous pouvez préparer les croquettes jusqu'à cette étape et les couvrir d'une pellicule de plastique. Elles se conserveront jusqu'à 8 heures au réfrigérateur.)

2. Dans un grand poêlon, chauffer l'huile à feu moyen. Ajouter les croquettes et cuire pendant environ 6 minutes ou jusqu'à ce qu'elles soient dorées et croustillantes (les retourner à la mi-cuisson et ajouter de l'huile, au besoin ; si elles dorent trop rapidement, réduire le feu).

PAR PORTION : cal. : 184 ; prot. : 14 g ; m.g. : 7 g (1 g sat.) ; chol. : 73 mg ; gluc. : 16 g ; fibres : 1 g ; sodium : 401 mg.

ASTUCE
Pommes de terre pilées
Dans une casserole d'eau bouillante salée, cuire à couvert 2 pommes de terre pelées et coupées en cubes pendant environ 12 minutes ou jusqu'à ce qu'elles soient tendres. Égoutter et réduire en purée à l'aide d'un presse-purée.

Mini-pancakes aux courgettes

Garnir ces mini-pancakes de crème sure ou de sauce crémeuse aux tomates cerises et au fromage feta (voir recette, ci-contre).

4 PORTIONS

4 t	courgettes râpées grossièrement (environ 6 courgettes ou 1 lb/500 g en tout)	1 L
1 c. à thé	sel	5 ml
2	oignons verts hachés finement	2
2	oeufs battus	2
1 t	babeurre	250 ml
2 c. à tab	huile végétale	30 ml
⅔ t	semoule de maïs	160 ml
½ t	farine	125 ml
1 c. à thé	sucre	5 ml
¼ c. à thé	bicarbonate de sodium	1 ml
¼ c. à thé	poivre noir du moulin	1 ml
2 c. à tab	beurre (environ)	30 ml

1. Mettre les courgettes dans une passoire, les parsemer du sel et mélanger pour bien les enrober. Laisser reposer pendant 20 minutes. Avec les mains, presser les courgettes pour en extraire le maximum de liquide. Mettre les courgettes dans un bol, ajouter les oignons verts, les oeufs, le babeurre et l'huile et mélanger. Réserver.

2. Dans un grand bol, mélanger la semoule de maïs, la farine, le sucre, le bicarbonate de sodium et le poivre. Verser la préparation de courgettes sur les ingrédients secs et mélanger jusqu'à ce que la pâte soit homogène, sans plus.

3. Dans un grand poêlon, chauffer la moitié du beurre à feu moyen. Pour chaque mini-pancake, verser environ 2 c. à tab (30 ml) de la pâte dans le poêlon, en l'étendant avec le dos d'une cuillère. Cuire pendant environ 2 minutes ou jusqu'à ce que le dessous du pancake soit doré (ajouter du beurre, au besoin). Retourner le pancake et poursuivre la cuisson pendant environ 2 minutes ou jusqu'à ce que la bordure soit dorée. Glisser le pancake sur une plaque de cuisson tapissée d'essuie-tout. Répéter avec le reste du beurre et de la pâte. (Vous pouvez préparer les mini-pancakes à l'avance, les laisser refroidir et les empiler dans un contenant hermétique, en les séparant de papier ciré. Ils se conserveront jusqu'à 2 jours au réfrigérateur. Pour les réchauffer, les étendre côte à côte sur une plaque de cuisson et cuire au four préchauffé à 325°F/160°C pendant environ 8 minutes.)

PAR PORTION : cal. : 335 ; prot. : 9 g ; m.g. : 16 g (5 g sat.) ; chol. : 113 mg ; gluc. : 38 g ; fibres : 3 g ; sodium : 518 mg.

Sauce crémeuse aux tomates cerises et au fromage feta

DONNE ENVIRON 1 ¼ T (310 ML).

½ t	fromage feta émietté (environ 2 ½ oz/75 g)	125 ml
¼ t	yogourt nature épais (de type balkan)	60 ml
1 c. à tab	menthe fraîche, hachée	15 ml
1 c. à tab	huile d'olive	15 ml
2 c. à thé	jus de citron	10 ml
1	pincée de sel	1
1	pincée de poivre noir du moulin	1
1 t	tomates raisins ou tomates cerises, coupées en quatre	250 ml

1. Au mélangeur ou au robot culinaire, mélanger le fromage feta, le yogourt, la menthe, l'huile, le jus de citron, le sel et le poivre jusqu'à ce que la préparation soit homogène. Mettre les tomates dans un petit bol, ajouter la sauce au fromage feta et mélanger délicatement. (Vous pouvez préparer la sauce à l'avance et couvrir le bol d'une pellicule de plastique. Elle se conservera jusqu'à 6 heures au réfrigérateur.)

PAR PORTION de 1 c. à tab (15 ml) : cal. : 20 ; prot. : 1 g ; m.g. : 2 g (1 g sat.) ; chol. : 4 mg ; gluc. : 1 g ; fibres : aucune ; sodium : 43 mg.

Crêpes farcies au fromage ricotta et au basilic

DONNE 16 CRÊPES.

3 c. à tab	beurre fondu	45 ml
1	oignon haché finement	1
2 t	fromage ricotta	500 ml
2	jaunes d'oeufs	2
1 c. à thé	basilic frais, haché finement ou	5 ml
½ c. à thé	basilic séché	2 ml
¼ c. à thé	sel	1 ml
¼ c. à thé	poivre noir du moulin	1 ml
1	pincée de muscade moulue	1
	crêpes fines (voir recette, ci-contre)	

1. Dans une petite casserole, chauffer 1 c. à thé (5 ml) du beurre à feu moyen. Ajouter l'oignon et cuire, en brassant, pendant environ 1 minute ou jusqu'à ce qu'il ait ramolli. Laisser refroidir. Dans un bol, mélanger l'oignon, le fromage ricotta, les jaunes d'oeufs, le basilic, le sel, le poivre et la muscade.

2. Mettre 2 c. à tab (30 ml) de la garniture au fromage au centre de chaque crêpe. Plier la crêpe en deux, puis la plier de nouveau en deux de manière à former un cône. Déposer les crêpes farcies sur une plaque de cuisson beurrée ou tapissée de papier-parchemin et les badigeonner du reste du beurre. (Vous pouvez préparer les crêpes jusqu'à cette étape et les couvrir. Elles se conserveront jusqu'à 2 jours au réfrigérateur ou jusqu'à 2 semaines au congélateur.)

3. Cuire au four préchauffé à 350°F (180°C) pendant environ 7 minutes ou jusqu'à ce que les crêpes soient chaudes et que leur bordure soit croustillante et dorée.

PAR CRÊPE : cal. : 160 ; prot. : 7 g ; m.g. : 10 g (5 g sat.) ; chol. : 105 mg ; gluc. : 11 g ; fibres : traces ; sodium : 175 mg.

Crêpes fines

DONNE 16 CRÊPES.

1 ⅓ t	farine	330 ml
¼ c. à thé	sel	1 ml
4	oeufs	4
1 ½ t	lait	375 ml
¼ t	beurre fondu	60 ml

1. Dans un grand bol, mélanger la farine et le sel. Dans un petit bol, fouetter les oeufs, le lait et 2 c. à tab (30 ml) du beurre. Incorporer le mélange d'oeufs aux ingrédients secs en fouettant jusqu'à ce que la pâte soit lisse. Dans une passoire fine placée sur un bol, filtrer la pâte à crêpes. Couvrir et réfrigérer pendant 1 heure.

2. Chauffer une poêle à crêpes ou un poêlon ordinaire de 8 po (20 cm) de diamètre à feu moyen et la badigeonner d'un peu du reste du beurre. Pour chaque crêpe, verser environ ¼ t (60 ml) de la pâte à crêpes au centre de la poêle en l'inclinant pour couvrir uniformément la surface. Cuire pendant environ 30 secondes ou jusqu'à ce que le dessous de la crêpe soit doré. Retourner la crêpe et poursuivre la cuisson pendant 30 secondes ou jusqu'à ce que le dessous soit doré. Répéter l'opération avec le reste de la pâte et du beurre. Mettre les crêpes dans une assiette. (Vous pouvez préparer les crêpes à l'avance et les empiler, en séparant chaque crêpe d'une feuille de papier ciré. Envelopper les crêpes empilées d'une pellicule de plastique. Elles se conserveront jusqu'à 3 jours au réfrigérateur ou jusqu'à 1 mois au congélateur.)

Strata aux épinards, au jambon et au fromage

Voici le plat idéal quand on reçoit pour un repas sans prétention et que le temps manque puisqu'on peut l'assembler la veille. On trouve le pain au levain dans les boulangeries artisanales.

8 PORTIONS

1	pain au levain (miche ou baguette)	1
1	paquet d'épinards surgelés, décongelés (10 oz/300 g)	1
6	oignons verts coupés en tranches fines	6
1 ½ t	fromage suisse râpé	375 ml
1 t	jambon ou dindon fumé coupé en dés	250 ml
8	oeufs	8
2 ½ t	lait	625 ml
1 c. à tab	moutarde de Dijon	15 ml
¼ c. à thé	sel	1 ml
¼ c. à thé	poivre noir du moulin	1 ml

1. Couper le pain en cubes de 1 po (2,5 cm) de manière à en obtenir 12 t (3 L). Mettre le pain dans un grand bol. Bien presser les épinards avec les mains pour en extraire le maximum de liquide. Dans le bol, ajouter les épinards, les oignons verts, le fromage et le jambon et mélanger. Étendre la préparation de pain dans un plat en verre allant au four de 13 po x 9 po (33 cm x 23 cm) beurré.

2. Dans un bol, à l'aide d'une fourchette, battre les oeufs avec le lait, la moutarde de Dijon, le sel et le poivre. Verser le mélange aux oeufs sur la préparation de pain et laisser reposer pendant 20 minutes à la température ambiante (presser sur la préparation de temps à autre). (Vous pouvez préparer la strata jusqu'à cette étape et la couvrir d'une pellicule de plastique. Elle se conservera jusqu'au lendemain au réfrigérateur.)

3. Cuire au four préchauffé à 375°F (190°C) pendant environ 45 minutes ou jusqu'à ce que la strata ait gonflé et soit dorée.

PAR PORTION : cal.: 383; prot.: 25 g; m.g.: 15 g (7 g sat.); chol.: 220 mg; gluc.: 37 g; fibres: 3 g; sodium: 828 mg.

GARDE-MANGER

LA CONSERVATION DES LÉGUMES

Éviter de ranger les légumes (oignons, ail, pommes de terre, patates douces, rutabagas, courges d'hiver, etc.) sous l'évier. Pour les préserver de la chaleur et de l'humidité, les conserver plutôt dans un endroit frais et sec, à l'abri de la lumière. Garder les pommes de terre et les patates douces séparément des oignons et de l'ail.

Sandwichs de pain doré au dindon fumé

Plutôt que de cuire ces sandwichs au poêlon, comme c'est habituellement le cas pour le pain doré, on les cuit au four. Une belle façon de se simplifier la tâche!

4 PORTIONS

¼ t	moutarde au miel ou moutarde de Dijon	60 ml
8	tranches de pain de céréales entières	8
8	fines tranches de gruyère (environ 6 oz/180 g)	8
1	tomate coupée en tranches	1
1	avocat mûr, pelé, dénoyauté et coupé en tranches	1
4	fines tranches d'oignon doux (de type Vidalia ou espagnol)	4
8 oz	fines tranches de dindon fumé	250 g
2	oeufs	2
½ t	lait	125 ml
1	pincée de sel	1
1	pincée de poivre noir du moulin	1

1. Étendre la moutarde sur un côté des tranches de pain. Répartir les tranches de fromage, de tomate, d'avocat, d'oignon et de dindon sur quatre des tranches de pain. Couvrir des quatre autres tranches de pain, la moutarde vers le bas, de manière à former quatre sandwichs.

2. Dans un petit bol, à l'aide d'une fourchette, battre les oeufs, le lait, le sel et le poivre. Verser le mélange aux oeufs dans une assiette à tarte ou dans un plat peu profond. Tremper les sandwichs, un à la fois, dans le mélange aux oeufs en les retournant pour bien les imprégner. Mettre les sandwichs sur une plaque de cuisson tapissée de papier-parchemin ou beurrée et les arroser du reste du mélange aux oeufs. (Vous pouvez préparer les sandwichs jusqu'à cette étape et les couvrir d'une pellicule de plastique. Ils se conserveront jusqu'à 2 heures au réfrigérateur.)

3. Cuire au four préchauffé à 375°F (190°C) pendant environ 25 minutes ou jusqu'à ce que les sandwichs soient dorés (les retourner à la mi-cuisson).

PAR PORTION : cal.: 626; prot.: 37 g; m.g.: 31 g (12 g sat.); chol.: 166 mg; gluc.: 54 g; fibres: 8 g; sodium: 1 364 mg.

Omelettes à la courgette et aux poivrons rouges

Difficile de souper en famille à cause des différents horaires? Alors, on laisse le mélange de courgette et celui aux oeufs au frigo : chacun pourra se préparer une omelette à son retour à la maison.

4 PORTIONS

GARNITURE À LA COURGETTE

1 c. à tab	huile végétale	15 ml
1	oignon haché	1
1	courgette coupée en cubes (environ 4 oz/125 g)	1
½ c. à thé	origan séché	2 ml
½ t	poivrons rouges grillés (piments doux rôtis), coupés en tranches	125 ml
1 t	fromage feta émietté	250 ml

OMELETTES

4 c. à thé	beurre	20 ml
8	oeufs	8
¼ c. à thé	sel	1 ml
¼ c. à thé	poivre noir du moulin	1 ml
2 c. à tab	eau	30 ml

PRÉPARATION DE LA GARNITURE

1. Dans un poêlon, chauffer l'huile à feu moyen. Ajouter l'oignon, la courgette et l'origan et cuire, en brassant de temps à autre, pendant environ 6 minutes ou jusqu'à ce que les légumes soient tendres. Ajouter les poivrons rouges grillés et mélanger. Mettre le mélange de courgette dans un petit bol. Réserver.

PRÉPARATION DES OMELETTES

2. Dans un poêlon à surface antiadhésive de 8 po (20 cm) de diamètre, faire fondre 1 c. à thé (5 ml) du beurre à feu moyen. Dans un bol, à l'aide d'une fourchette, battre les oeufs avec le sel, le poivre et l'eau jusqu'à ce qu'ils soient mélangés sans être mousseux. Verser le quart du mélange de courgette et le quart du mélange aux oeufs dans le poêlon et remuer à l'aide d'une spatule en formant un huit pour bien les mélanger. Parsemer du quart du fromage. Cuire pendant environ 3 minutes ou jusqu'à ce que l'omelette ait presque pris (à l'aide de la spatule, soulever délicatement la bordure de l'omelette pour faire glisser dessous les oeufs non cuits). Plier l'omelette en deux et poursuivre la cuisson pendant 2 minutes. Glisser l'omelette dans une assiette chaude. Répéter avec le reste du beurre, du mélange de courgette, du mélange aux oeufs et du fromage, de manière à obtenir quatre omelettes.

PAR PORTION : cal.: 329 ; prot.: 19 g ; m.g.: 26 g (12 g sat.) ; chol.: 417 mg ; gluc.: 7 g ; fibres : 1 g ; sodium : 767 mg.

MATÉRIEL
LES 3 COUTEAUX ESSENTIELS

1. Couteau de chef
2. Couteau à pain dentelé
3. Couteau d'office

CHOISIR SON COUTEAU DE CHEF

C'est le couteau le plus important. Voici ce qu'il faut savoir pour bien le choisir.

• Un couteau à lame de 8 po (20 cm) convient tout à fait pour un usage non professionnel.

• Une lame forgée dans l'acier constitue un meilleur choix qu'une lame découpée dans une feuille d'acier.

• La lame doit être faite d'une seule pièce de la pointe jusqu'à la soie (extrémité fixée dans le manche).

• Qu'il soit en métal, en bois ou en plastique moulé, le manche idéal est celui qui offre la meilleure prise en main.

• Un bon couteau de chef dure toute une vie. Si on opte pour la qualité, ce sera un investissement judicieux.

À NE PAS NÉGLIGER : L'ENTRETIEN

Toujours laver les couteaux à la main pour éviter d'émousser la lame et d'endommager les manches en bois. Les ranger dans un bloc en bois, dans un casier spécial placé dans un tiroir ou sur un support magnétique. Surtout, ne pas les laisser en vrac dans un tiroir, ce qui pourrait abîmer le tranchant et être dangereux.

DES LAMES BIEN AFFÛTÉES

Confier régulièrement nos couteaux à un professionnel de l'affûtage (plusieurs boutiques d'accessoires de cuisine offrent ce service). Entre-temps, le fusil de boucher peut servir à entretenir le tranchant. Comment faire ? En maintenant la lame inclinée à un angle de 20 degrés, la faire glisser à la verticale sur toute la longueur du fusil, en faisant un angle avec le poignet pour s'assurer que toute la lame soit aiguisée : six à huit passes de chaque côté devraient suffire.

Omelette aux saucisses italiennes et aux pommes de terre

La garniture de cette belle omelette en fait un véritable plat de résistance. Pendant qu'elle cuit, on prépare une salade et on réchauffe des petits pains.

4 PORTIONS

2	saucisses italiennes douces, coupées en tranches fines (environ 6 oz/180 g en tout)	2
1 c. à tab	huile d'olive	15 ml
1	oignon haché	1
1 t	tomates raisins ou tomates cerises	250 ml
1	pomme de terre pelée, si désiré, et coupée en dés	1
6	oeufs	6
¼ c. à thé	sel	1 ml
¼ c. à thé	poivre noir du moulin	1 ml
¼ t	épinards frais, déchiquetés et tassés	60 ml
1	oignon vert coupé en tranches fines	1
½ t	fromage mozzarella râpé (facultatif)	125 ml

1. Dans un poêlon en fonte allant au four de 9 po (23 cm) de diamètre, faire dorer les saucisses à feu moyen-vif. À l'aide d'une écumoire, retirer les saucisses du poêlon et les réserver dans une assiette tapissée d'essuie-tout.

2. Dégraisser le poêlon et chauffer l'huile à feu moyen. Ajouter l'oignon, les tomates et la pomme de terre et cuire, en brassant de temps à autre, pendant environ 12 minutes ou jusqu'à ce que la pomme de terre soit tendre. Remettre les saucisses réservées dans le poêlon.

3. Entre-temps, dans un bol, à l'aide d'une fourchette, battre les oeufs avec le sel et le poivre. Ajouter les épinards et l'oignon vert et mélanger. Verser le mélange aux oeufs dans le poêlon et remuer pour bien répartir les légumes. Parsemer du fromage, si désiré. Couvrir et cuire à feu moyen-doux pendant environ 10 minutes ou jusqu'à ce que le dessous et la bordure de l'omelette soient fermes, mais que le dessus soit encore légèrement baveux.

4. Poursuivre la cuisson sous le gril préchauffé du four pendant environ 3 minutes ou jusqu'à ce que l'omelette soit dorée. Au moment de servir, couper en pointes.

PAR PORTION : cal. : 288 ; prot. : 17 g ; m.g. : 19 g (6 g sat.) ; chol. : 300 mg ; gluc. : 12 g ; fibres : 1 g ; sodium : 508 mg.

MATÉRIEL

GRILLE ANTI-ÉCLABOUSSURES

Les poêlons sont rarement pourvus d'un couvercle parce que la condensation ramollirait les aliments. Lorsqu'on fait dorer ou sauter des aliments gras, particulièrement à feu vif, cette grille en métal placée sur le poêlon empêche les éclaboussures de graisse sans affecter la cuisson. Ainsi, on garde la cuisinière propre et on évite les brûlures.

Omelettes au fromage et à la salsa

Pour gagner du temps, remplacer la salsa maison par 1 à 2 t (250 à 500 ml) de salsa du commerce (de préférence avec gros morceaux).

4 PORTIONS

SALSA AUX TOMATES CERISES

1 ⅓ t	tomates cerises coupées en quatre	330 ml
⅓ t	poivron vert haché	80 ml
⅓ t	oignon rouge haché finement	80 ml
4 c. à thé	coriandre (ou persil) fraîche, hachée	20 ml
1 c. à tab	huile végétale	15 ml
1 c. à tab	vinaigre de vin blanc	15 ml
¼ c. à thé	sel	1 ml
¼ c. à thé	poivre noir du moulin	1 ml

OMELETTES AU FROMAGE

4 c. à thé	beurre	20 ml
8	oeufs	8
2 c. à tab	eau	30 ml
1	pincée de sel	1
1	pincée de poivre noir du moulin	1
½ t	cheddar râpé	125 ml

PRÉPARATION DE LA SALSA

1. Dans un bol, mélanger tous les ingrédients de la salsa. Réserver.

PRÉPARATION DES OMELETTES

2. Dans un poêlon à surface antiadhésive de 8 po (20 cm) de diamètre, faire fondre 1 c. à thé (5 ml) du beurre à feu moyen. Dans un bol, à l'aide d'une fourchette, battre les oeufs, l'eau, le sel et le poivre jusqu'à ce qu'ils soient mélangés sans être mousseux. Verser le quart du mélange aux oeufs dans le poêlon. Cuire pendant environ 3 minutes ou jusqu'à ce que l'omelette ait presque pris (à l'aide d'une spatule, soulever délicatement la bordure de l'omelette pour faire glisser dessous les oeufs non cuits).

3. Mettre environ ⅓ t (80 ml) de la salsa réservée sur la moitié de l'omelette. Parsemer de 2 c. à tab (30 ml) du cheddar. Plier l'omelette en deux et poursuivre la cuisson pendant 2 minutes. Glisser l'omelette dans une assiette chaude. Répéter avec le reste du beurre, du mélange aux oeufs, de la salsa et du cheddar, de manière à obtenir quatre omelettes. Servir les omelettes accompagnées du reste de la salsa.

PAR PORTION: cal.: 285; prot.: 17 g; m.g.: 22 g (9 g sat.); chol.: 399 mg; gluc.: 5 g; fibres: 1 g; sodium: 397 mg.

Pizzas à la pancetta et aux oeufs

Pains pitas, oignons caramélisés et oeufs au miroir, voilà un assemblage original pour des pizzas sans pareilles. Choisir des pains pitas frais, qui se diviseront facilement en deux.

4 PORTIONS

5 oz	pancetta (ou bacon) hachée	150 g
5 t	oignons coupés en tranches fines	1,25 L
3	gousses d'ail hachées finement	3
1 c. à thé	romarin séché, émietté	5 ml
½ c. à thé	sel	2 ml
¼ c. à thé	poivre noir du moulin	1 ml
¼ t	persil frais, haché	60 ml
2	pains pitas de blé entier divisés en deux	2
2 c. à tab	huile d'olive	30 ml
4	oeufs	4

1. Dans un grand poêlon, cuire la pancetta à feu moyen-vif pendant environ 3 minutes ou jusqu'à ce qu'elle soit croustillante. Réserver sur des essuie-tout. Retirer le gras du poêlon, sauf 1 c. à tab (15 ml). Ajouter les oignons, l'ail, le romarin, le sel et le poivre et cuire à feu moyen, en brassant de temps à autre, de 8 à 10 minutes ou jusqu'à ce que les oignons soient dorés. Ajouter le persil et la pancetta réservée et mélanger.

2. Entre-temps, mettre les demi-pains pitas, le côté coupé dessus, sur une grande plaque de cuisson et les badigeonner de l'huile. Cuire au four préchauffé à 400°F (200°C) pendant environ 5 minutes ou jusqu'à ce qu'ils commencent à être croustillants. Garnir chaque demi-pain pita d'environ ¼ t (60 ml) de la préparation aux oignons. Faire un puits au centre de la garniture aux oignons et y casser 1 oeuf. Cuire au four préchauffé à 425°F (220°C) pendant environ 10 minutes ou jusqu'à ce que les blancs d'oeufs aient pris et que les jaunes soient encore coulants.

PAR PORTION: cal.: 350; prot.: 14 g; m.g.: 20 g (5 g sat.); chol.: 197 mg; gluc.: 30 g; fibres: 5 g; sodium: 673 mg.

Gratin aux oeufs durs

6 PORTIONS

2 c. à tab	beurre	30 ml
3 c. à tab	farine	45 ml
1 ½ t	lait	375 ml
1	pincée de sel	1
1	pincée de poivre noir du moulin	1
1	pincée de muscade moulue	1
1 ¼ t	fromage râpé (gruyère, cheddar ou suisse)	310 ml
6	oeufs durs	6
4	oignons verts hachés finement	4
1 ¼ t	petits pois surgelés	310 ml
½ t	mie de pain frais, émiettée	125 ml

1. Dans une casserole, faire fondre le beurre à feu moyen. Ajouter la farine et cuire, en brassant, pendant 2 minutes (ne pas laisser dorer). À l'aide d'un fouet, ajouter petit à petit le lait, puis le sel, le poivre et la muscade. Porter à ébullition. Réduire le feu et laisser mijoter pendant 2 minutes. Retirer la casserole du feu, ajouter 1 t (250 ml) du fromage et mélanger jusqu'à ce qu'il ait fondu. Réserver.

2. À l'aide d'un petit couteau, couper les oeufs durs en deux sur la longueur. Disposer les oeufs, le côté coupé vers le haut, dans un plat à gratin ou un plat allant au four d'une capacité de 6 t (1,5 L), beurré. Parsemer des oignons verts et des petits pois. Verser la sauce au fromage réservée sur les oeufs. Parsemer de la mie de pain et du reste du fromage. (Vous pouvez préparer le gratin jusqu'à cette étape et le couvrir d'une pellicule de plastique. Il se conservera jusqu'à 6 heures au réfrigérateur.)

3. Cuire au four préchauffé à 450°F (230°C) de 25 à 30 minutes ou jusqu'à ce que le gratin soit bouillonnant et légèrement doré.

PAR PORTION : cal.: 288 ; prot.: 18 g ; m.g.: 18 g (10 g sat.) ; chol.: 229 mg ; gluc.: 13 g ; fibres : 2 g ; sodium : 237 mg.

ASTUCE

Pour cuire des oeufs durs, les mettre côte à côte dans une grande casserole. Ajouter suffisamment d'eau froide pour en recouvrir les oeufs d'au moins 1 po (2,5 cm). Couvrir la casserole et porter à ébullition à feu vif. Retirer la casserole du feu et laisser reposer pendant 20 minutes. Vider l'eau, puis remplir la casserole d'eau très froide afin de rafraîchir les oeufs.

CHAPITRE 12

Des à-côtés réinventés

Asperges, sauce crémeuse au citron

Rechercher des asperges dont les tiges sont fermes et les pointes, vertes ou violacées aux écailles bien compactes. Pour conserver leur fraîcheur, les réfrigérer dans un sac de plastique après avoir enveloppé leur base dans un essuie-tout humide. Les utiliser dans les deux jours suivant leur achat.

4 PORTIONS

3 c. à tab	mayonnaise légère	45 ml
2 c. à thé	eau	10 ml
2 c. à thé	jus de citron	10 ml
1 c. à thé	ciboulette fraîche (ou oignon vert), hachée	5 ml
1	pincée de sucre	1
1	pincée de sel	1
1	pincée de poivre noir du moulin	1
1 lb	asperges fraîches, parées	500 g

1. Dans un petit bol, à l'aide d'un fouet, mélanger la mayonnaise, l'eau, le jus de citron, la ciboulette, le sucre, le sel et le poivre. Réserver la sauce.

2. Mettre les asperges dans une marguerite placée dans une casserole contenant 1 po (2,5 cm) d'eau bouillante salée (elles ne doivent pas être en contact avec l'eau). Couvrir et cuire pendant environ 3 minutes si les asperges sont fines (7 minutes si elles sont grosses) ou jusqu'à ce qu'elles soient tendres mais encore légèrement croquantes. Égoutter les asperges, les disposer sur une assiette de service et les arroser de la sauce au citron.

PAR PORTION : cal. : 55 ; prot. : 2 g ; m.g. : 4 g (1 g sat.) ; chol. : 4 mg ; gluc. : 4 g ; fibres : 2 g ; sodium : 87 mg.

Choux de Bruxelles au citron

Pour conserver leur belle couleur verte aux haricots, asperges et choux de Bruxelles, on leur ajoute du jus de citron juste avant de les servir.

8 PORTIONS

8 t	choux de Bruxelles parés et coupés en deux (environ 2 lb/1 kg)	2 L
¼ t	beurre ramolli	60 ml
2 c. à thé	zeste de citron râpé	10 ml
4 c. à thé	jus de citron	20 ml
1	pincée de sel	1
1	pincée de poivre noir du moulin	1

1. Dans une grande casserole d'eau bouillante salée, cuire les choux de Bruxelles à couvert pendant environ 6 minutes ou jusqu'à ce qu'ils soient tendres mais encore légèrement croquants. Égoutter les choux et les remettre dans la casserole.

2. Ajouter le beurre, le zeste et le jus de citron, le sel et le poivre. Réchauffer à feu doux jusqu'à ce que le beurre ait fondu, en brassant délicatement pour bien enrober les choux.

PAR PORTION : cal. : 89 ; prot. : 3 g ; m.g. : 6 g (4 g sat.) ; chol. : 15 mg ; gluc. : 9 g ; fibres : 4 g ; sodium : 287 mg.

Salade de chou-fleur rôti

Cette salade met en vedette la saveur du chou-fleur rôti, auquel on ajoute un mélange exquis d'anchois, de câpres, d'olives et de raisins secs qui lui apporte couleurs et parfums.

8 PORTIONS

1 c. à thé	graines de fenouil	5 ml
8 t	chou-fleur défait en bouquets	2 L
¼ t	huile d'olive	60 ml
¼ c. à thé	sel	1 ml
¼ c. à thé	poivre noir du moulin	1 ml
½ t	olives noires (de type kalamata) dénoyautées et coupées en quatre	125 ml
¼ t	raisins secs dorés	60 ml
2 c. à tab	câpres rincées et égouttées	30 ml
2 c. à tab	jus de citron	30 ml
1 c. à thé	pâte d'anchois	5 ml

1. Dans un mortier, à l'aide d'un pilon, broyer les graines de fenouil. Réserver.

2. Dans un grand bol, mélanger le chou-fleur, 2 c. à tab (30 ml) de l'huile, les graines de fenouil réservées, le sel et le poivre. Étendre la préparation sur une grande plaque de cuisson (ou deux plaques de format standard). Cuire au four préchauffé à 450°F (230°C) pendant environ 20 minutes ou jusqu'à ce que le chou-fleur soit doré et tendre mais encore légèrement croquant. Laisser refroidir.

3. Couper les bouquets de chou-fleur en tranches ou en bouchées et les mettre dans un saladier. Ajouter les olives, les raisins secs et les câpres.

4. Dans un petit bol, à l'aide d'un fouet, mélanger le reste de l'huile, le jus de citron et la pâte d'anchois. Verser la vinaigrette sur la salade et mélanger pour bien l'enrober. (Vous pouvez préparer la salade à l'avance et la couvrir. Elle se conservera jusqu'au lendemain au réfrigérateur.)

PAR PORTION : cal. : 128 ; prot. : 2 g ; m.g. : 10 g (1 g sat.) ; chol. : aucun ; gluc. : 9 g ; fibres : 4 g ; sodium : 448 mg.

CONSERVATION DES VERDURES, DES FINES HERBES ET DES LÉGUMES

Verdures, céleri et fines herbes Laver les verdures avant de les réfrigérer : si elles sont déjà prêtes, on aura plus envie de préparer une salade pour le souper. Pour ce faire, séparer les feuilles (ou les branches du céleri) et les rincer sous l'eau froide. Répéter pour les fines herbes et les verdures qui ont tendance à emprisonner le sable, comme la coriandre et les épinards. Bien les assécher (l'essoreuse à salade facilite la tâche), les étendre en une seule couche sur des linges propres et rouler, sans serrer. Placer dans des sacs de plastique et conserver dans le bac à légumes du réfrigérateur.

Brocoli, bok choy, haricots, épinards, bette à carde et choux de Bruxelles Les envelopper dans des linges propres, les placer dans des sacs de plastique et les conserver dans le bac à légumes du réfrigérateur.

Carottes, betteraves et légumes à fanes Enlever les fanes (celles des betteraves se cuisinent comme des épinards). Envelopper les légumes dans des linges propres, les placer dans des sacs de plastique et les conserver dans le bac à légumes du réfrigérateur.

Poireaux Enlever la racine et couper la tige à la limite du vert pâle et du vert foncé. Couper les poireaux en deux sur la longueur. Écarter les feuilles et rincer sous l'eau froide pour éliminer le sable. Placer dans des sacs à légumes en plastique et conserver dans le bac à légumes du réfrigérateur.

Légumes vapeur

La cuisson à la vapeur permet de mieux préserver la valeur nutritive des légumes, car les vitamines hydrosolubles ne se dispersent pas dans l'eau. Un conseil : s'assurer que le fond de la marguerite soit à au moins 1 po (2,5 cm) au-dessus de l'eau bouillante.

• Asperges

Préparation : Casser la partie dure des tiges ; peler les grosses tiges, si désiré.

Cuisson : 3 minutes (tiges fines) à 7 minutes (grosses tiges).

• Betteraves

Préparation : Enlever les fanes ; cuire les betteraves entières et les peler après la cuisson.

Cuisson : 40 minutes.

• Bok choy

Préparation : Les parer et les hacher grossièrement ou les couper en deux s'ils sont petits.

Cuisson : 5 minutes.

• Brocoli

Préparation : Défaire la tête en bouquets ; peler les tiges et les couper en tranches.

Cuisson : 7 minutes.

• Carottes et panais

Préparation : Peler et couper en rondelles, en bâtonnets ou en morceaux.

Cuisson : 15 minutes.

• Chou-fleur

Préparation : Couper en bouquets.

Cuisson : 10 minutes.

• Chou vert

Préparation : Supprimer les feuilles extérieures dures ou abîmées, couper le chou en quatre et retirer le coeur. Couper en quartiers ou en fines lanières.

Cuisson : 10 à 12 minutes.

• Choux de Bruxelles

Préparation : Supprimer les feuilles extérieures flétries ou dures. Raccourcir le bout du pied et faire une incision en forme de croix à la base.

Cuisson : 10 minutes.

• Haricots verts

Préparation : Couper les deux extrémités.

Cuisson : 10 minutes.

• Pommes de terre nouvelles

Préparation : Bien les brosser et les couper en deux si elles sont grosses.

Cuisson : 30 minutes.

MATÉRIEL
ACCESSOIRES POUR CUISSON À LA VAPEUR

• MARGUERITE

Posé sur trois pieds qui le maintiennent hors de l'eau, ce panier en métal perforé s'ouvre comme une fleur et s'adapte aux casseroles de 5 à 9 po (12 à 23 cm) de diamètre. Une tige centrale amovible permet de retirer facilement l'ustensile de la casserole ou, une fois dévissée, d'y cuire un chou-fleur entier ou des artichauts.

• ÉTUVEUSE EN MÉTAL

Si on a l'intention d'acheter une batterie de cuisine, en choisir une qui comprend une étuveuse. Sinon on se procure une étuveuse universelle, qui s'adapte à toutes les casseroles.

• ENSEMBLE CUIT-VAPEUR

Solution de rechange au duo wok et panier en bambou, l'ensemble cuit-vapeur en aluminium ou en acier inoxydable comprend une casserole ainsi que deux ou trois compartiments de cuisson. Le couvercle bombé permet aux gouttes d'eau produites par la condensation de glisser le long de la paroi plutôt que d'arroser les aliments.

Épis de maïs

Voici trois méthodes de cuisson, pour des épis de maïs tendres et délicieux.

- Cuire de 8 à 10 minutes à l'**eau bouillante** ou à la vapeur.

- Cuire de 10 à 15 minutes sur la **grille du barbecue au gaz** réglé à puissance moyenne-vive.

- Cuire au **micro-ondes** pendant environ 10 minutes à intensité maximum.

Des garnitures originales

Pour mieux apprécier les épis de maïs, on les relève d'une des garnitures proposées dans cette page.
Chaque recette donne environ ⅓ t (80 ml), une quantité suffisante pour six épis de maïs.

Beurre au basilic
- Dans un petit bol, mélanger ¼ t (60 ml) de beurre ramolli, 2 c. à tab (30 ml) de parmesan râpé, 1 gousse d'ail hachée finement et 1 c. à tab (15 ml) de basilic frais, haché finement.

Beurre à la provençale
- Dans un petit bol, mélanger ¼ t (60 ml) de beurre ramolli, 1 c. à tab (15 ml) de moutarde de Dijon et ¾ c. à thé (4 ml) d'herbes de Provence.

Tartinade au cari
- Dans un petit bol, mélanger 2 c. à tab (30 ml) d'huile d'olive, 2 c. à tab (30 ml) de beurre ramolli, 1 c. à tab (15 ml) de coriandre fraîche, hachée finement, 1 c. à thé (5 ml) de pâte de cari et ½ c. à thé (2 ml) de jus de citron.

Huile aux tomates séchées
- Dans un petit bol, mélanger 3 c. à tab (45 ml) d'huile d'olive, 4 c. à thé (20 ml) de tomates séchées non conservées dans l'huile, hachées finement, ½ c. à thé (2 ml) de thym séché, une pincée de sel et une pincée de poivre noir du moulin.

Mayonnaise à l'orange et aux piments chipotle
- Dans un petit bol, mélanger ¼ t (60 ml) de mayonnaise légère, 2 c. à thé (10 ml) de sauce barbecue, 1 c. à thé (5 ml) de piment chipotle haché et 1 c. à thé (5 ml) de zeste d'orange râpé.

Mayonnaise au citron et au poivre
- Dans un petit bol, mélanger ¼ t (60 ml) de mayonnaise légère, 1 c. à thé (5 ml) de zeste de citron râpé, 1 c. à thé (5 ml) de jus de citron et ½ c. à thé (2 ml) de poivre noir du moulin.

Gratin d'aubergines et de tomates

Cet accompagnement se sert également en guise de plat principal pour un repas sans viande. On le présente alors avec une salade verte et une baguette de pain.

4 PORTIONS

2	petites aubergines (environ 8 oz/250 g en tout)	2
2	gousses d'ail hachées finement	2
2 c. à tab	huile d'olive	30 ml
¾ c. à thé	sel	4 ml
¾ c. à thé	poivre noir du moulin	4 ml
1	petit oignon doux (de type Vidalia ou espagnol), coupé en tranches fines, puis défait en rondelles	1
¾ c. à thé	fines herbes séchées à l'italienne	4 ml
2	grosses tomates, coupées en tranches fines	2
½ t	fromage asiago râpé	125 ml
½ t	fromage mozzarella râpé	125 ml

1. Couper les extrémités des aubergines, puis les couper en tranches de ½ po (1 cm) d'épaisseur. Dans un plat allant au four, mélanger les aubergines, l'ail, la moitié de l'huile, la moitié du sel et la moitié du poivre. Disposer les tranches d'aubergines en une seule couche dans le plat et les cuire sous le gril préchauffé du four, à environ 6 po (15 cm) de la source de chaleur, pendant environ 6 minutes ou jusqu'à ce qu'elles soient dorées (les retourner une fois).

2. Couvrir la moitié des tranches d'aubergines de rondelles d'oignon et parsemer de la moitié des fines herbes. Arroser de la moitié du reste de l'huile et parsemer de la moitié du reste du sel et du poivre. Faire un autre étage de la même manière avec les tranches de tomates, puis couvrir du reste des tranches d'aubergines. Cuire au four préchauffé à 400°F (200°C) pendant environ 20 minutes ou jusqu'à ce que la préparation bouillonne et commence à dorer. Parsemer des fromages asiago et mozzarella et passer sous le gril préchauffé du four pendant 1 minute ou jusqu'à ce qu'ils aient fondu et soient dorés.

PAR PORTION : cal. : 211 ; prot. : 8 g ; m.g. : 15 g (6 g sat.) ; chol. : 24 mg ; gluc. : 14 g ; fibres : 3 g ; sodium : 620 mg.

TECHNIQUE
HACHER LES LÉGUMES

Hacher des légumes paraît tout simple, mais la maîtrise de cette technique permet de gagner du temps. Les ustensiles essentiels ? Un couteau de chef bien aiguisé et une grande planche à découper, pour pouvoir travailler à l'aise.

OIGNONS, ÉCHALOTES, GOUSSES D'AIL ET AUTRES LÉGUMES RONDS

● Peler les légumes en gardant la base intacte. Sur une planche à découper, les couper en deux, de la base vers la tige. Poser une moitié à plat sur la planche, le côté coupé vers le bas. Avec les doigts repliés, bien maintenir le demi-légume par la base. Selon la grosseur des morceaux désirée, le couper horizontalement en deux ou trois tranches sans toucher à la base.

● En maintenant toujours fermement le demi-légume de la même façon, le couper verticalement en tranches uniformes, sans entailler la base.

● En gardant la pointe du couteau sur la planche et en reculant les doigts repliés au fur et à mesure, couper ensuite le demi-légume sur la largeur, de la tige jusqu'à la base, de façon à obtenir des morceaux (jeter la base).

Dés ou cubes ? En général, quand on demande des dés dans une recette, ce sont des carrés de ⅛ à ¼ po (3 à 5 mm), alors que les cubes font environ ½ po (1 cm). Les légumes hachés sont coupés de façon plus grossière et moins uniforme.

Sauté de poivrons trois couleurs

Les poivrons verts sont cueillis avant maturité. Si on les laisse sur le plant, ils deviennent rouges ou jaunes en trois à six semaines et acquièrent alors leur goût sucré. Rien d'étonnant qu'ils soient si savoureux! Raison de plus d'en consommer abondamment quand la saison bat son plein.

4 PORTIONS

2 c. à tab	huile d'olive	30 ml
2	gousses d'ail hachées finement	2
1	échalote française hachée finement ou	1
½	oignon haché finement	½
4	poivrons (rouges, jaunes et verts) coupés en lanières de ½ po (1 cm) de largeur	4
¼ c. à thé	sel	1 ml
¼ c. à thé	poivre noir du moulin	1 ml
1 c. à tab	vinaigre balsamique blanc ou vinaigre de vin blanc	15 ml

1. Dans un grand poêlon, chauffer l'huile à feu moyen. Ajouter l'ail et l'échalote et cuire, en brassant de temps à autre, pendant environ 2 minutes ou jusqu'à ce qu'ils aient ramolli.

2. Ajouter les poivrons et les parsemer du sel et du poivre. Cuire, en brassant souvent, pendant environ 7 minutes ou jusqu'à ce qu'ils soient tendres mais encore légèrement croquants.

3. Ajouter le vinaigre balsamique et cuire, en brassant, pendant environ 1 minute ou jusqu'à ce qu'il se soit évaporé, sans plus.

PAR PORTION : cal. : 100 ; prot. : 1 g ; m.g. : 7 g (1 g sat.) ; chol. : aucun ; gluc. : 10 g ; fibres : 2 g ; sodium : 146 mg.

TECHNIQUE
COUPER EN JULIENNE

C'est le terme utilisé pour décrire les aliments coupés en lanières ou en bâtonnets de différentes tailles. Cette technique convient particulièrement aux légumes longs (carottes et panais), mais on s'en sert aussi pour le céleri, les courges, les patates douces, les pommes de terre et les pommes.

● Peler les légumes.

● Les couper sur la largeur en tronçons de 2 po (5 cm). Enlever une fine tranche sur chacun afin de les stabiliser sur la planche. Poser les légumes à plat et les couper sur la longueur en tranches d'environ ⅛ po (3 mm) d'épaisseur.

● Superposer les tranches et les couper sur la longueur en bâtonnets de ⅛ po (3 mm) d'épaisseur.

Épinards, sauce crémeuse aux fines herbes

Dans cette version santé, on ne perd rien de la riche saveur et de la texture crémeuse de cet accompagnement classique.

2 OU 3 PORTIONS

¼ t	fromage à la crème aux fines herbes léger, ramolli	60 ml
2 c. à tab	lait	30 ml
2 c. à thé	jus de citron	10 ml
1	pincée de sel	1
1	pincée de poivre noir du moulin	1
1	pincée de muscade râpée	1
1	paquet d'épinards frais, cuits et égouttés, hachés finement (10 oz/284 g)	1

1. Dans un poêlon ou une casserole, mélanger le fromage à la crème, le lait, le jus de citron, le sel, le poivre et la muscade. Cuire à feu moyen-doux, en brassant, pendant environ 2 minutes ou jusqu'à ce que le fromage ait fondu et que la préparation soit lisse et crémeuse. Ajouter les épinards et poursuivre la cuisson, en brassant, pendant environ 2 minutes ou jusqu'à ce que la préparation soit chaude et homogène.

PAR PORTION : cal. : 70 ; prot. : 5 g ; m.g. : 4 g (2 g sat.) ; chol. : 13 mg ; gluc. : 5 g ; fibres : 2 g ; sodium : 204 mg.

CUISSON DES ÉPINARDS

Pour cuire un paquet d'épinards frais d'environ 10 oz (284 g), couper l'extrémité des tiges et retirer les grosses côtes, si désiré. Rincer les épinards, les secouer pour enlever l'excédent d'eau et les mettre dans une grande casserole ou une grosse cocotte, sans ajouter d'eau. Couvrir et cuire à feu moyen-vif pendant environ 5 minutes ou jusqu'à ce qu'ils aient ramolli (les remuer à la mi-cuisson). Dans une passoire, égoutter les épinards en pressant bien pour en extraire tout le liquide. (Vous pouvez préparer les épinards à l'avance, les laisser refroidir et les couvrir d'une pellicule de plastique. Ils se conserveront jusqu'au lendemain au réfrigérateur.) (Donne environ 1 ½ t/375 ml, soit 2 ou 3 portions.)

Tomates cerises poêlées au maïs et à la courgette

Les tomates cerises et leur version mini, les tomates raisins, sont plus juteuses et plus savoureuses que les tomates ordinaires.

4 PORTIONS

1 c. à tab	huile d'olive	15 ml
4 t	tomates cerises coupées en deux	1 L
1	gousse d'ail hachée finement	1
½ c. à thé	paprika	2 ml
½ c. à thé	origan séché	2 ml
¼ c. à thé	sel	1 ml
1	pincée de sucre	1
1	pincée de flocons de piment fort	1
2	oignons verts hachés finement	2
1	courgette coupée en quatre sur la longueur, puis en tranches de 1 po (2,5 cm) d'épaisseur	1
½ t	maïs en grains surgelé, décongelé	125 ml
2 c. à thé	vinaigre de cidre	10 ml

1. Dans un grand poêlon, chauffer l'huile à feu moyen-vif. Ajouter les tomates, l'ail, le paprika, l'origan, le sel, le sucre, les flocons de piment fort, les oignons verts, la courgette et le maïs. Cuire, en brassant de temps à autre, de 5 à 8 minutes ou jusqu'à ce que les tomates et la courgette aient ramolli. Ajouter le vinaigre de cidre et mélanger.

PAR PORTION : cal. : 85 ; prot. : 3 g ; m.g. : 4 g (traces sat.) ; chol. : aucun ; gluc. : 13 g ; fibres : 3 g ; sodium : 155 mg.

VARIANTE

Tomates cerises poêlées aux fines herbes
Remplacer le paprika et l'origan par 1 c. à thé (5 ml) de mélange de fines herbes séchées à l'italienne. Omettre la courgette et le maïs. Remplacer le vinaigre de cidre par du vinaigre balsamique.

Tranches de courgette au fromage asiago

Crue et coupée en tranches très fines, la courgette permet de composer un plat d'accompagnement original ou un hors-d'oeuvre léger qu'on présente en solo ou avec des olives, des poivrons rouges grillés et de fines tranches de prosciutto.

4 PORTIONS

1	courgette (environ 8 oz/250 g)	1
¼ c. à thé	sel	1 ml
1	pincée de poivre noir du moulin	1
⅓ t	fromage asiago coupé en copeaux	80 ml
2	feuilles de basilic frais, hachées	2
1 c. à tab	jus de citron	15 ml
1 c. à tab	huile d'olive	15 ml

1. À l'aide d'une mandoline ou d'un couteau bien aiguisé, couper la courgette sur le biais en tranches très fines (environ l'épaisseur d'une feuille de papier). En les faisant se chevaucher légèrement, les disposer dans une assiette. (Vous pouvez préparer les tranches de courgette jusqu'à cette étape et les couvrir. Elles se conserveront jusqu'à 6 heures au réfrigérateur.)

2. Au moment de servir, parsemer les tranches de courgette du sel et du poivre, puis du fromage et du basilic. Arroser du jus de citron et de l'huile.

PAR PORTION : cal.: 49 ; prot.: 2 g ; m.g.: 4 g (1 g sat.); chol.: 5 mg ; gluc.: 2 g ; fibres : 1 g ; sodium : 149 mg.

Salade de chou et de carotte, vinaigrette aux graines de céleri

Cette petite salade accompagne à merveille une variété de plats, des ragoûts aux grillades.

6 PORTIONS

2 c. à tab	huile végétale	30 ml
2 c. à tab	vinaigre de cidre ou vinaigre de vin blanc	30 ml
2 c. à thé	moutarde de Dijon	10 ml
2 c. à thé	sucre	10 ml
½ c. à thé	graines de céleri	2 ml
½ c. à thé	sel	2 ml
½ c. à thé	poivre noir du moulin	2 ml
1	gousse d'ail hachée finement	1
6 t	chou vert coupé en fines lanières	1,5 L
1	carotte râpée	1
2	oignons verts hachés	2

1. Dans un grand bol, à l'aide d'un fouet, mélanger l'huile, le vinaigre de cidre, la moutarde de Dijon, le sucre, les graines de céleri, le sel, le poivre et l'ail. Ajouter le chou, la carotte et les oignons verts et mélanger pour bien enrober les ingrédients. Laisser reposer pendant 15 minutes avant de servir. (Vous pouvez préparer la salade à l'avance et la couvrir d'une pellicule de plastique. Elle se conservera jusqu'à 1 semaine au réfrigérateur.)

PAR PORTION : cal.: 74 ; prot.: 1 g ; m.g.: 5 g (traces sat.); chol.: aucun ; gluc.: 8 g ; fibres : 2 g ; sodium : 232 mg.

Poêlée de rapini

Le goût du rapini est peu subtil, mais on apprend à aimer l'amertume et la saveur prononcée de ce légume. Cette recette sera tout simplement exquise mélangée à des pâtes bien chaudes parsemées de parmesan fraîchement râpé.

4 PORTIONS

1	botte de rapini (environ 1 lb/500 g)	1
3 c. à tab	huile d'olive	45 ml
3	gousses d'ail coupées en tranches	3
¼ c. à thé	flocons de piment fort	1 ml
¼ c. à thé	sel	1 ml

1. Couper la base des tiges de rapini d'environ ¼ po (5 mm). Dans une casserole d'eau bouillante salée, cuire le rapini à couvert pendant environ 6 minutes ou jusqu'à ce que les tiges soient tendres. Égoutter et éponger avec des essuie-tout.

2. Dans un poêlon, chauffer l'huile à feu moyen. Ajouter l'ail et les flocons de piment fort et cuire pendant environ 2 minutes ou jusqu'à ce que l'ail commence à dorer. Ajouter le rapini et le sel et réchauffer en brassant de temps à autre.

PAR PORTION : cal. : 130 ; prot. : 4 g ; m.g. : 10 g (1 g sat.) ; chol. : aucun ; gluc. : 6 g ; fibres : 2 g ; sodium : 396 mg.

VARIANTE

Rapini aux tomates séchées et aux pignons

Dans un petit poêlon, faire griller 2 c. à tab (30 ml) de pignons à feu doux pendant environ 5 minutes ou jusqu'à ce qu'ils soient légèrement dorés. Ajouter les pignons grillés et 3 c. à tab (45 ml) de tomates séchées au rapini cuit et réchauffer en brassant de temps à autre.

ASTUCE

Aussi appelé brocoli italien, le rapini est formé de tiges minces et feuillues dont certaines sont ornées d'une grappe de boutons floraux. Toutes les parties de ce légume à la saveur légèrement amère sont comestibles : tiges, feuilles, têtes et fleurettes. Choisir le rapini ferme, vert foncé et avec le moins possible de fleurs ouvertes. L'envelopper dans des essuie-tout, puis le mettre dans un sac de plastique : il se conservera quelques jours au réfrigérateur. Dans les recettes, on le remplace généralement par des épinards.

Vinaigrette express à l'huile d'olive

Préparée à l'avance, cette vinaigrette classique est super pratique. Pour 6 à 8 t (1,5 à 2 L) de verdures (soit 4 portions), vous aurez besoin de ⅓ t (80 ml) de vinaigrette.

DONNE ENVIRON ¾ T (180 ML).

2	gousses d'ail coupées en quatre	2
½ c. à thé	sel	2 ml
½ t	huile de canola ou huile d'olive	125 ml
¼ t	vinaigre de vin	60 ml
2 c. à thé	moutarde de Dijon	10 ml
1	pincée de sucre	1
1	pincée de poivre noir du moulin	1

1. Sur une planche à découper, à l'aide d'une fourchette, écraser l'ail avec le sel. Mettre le mélange d'ail dans un pot, puis ajouter l'huile, le vinaigre de vin, la moutarde de Dijon, le sucre et le poivre. Fermer le couvercle et agiter vigoureusement jusqu'à ce que la vinaigrette soit homogène. (Vous pouvez préparer la vinaigrette à l'avance et la mettre dans un contenant hermétique. Elle se conservera jusqu'à 1 semaine au réfrigérateur.)

PAR PORTION de 1 c. à tab (15 ml): cal.: 83; prot.: traces; m.g.: 9 g (1 g sat.); chol.: aucun; gluc.: traces; fibres: aucune; sodium: 107 mg.

Sauce crémeuse à l'aneth et au citron

Cette recette de sauce à salade épaisse et piquante est suffisante pour enrober 12 t (3 L) de verdures. Elle sera également parfaite en trempette. Si on préfère une sauce plus liquide, il suffit d'y ajouter 2 c. à tab (30 ml) de lait.

DONNE ENVIRON ¾ T (180 ML).

⅓ t	crème sure légère	80 ml
⅓ t	mayonnaise légère	80 ml
2 c. à tab	aneth frais, haché ou	30 ml
1 c. à thé	aneth séché	5 ml
4 c. à thé	jus de citron	20 ml
2 c. à thé	moutarde de Dijon	10 ml
¼ c. à thé	sel	1 ml
¼ c. à thé	poivre noir du moulin	1 ml

1. Dans un petit bol, à l'aide d'un fouet, mélanger la crème sure, la mayonnaise, l'aneth, le jus de citron, la moutarde de Dijon, le sel et le poivre. (Vous pouvez préparer la sauce à l'avance et la mettre dans un contenant hermétique. Elle se conservera jusqu'à 5 jours au réfrigérateur.)

PAR PORTION de 1 c. à tab (15 ml): cal.: 29; prot.: 1 g; m.g.: 2 g (2 g sat.); chol.: 3 mg; gluc.: 1 g; fibres: aucune; sodium: 114 mg.

VARIANTE

Sauce crémeuse au fromage bleu

Omettre l'aneth. Remplacer le jus de citron par 1 c. à tab (15 ml) de vinaigre de vin. Ajouter ¼ t (60 ml) de fromage bleu émietté et 1 c. à tab (15 ml) de ciboulette fraîche, hachée, et mélanger.

Vinaigrettes dans un pot

Préparées simplement dans un pot en verre à couvercle hermétique, ces vinaigrettes relèvent avec brio les légumes chauds (pommes de terre, haricots verts, asperges et carottes) ou les verdures et tomates du jardin. À essayer également sur des grillades (poisson, poulet et côtelettes).

Vinaigrette à la moutarde et au miel

● Dans un pot, mettre ¾ t (180 ml) d'huile végétale, ⅓ t (80 ml) de vinaigre de vin, 2 c. à tab (30 ml) de moutarde de Dijon, 2 c. à tab (30 ml) de miel liquide, ¼ c. à thé (1 ml) de sel et ¼ c. à thé (1 ml) de poivre noir du moulin. Fermer le couvercle et agiter vigoureusement. (Vous pouvez préparer la vinaigrette à l'avance. Elle se conservera jusqu'à 2 semaines au réfrigérateur.) (Donne environ 1 ⅓ t / 330 ml.)

PAR PORTION de 1 c. à tab (15 ml) : cal. : 76 ; prot. : aucune ; m.g. : 8 g (1 g sat.) ; chol. : aucun ; gluc. : 2 g ; fibres : aucune ; sodium : 46 mg.

Vinaigrette au vin rouge et à l'origan

● Dans un pot, mettre ⅓ t (80 ml) d'huile d'olive, ⅓ t (80 ml) d'huile végétale, 3 c. à tab (45 ml) de vinaigre de vin rouge, 2 c. à tab (30 ml) d'eau, 2 c. à thé (10 ml) de moutarde de Dijon, 1 gousse d'ail hachée finement, 1 c. à thé (5 ml) d'origan séché, ½ c. à thé (2 ml) de sel et ½ c. à thé (2 ml) de poivre noir du moulin. Fermer le couvercle et agiter vigoureusement. (Vous pouvez préparer la vinaigrette à l'avance. Elle se conservera jusqu'à 3 jours au réfrigérateur.) (Donne environ 1 t / 250 ml.)

PAR PORTION de 1 c. à tab (15 ml) : cal. : 81 ; prot. : aucune ; m.g. : 9 g (1 g sat.) ; chol. : aucun ; gluc. : traces ; fibres : aucune ; sodium : 80 mg.

Vinaigrette aux échalotes et aux canneberges

● Dans un pot, mettre ½ t (125 ml) de jus de canneberge concentré surgelé, décongelé, ¼ t (60 ml) d'huile végétale, ¼ t (60 ml) d'eau, ¼ t (60 ml) de vinaigre de vin rouge, 2 c. à thé (10 ml) de moutarde de Meaux (moutarde à l'ancienne), 2 échalotes françaises hachées finement, ½ c. à thé (2 ml) de sel et ½ c. à thé (2 ml) de poivre noir du moulin. Fermer le couvercle et agiter vigoureusement. (Vous pouvez préparer la vinaigrette à l'avance. Elle se conservera jusqu'à 3 jours au réfrigérateur.) (Donne environ 1 t / 250 ml.)

PAR PORTION de 1 c. à tab (15 ml) : cal. : 48 ; prot. : aucune ; m.g. : 3 g (traces sat.) ; chol. : aucun ; gluc. : 5 g ; fibres : traces ; sodium : 75 mg.

Vinaigrette au citron et au thym

● Dans un pot, mettre ¾ t (180 ml) d'huile végétale, 1 c. à tab (15 ml) de zeste de citron râpé, ¼ t (60 ml) de jus de citron, 1 c. à thé (5 ml) de thym séché, ¼ c. à thé (1 ml) de sel et ¼ c. à thé (1 ml) de poivre noir du moulin. Fermer le couvercle et agiter vigoureusement. (Vous pouvez préparer la vinaigrette à l'avance. Elle se conservera jusqu'à 2 semaines au réfrigérateur.) (Donne environ 1 t / 250 ml.)

PAR PORTION de 1 c. à tab (15 ml) : cal. : 92 ; prot. : aucune ; m.g. : 10 g (1 g sat.) ; chol. : aucun ; gluc. : traces ; fibres : aucune ; sodium : 36 mg.

Salade d'épinards et de pois mange-tout aux amandes

Voici une belle salade à servir à l'occasion d'un repas entre amis : on prépare les ingrédients à l'avance et on assemble le tout au dernier moment. Pour un petit souper de semaine, on réduit les quantités de moitié.

6 À 8 PORTIONS

VINAIGRETTE AU GINGEMBRE

¼ t	huile végétale	60 ml
2 c. à tab	sauce soja	30 ml
2 c. à tab	vinaigre de riz	30 ml
2	gousses d'ail hachées finement	2
1 c. à thé	gingembre frais, haché finement ou	5 ml
1	pincée de gingembre moulu	1
¼ c. à thé	poivre noir du moulin	1 ml

SALADE D'ÉPINARDS

1	paquet d'épinards frais, parés et déchiquetés (10 oz/284 g)	1
1 t	pois mange-tout parés et coupés en tranches fines	250 ml
1	boîte de châtaignes d'eau coupées en tranches, rincées et égouttées (8 oz/227 g)	1
1	poivron rouge coupé en tranches fines	1
½ t	amandes en bâtonnets, grillées	125 ml
1	oignon vert coupé en tranches fines sur le biais	1

PRÉPARATION DE LA VINAIGRETTE

1. Dans un pot, mettre l'huile, la sauce soja, le vinaigre de riz, l'ail, le gingembre et le poivre. Fermer le couvercle et agiter vigoureusement. Réserver. (Vous pouvez préparer la vinaigrette à l'avance et la mettre dans un contenant hermétique. Elle se conservera jusqu'à 1 semaine au réfrigérateur.)

PRÉPARATION DE LA SALADE

2. Mettre les épinards dans un grand bol. Ajouter les pois mange-tout, les châtaignes d'eau et le poivron. (Vous pouvez préparer la salade jusqu'à cette étape et la couvrir d'un linge humide, puis d'une pellicule de plastique. Elle se conservera jusqu'à 2 heures au réfrigérateur.)

3. Ajouter la vinaigrette réservée et mélanger délicatement pour bien enrober les ingrédients. Garnir des amandes et de l'oignon vert.

PAR PORTION : cal.: 140 ; prot.: 4 g ; m.g.: 11 g (1 g sat.) ; chol.: aucun ; gluc.: 9 g ; fibres : 3 g ; sodium : 289 mg.

ASTUCE

Pour faire griller les amandes, les mettre dans un petit poêlon sans gras et cuire à feu moyen pendant environ 5 minutes ou jusqu'à ce qu'elles soient dorées et dégagent leur arôme (brasser sans arrêt pour éviter qu'elles ne brûlent).

Salade de concombre, sauce crémeuse à l'aneth

Pour éviter que la salade ne soit détrempée, il est essentiel de saler le concombre et de le laisser égoutter dans une passoire.

4 PORTIONS

3 t	concombre anglais pelé et coupé en tranches fines	750 ml
1 c. à thé	sel	5 ml
½ t	oignon rouge coupé en tranches fines	125 ml
¼ t	crème sure légère ou ordinaire	60 ml
1 c. à tab	aneth frais, haché ou	15 ml
1 c. à thé	aneth séché	5 ml
1 c. à tab	vinaigre de vin blanc	15 ml
1 c. à thé	sucre	5 ml

1. Mettre le concombre dans une passoire, le parsemer du sel et laisser égoutter pendant 30 minutes. Éponger le concombre avec des essuie-tout.

2. Entre-temps, mettre l'oignon dans un bol, le couvrir d'eau froide et laisser reposer pendant 15 minutes. Égoutter l'oignon et l'éponger avec des essuie-tout.

3. Dans un bol, à l'aide d'un fouet, mélanger la crème sure, l'aneth, le vinaigre de vin et le sucre. Ajouter le concombre et l'oignon et mélanger pour bien les enrober de la sauce.

PAR PORTION : cal. : 38 ; prot. : 2 g ; m.g. : 1 g (1 g sat.) ; chol. : 2 mg ; gluc. : 6 g ; fibres : 1 g ; sodium : 302 mg.

Salade de haricots verts à l'oignon doux

4 PORTIONS

4 t	haricots verts parés (environ 8 oz/250 g)	1 L
1	piment chili frais (de type jalapeño), épépiné et haché finement ou	1
1 c. à thé	piment chili mariné (de type jalapeño), haché finement	5 ml
¼ t	huile d'olive	60 ml
2 c. à tab	vinaigre de vin	30 ml
½ c. à thé	sel	2 ml
½ c. à thé	poivre noir du moulin	2 ml
½ t	oignon doux (de type Vidalia ou espagnol), coupé en tranches fines	125 ml
2 c. à tab	amandes en bâtonnets, grillées	30 ml

1. Dans une grande casserole d'eau bouillante salée, cuire les haricots à couvert pendant environ 3 minutes ou jusqu'à ce qu'ils soient tendres mais encore légèrement croquants. Égoutter les haricots et les plonger dans un bol d'eau froide pour les rafraîchir. Égoutter de nouveau et éponger avec des essuie-tout.

2. Dans un grand bol, à l'aide d'un fouet, mélanger le piment chili, l'huile, le vinaigre de vin, le sel et le poivre. Ajouter les haricots et l'oignon et mélanger délicatement pour bien les enrober. (Vous pouvez préparer la salade à l'avance et la couvrir d'une pellicule de plastique. Elle se conservera jusqu'à 8 heures au réfrigérateur.) Au moment de servir, parsemer des amandes.

PAR PORTION : cal. : 187 ; prot. : 3 g ; m.g. : 16 g (2 g sat.) ; chol. : aucun ; gluc. : 10 g ; fibres : 3 g ; sodium : 516 mg.

CHAPITRE 13

Des petites douceurs

Parfaits au yogourt glacé, à la rhubarbe et aux framboises

Regorgeant de fruits et d'amandes, ces parfaits offrent le plaisir d'un véritable dessert gourmand.

4 PORTIONS

3 t	rhubarbe hachée	750 ml
1 t	framboises	250 ml
½ t	sucre	125 ml
¼ t	amandes en bâtonnets	60 ml
4 t	yogourt glacé à la vanille	1 L

1. Dans un grand bol allant au micro-ondes, mélanger la rhubarbe, les framboises et le sucre. Couvrir le bol d'une pellicule de plastique en relevant l'un des coins. Cuire au micro-ondes à intensité maximale pendant 10 minutes ou jusqu'à ce que la rhubarbe soit tendre sans être défaite. (Ou encore, mélanger la rhubarbe, les framboises et le sucre dans une casserole et porter à ébullition. Laisser mijoter à feu moyen pendant 15 minutes ou jusqu'à ce que la rhubarbe soit tendre sans être défaite.) Laisser refroidir.

2. Entre-temps, mettre les amandes dans un petit poêlon à fond épais. Cuire à feu moyen, en brassant, pendant environ 5 minutes ou jusqu'à ce qu'elles soient légèrement dorées.

3. Au moment de servir, répartir la moitié du yogourt glacé dans quatre verres à parfait ou coupes à dessert. Couvrir de la moitié de la garniture à la rhubarbe refroidie. Faire un autre étage de la même manière. Parsemer des amandes grillées.

PAR PORTION : cal. : 481 ; prot. : 11 g ; m.g. : 15 g (7 g sat.) ; chol. : 19 mg ; gluc. : 80 g ; fibres : 4 g ; sodium : 122 mg.

Coupes glacées, sauce aux pêches et aux fraises

4 PORTIONS

2 t	pêches ou nectarines pelées et coupées en tranches	500 ml
¼ t	sucre	60 ml
1	pincée de cannelle moulue	1
1 t	fraises coupées en tranches	250 ml
4 t	yogourt glacé à la vanille	1 L
4	fraises entières (facultatif)	4

1. Dans une casserole, mélanger les pêches, le sucre et la cannelle. Porter à ébullition à feu moyen. Réduire le feu et laisser mijoter, en brassant délicatement une fois ou deux, pendant environ 10 minutes ou jusqu'à ce que les pêches soient tendres. Retirer la casserole du feu. Ajouter les fraises coupées en tranches et laisser refroidir. (Vous pouvez préparer la sauce à l'avance, la laisser refroidir et la couvrir. Elle se conservera jusqu'au lendemain au réfrigérateur. Laisser revenir à la température ambiante avant de servir.)

2. Au moment de servir, répartir la sauce aux pêches dans quatre verres à parfait ou coupes à dessert, puis ajouter le yogourt glacé. Garnir chaque portion d'une fraise entière, si désiré.

PAR PORTION : cal. : 407 ; prot. : 9 g ; m.g. : 11 g (7 g sat.) ; chol. : 19 mg ; gluc. : 71 g ; fibres : 3 g ; sodium : 116 mg.

VARIANTE

Coupes glacées, sauce aux bleuets et aux framboises

Remplacer les pêches par des bleuets et les fraises coupées en tranches par des framboises. Garnir de bleuets ou de framboises.

Sauces pour coupes glacées

Ces deux sauces sont bien meilleures que celles du commerce. Le caramel est onctueux et le chocolat, délicieusement riche.

SAUCE AU CARAMEL

DONNE 1 ½ T (375 ML).

1 ½ t	sucre	375 ml
⅓ t	eau	80 ml
⅔ t	crème à 35 %	160 ml
¼ t	beurre	60 ml

1. Dans une casserole à fond épais, mélanger le sucre et l'eau et cuire à feu moyen, en brassant, jusqu'à ce que le sucre soit dissous. Porter à ébullition et laisser bouillir à gros bouillons, sans brasser, pendant environ 6 minutes ou jusqu'à ce que le sirop soit de couleur ambre foncé (à l'aide d'un pinceau à pâtisserie préalablement trempé dans l'eau, badigeonner la paroi de la casserole de temps à autre pour faire tomber les cristaux de sucre). Retirer la casserole du feu.

2. À l'aide d'un fouet, incorporer la crème en fouettant jusqu'à ce que la préparation soit lisse (attention aux éclaboussures). Incorporer le beurre de la même manière. Laisser refroidir. (Vous pouvez préparer la sauce à l'avance, la laisser refroidir et la mettre dans un contenant hermétique. Elle se conservera jusqu'à 1 semaine au réfrigérateur. Réchauffer à feu doux avant de servir.)

PAR PORTION de 2 c. à tab (30 ml): cal.: 173; prot.: traces; m.g.: 8 g (5 g sat.); chol.: 29 mg; gluc.: 25 g; fibres: aucune; sodium: 44 mg.

SAUCE AU CHOCOLAT

DONNE 1 ⅔ T (410 ML).

1 t	crème à 35 %	250 ml
2 c. à tab	sirop de maïs	30 ml
6 oz	chocolat mi-amer haché	180 g

1. Dans une petite casserole à fond épais, mélanger la crème et le sirop de maïs. Chauffer à feu moyen jusqu'à ce que de petites bulles se forment sur la paroi. Retirer la casserole du feu. Ajouter le chocolat et mélanger à l'aide d'un fouet jusqu'à ce que la préparation soit lisse. Laisser reposer à la température ambiante pendant environ 15 minutes ou jusqu'à ce que la sauce ait épaissi. (Vous pouvez préparer la sauce à l'avance, la laisser refroidir et la mettre dans un contenant hermétique. Elle se conservera jusqu'à 1 semaine au réfrigérateur. Réchauffer à feu doux avant de servir.)

PAR PORTION de 2 c. à tab (30 ml): cal.: 139; prot.: 1 g; m.g.: 11 g (7 g sat.); chol.: 23 mg; gluc.: 10 g; fibres: 1 g; sodium: 10 mg.

Sabayon

Le sabayon (*zabaglione*, en italien) est une crème onctueuse qu'on sert habituellement dans des coupes à dessert, mais il sera tout aussi savoureux sur des fruits frais, du gâteau ou de la crème glacée.

6 PORTIONS

4	jaunes d'oeufs	4
½ t	vin blanc fruité (de type riesling) ou marsala sec	125 ml
¼ t	sucre	60 ml

1. Dans un grand bol à l'épreuve de la chaleur placé sur une casserole d'eau frémissante, à l'aide d'un fouet, mélanger les jaunes d'oeufs, le vin blanc et le sucre. Cuire, en fouettant souvent, de 5 à 7 minutes ou jusqu'à ce que la préparation ait suffisamment épaissi pour tenir en petit monticule dans une cuillère. Répartir aussitôt dans des coupes à dessert.

PAR PORTION : cal. : 83 ; prot. : 2 g ; m.g. : 4 g (1 g sat.) ; chol. : 136 mg ; gluc. : 9 g ; fibres : aucune ; sodium : 6 mg.

Ananas, sirop au kirsch

Voici une délicieuse variante de l'ananas au kirsch, un dessert traditionnellement servi en Suisse à la fin d'un repas de fondue au fromage (voir recette, p. 178).

8 PORTIONS

½ t	sucre	125 ml
⅓ t	kirsch (eau-de-vie de cerises) ou jus d'orange	80 ml
2 c. à tab	eau	30 ml
1	ananas coupé en cubes d'environ 1 po (2,5 cm)	1

1. Dans une petite casserole, mélanger le sucre, le kirsch et l'eau. Porter à ébullition à feu moyen-vif, en tournant et en inclinant la casserole pour faire dissoudre le sucre (ne pas brasser). Retirer la casserole du feu et laisser refroidir. (Vous pouvez préparer le sirop à l'avance et le mettre dans un contenant hermétique. Il se conservera jusqu'à 2 jours au réfrigérateur.)

2. Mettre les cubes d'ananas dans un grand bol en verre. (Vous pouvez préparer l'ananas jusqu'à cette étape et le couvrir. Il se conservera jusqu'au lendemain au réfrigérateur. Égoutter avant de poursuivre la recette.) Au moment de servir, verser la moitié du sirop au kirsch sur l'ananas et mélanger délicatement pour bien l'enrober. Répartir la préparation d'ananas dans des coupes à dessert. Servir le reste du sirop au kirsch dans une saucière.

PAR PORTION : cal. : 115 ; prot. : traces ; m.g. : traces (aucun sat.) ; chol. : aucun ; gluc. : 25 g ; fibres : 1 g ; sodium : 1 mg.

Trempette crémeuse à l'orange et au miel

On sert cette exquise trempette avec un assortiment de fruits frais : cubes de melon d'eau, de cantaloup et de melon miel, fraises et raisins.

DONNE 1 ¼ T (310 ML).

1 t	crème sure légère	250 ml
2 c. à tab	jus d'orange concentré surgelé, décongelé	30 ml
1 c. à tab	miel liquide	15 ml
	zeste d'orange coupé en lanières (facultatif)	

1. Dans un petit bol, mélanger la crème sure, le jus d'orange concentré et le miel. (Vous pouvez préparer la trempette à l'avance et la couvrir. Elle se conservera jusqu'au lendemain au réfrigérateur.) Garnir de lanières de zeste d'orange, si désiré. Servir avec des fruits.

PAR PORTION de 1 c. à tab (15 ml) : cal. : 20 ; prot. : 1 g ; m.g. : 1 g (traces sat.) ; chol. : 2 mg ; gluc. : 3 g ; fibres : aucune ; sodium : 11 mg.

Pouding au riz crémeux

Pour plus de saveur et de couleur, on ajoute 2 c. à tab (30 ml) de raisins secs dorés ou de canneberges séchées en même temps que le zeste d'orange, ou on parsème le pouding d'amandes en tranches grillées. Si on préfère le manger froid, on y ajoute ¼ t (60 ml) de lait au moment de servir.

4 PORTIONS

2 c. à tab	beurre	30 ml
½ t	riz à grain rond	125 ml
¼ c. à thé	cardamome (ou cannelle) moulue	1 ml
¼ c. à thé	cannelle moulue	1 ml
2 ½ t	lait	625 ml
2 c. à tab	sucre	30 ml
1 c. à thé	zeste d'orange râpé finement	5 ml

1. Dans une petite casserole, faire fondre le beurre à feu moyen. Ajouter le riz, la cardamome et la cannelle et mélanger pour bien enrober le riz. Ajouter le lait et le sucre et mélanger. Porter à ébullition. Réduire le feu, couvrir et laisser mijoter, en brassant souvent, pendant environ 25 minutes ou jusqu'à ce que le lait soit presque complètement absorbé et que le riz soit tendre. Ajouter le zeste d'orange et mélanger. Servir chaud.

PAR PORTION : cal. : 241 ; prot. : 7 g ; m.g. : 9 g (5 g sat.) ; chol. : 30 mg ; gluc. : 34 g ; fibres : traces ; sodium : 135 mg.

VARIANTE

Pouding au riz à la noix de coco
Remplacer le lait par 1 boîte (400 ml) de lait de coco et ¾ t (180 ml) de lait.

DESSERTS : LA TOUCHE FINALE

Pas besoin d'être chef pâtissier ou de s'approvisionner dans les grandes pâtisseries pour servir des desserts qui ont du panache.

● Pour donner illico une touche de fête à des coupes de crème glacée, de yogourt glacé ou de sorbet, les sauces au caramel et au chocolat (voir recettes, p. 223) gardées au réfrigérateur sont parfaites. Un coulis de framboises fera aussi son effet. Pour le préparer rapidement, réduire en purée lisse au robot culinaire ou au mélangeur un paquet de framboises surgelées dans un sirop léger, décongelées. Filtrer ensuite dans une passoire fine placée sur un bol et ajouter un trait de liqueur de framboise ou de kirsch, si désiré. On peut également en napper une coupe de pêche Melba ou de fraises fraîches.

● Pour une crème anglaise vite faite, laisser ramollir de la crème glacée à la vanille de qualité supérieure (de type Häagen-Dazs ou Breyers) et lui ajouter un peu de vanille ou de rhum.

● Dans un poêlon, faire fondre une quantité égale (quelques cuillerées) de beurre et de cassonade. Ajouter des morceaux de bananes mûres mais fermes (une petite banane par personne) et les retourner pour bien les enrober de la sauce. Si désiré, ajouter du rhum et mélanger délicatement. Retirer du poêlon avant que les bananes ramollissent. Servir aussitôt sur de la crème glacée à la vanille ou au chocolat.

● Pour donner du chic à des brownies ou à une croustade aux pommes maison, mettre une cuillerée de sucre glace dans une passoire fine et le saupoudrer uniformément sur le dessert.

Panna cotta au babeurre, coulis de fraises

Le babeurre apporte un petit goût aigrelet à ce dessert crémeux. Le coulis de fraises, qui se fait en un tournemain, ajoute une touche fruitée irrésistible à ce classique de la cuisine italienne.

6 PORTIONS

1 t	crème à 35 %	250 ml
1 c. à tab	gélatine sans saveur	15 ml
⅓ t	sucre	80 ml
2 c. à thé	vanille	10 ml
1 t	babeurre	250 ml
1	paquet de fraises surgelées dans un sirop léger, décongelées (425 g)	1

1. Dans une petite casserole, mettre 2 c. à tab (30 ml) de la crème et la saupoudrer de la gélatine. Laisser gonfler pendant 5 minutes. Chauffer à feu moyen-doux, en brassant, jusqu'à ce que la gélatine soit dissoute. Retirer la casserole du feu.

2. Dans une autre casserole, mélanger le reste de la crème, le sucre et la vanille et chauffer à feu moyen jusqu'à ce que le sucre soit dissous et que la préparation soit fumante. Retirer la casserole du feu. Incorporer le mélange de gélatine et le babeurre à la préparation de crème. Répartir la préparation dans six ramequins d'une capacité de 6 oz (180 ml) chacun. Couvrir d'une pellicule de plastique et réfrigérer pendant environ 4 heures ou jusqu'à ce que la préparation ait pris. (Vous pouvez préparer les panna cotta à l'avance et les couvrir. Elles se conserveront jusqu'à 2 jours au réfrigérateur.)

3. Au robot culinaire ou au mélangeur, réduire les fraises en purée lisse. Dans une passoire fine placée sur un bol, filtrer la purée. Au moment de servir, passer la lame d'un couteau sur le pourtour des ramequins pour détacher la préparation de la paroi. Démouler chaque ramequin sur une assiette à dessert et napper le pourtour des panna cotta de coulis de fraises.

PAR PORTION : cal. : 236 ; prot. : 4 g ; m.g. : 14 g (9 g sat.) ; chol. : 52 mg ; gluc. : 24 g ; fibres : aucune ; sodium : 61 mg.

QUESTION DE MESURES

Il est important d'utiliser le même système (métrique ou impérial) du début à la fin d'une recette. On doit également se servir des bons ustensiles pour mesurer les ingrédients, selon que ces derniers sont secs ou liquides.

● Les cuillères à mesurer servent aussi bien pour les ingrédients liquides que pour les ingrédients secs. Elles se présentent en quatre grandeurs : ¼ c. à thé (1 ml), ½ c. à thé (2 ml), 1 c. à thé (5 ml) et 1 c. à tab (15 ml).

Les ingrédients secs

● Pour les ingrédients secs, les mesures se présentent en jeu de différentes grandeurs : ¼ t (60 ml), ⅓ t (80 ml), ½ t (125 ml) et 1 t (250 ml).

● À l'aide d'une cuillère, remplir la tasse ou la cuillère jusqu'à ce qu'elle soit comble, sans tasser. Enlever l'excédent en raclant le dessus avec la lame d'un couteau ou d'une spatule en métal. Ne jamais tasser les ingrédients secs, à l'exception de la cassonade, qui doit être suffisamment compacte pour garder la forme de la mesure une fois retournée.

Les ingrédients liquides

● Pour les ingrédients liquides, on se sert d'une tasse en verre à bec verseur graduée en mesures métriques et impériales.

● Déposer la tasse sur une surface de travail stable et verser le liquide jusqu'au niveau désiré, en se penchant pour être à la bonne hauteur et pouvoir ajuster la quantité, au besoin.

Sandwichs croustillants à la crème glacée

Fort populaires, les carrés de céréales de riz sont encore meilleurs garnis de crème glacée, de chocolat et de perles de sucre.

12 PORTIONS

5 t	guimauves (environ 40 grosses)	1,25 L
¼ t	beurre	60 ml
1 c. à thé	vanille	5 ml
5 t	céréales de riz grillé (de type Rice Krispies)	1,25 L
2 t	crème glacée à la vanille	500 ml
8 oz	chocolat mi-sucré haché	250 g
¼ t	perles de sucre multicolores	60 ml

1. Dans une casserole, faire fondre les guimauves avec le beurre à feu moyen-doux, en brassant sans arrêt, pendant environ 5 minutes ou jusqu'à ce que le mélange soit lisse. Retirer la casserole du feu. Incorporer la vanille. Ajouter la moitié des céréales et mélanger jusqu'à ce que la préparation soit homogène. Ajouter le reste des céréales et mélanger pour bien les enrober.

2. Dans un moule à gâteau en métal de 13 po x 9 po (33 cm x 23 cm) beurré, étendre la préparation de céréales et laisser refroidir pendant 5 minutes. Avec les mains beurrées, presser fermement la préparation. Laisser refroidir complètement. Passer la lame d'un couteau sur le pourtour du gâteau de céréales pour le détacher de la paroi et démouler. Couper le gâteau en deux sur la largeur. Étendre uniformément la crème glacée sur une moitié du gâteau. Couvrir de l'autre moitié du gâteau de manière à former un sandwich. Envelopper le sandwich à la crème glacée d'une pellicule de plastique et le mettre dans un contenant hermétique. Congeler pendant environ 4 heures ou jusqu'à ce que la crème glacée soit ferme. Couper le sandwich en six carrés, puis chaque carré en deux triangles.

3. Entre-temps, dans un bol à l'épreuve de la chaleur placé sur une casserole d'eau chaude mais non bouillante, faire fondre le chocolat en brassant jusqu'à ce qu'il soit lisse. Laisser légèrement refroidir le chocolat. Tremper un coin des triangles dans le chocolat fondu jusqu'à la mi-hauteur et lisser à l'aide d'un couteau. Étendre les perles de sucre sur une feuille de papier ciré et y presser la partie des triangles enrobée de chocolat. Envelopper séparément les triangles d'une pellicule de plastique et les mettre au congélateur dans un contenant hermétique pendant au moins 4 heures ou jusqu'à ce qu'ils soient fermes. (Vous pouvez préparer les sandwichs à la crème glacée à l'avance. Ils se conserveront jusqu'à 2 jours au congélateur.)

PAR PORTION : cal.: 297 ; prot.: 3 g ; m.g.: 11 g (7 g sat.) ; chol.: 22 mg ; gluc.: 47 g ; fibres : 1 g ; sodium : 197 mg.

Sandwichs à la crème glacée, au caramel croquant et au chocolat

On peut varier les saveurs de ces délicieux sandwichs en utilisant de la crème glacée au chocolat ou au caramel écossais plutôt qu'à la vanille.

DONNE 10 SANDWICHS.

BISCUITS AU CARAMEL CROQUANT ET AU CHOCOLAT

½ t	beurre ramolli	125 ml
½ t	sucre	125 ml
¼ t	cassonade tassée	60 ml
1	oeuf	1
1 ½ c. à thé	vanille	7 ml
1 ½ t	farine	375 ml
½ c. à thé	bicarbonate de sodium	2 ml
¼ c. à thé	sel	1 ml
4	barres de caramel croquant enrobé de chocolat (de type Skor), brisées en morceaux (39 g chacune)	4
1 t	brisures de chocolat mi-sucré	250 ml
½ t	pacanes hachées	125 ml

GARNITURE

2 ½ t	crème glacée à la vanille légèrement ramollie	625 ml
1 t	caramel croquant (toffee) haché, pacanes hachées finement ou paillettes de chocolat	250 ml

PRÉPARATION DES BISCUITS

1. Dans un grand bol, à l'aide d'un batteur électrique, battre le beurre, le sucre et la cassonade jusqu'à ce que le mélange soit crémeux. Ajouter l'oeuf et la vanille en battant. Dans un autre bol, mélanger la farine, le bicarbonate de sodium et le sel. Incorporer les ingrédients secs au mélange de beurre en deux fois. Ajouter les morceaux de caramel croquant, les brisures de chocolat et les pacanes et mélanger. Façonner la pâte, environ 1 c. à tab (15 ml) à la fois, en 20 boules de 1 ¾ po (4,5 cm) de diamètre. Mettre les boules sur des plaques à biscuits tapissées de papier-parchemin en laissant environ 2 po (5 cm) entre chacune. Aplatir chaque boule en un cercle d'environ ½ po (1 cm) d'épaisseur.

2. Mettre une plaque à biscuits sur la grille supérieure du four préchauffé à 350°F (180°C) et une autre sur la grille inférieure. Cuire pendant environ 12 minutes ou jusqu'à ce que les biscuits soient dorés (intervertir et tourner les plaques à la mi-cuisson). Déposer les plaques sur des grilles et laisser refroidir complètement. (Vous pouvez préparer les biscuits à l'avance et les mettre dans un contenant hermétique, en séparant les étages d'une feuille de papier ciré. Ils se conserveront jusqu'à 5 jours à la température ambiante ou jusqu'à 2 semaines au congélateur.)

PRÉPARATION DE LA GARNITURE

3. Étendre la crème glacée sur la moitié des biscuits et couvrir du reste des biscuits. Mettre le caramel croquant haché dans une assiette. Rouler le pourtour des sandwichs dans le caramel croquant.

4. Envelopper chaque sandwich d'une pellicule de plastique et les mettre au congélateur dans un contenant hermétique pendant environ 4 heures ou jusqu'à ce qu'ils soient fermes. (Vous pouvez préparer les sandwichs à la crème glacée à l'avance. Ils se conserveront jusqu'à 5 jours au congélateur.)

PAR SANDWICH : cal.: 570; prot.: 6 g; m.g.: 32 g (16 g sat.); chol.: 80 mg; gluc.: 68 g; fibres: 3 g; sodium: 308 mg.

Brownies super fondants

DONNE ENVIRON 30 COEURS.

7 oz	chocolat non sucré haché	210 g
1 t	beurre	250 ml
4	oeufs	4
2 ¼ t	sucre	560 ml
1½ c. à thé	vanille	7 ml
1 t	farine	250 ml
¼ c. à thé	sel	1 ml

1. Tapisser un moule à gâteau en métal de 13 po x 9 po (33 cm x 23 cm) de papier-parchemin, en laissant dépasser un excédent sur chacun des côtés longs. Réserver.

2. Dans un bol à l'épreuve de la chaleur placé sur une casserole d'eau chaude mais non bouillante, faire fondre le chocolat et le beurre en brassant de temps à autre jusqu'à ce que le mélange soit lisse. Retirer le bol de la casserole et laisser refroidir pendant 5 minutes.

3. Dans un grand bol, à l'aide d'un batteur électrique, battre les oeufs et le sucre jusqu'à ce que le mélange soit pâle et épais. Incorporer la vanille à l'aide d'une cuillère. Ajouter le chocolat fondu refroidi (ne pas mélanger), tamiser la farine et le sel sur le chocolat, puis les incorporer en soulevant délicatement la masse jusqu'à ce que la préparation soit homogène, sans plus. Étendre la pâte dans le moule réservé.

4. Cuire au centre du four préchauffé à 350°F (180°C) pendant environ 30 minutes ou jusqu'à ce qu'un cure-dents inséré au centre du gâteau en ressorte avec quelques miettes humides. Déposer le moule sur une grille et laisser refroidir pendant 10 minutes.

5. En s'aidant du papier-parchemin dépassant du moule, soulever le gâteau et le déposer sur une planche à découper. Retirer délicatement le papier-parchemin. À l'aide d'un emporte-pièce en forme de coeur de 1 ¾ po (4,5 cm) de diamètre, découper des coeurs dans le gâteau (passer l'emporte-pièce sous l'eau chaude et l'essuyer entre chacun). (Ou encore, à l'aide d'un couteau, couper le gâteau en barres, en essuyant le couteau entre chacune).

6. Déposer les coeurs sur une plaque à biscuits tapissée de papier-parchemin ou de papier ciré et couvrir d'une pellicule de plastique, sans serrer. Laisser refroidir complètement. (Vous pouvez préparer les brownies à l'avance et les mettre dans un contenant hermétique, en séparant chaque étage d'une feuille de papier ciré. Ils se conserveront jusqu'à 5 jours à la température ambiante.)

PAR COEUR : cal. : 99 ; prot. : 1 g ; m.g. : 6 g (4 g sat.) ; chol. : 25 mg ; gluc. : 12 g ; fibres : 1 g ; sodium : 53 mg.

ASTUCES

Le fait de passer la lame du couteau sous l'eau chaude et de l'essuyer après avoir coupé chaque barre ou carré permet d'obtenir des desserts aux bords bien nets. Ce truc s'avère tout aussi utile pour découper des biscuits à l'emporte-pièce.

Les miettes ou petits morceaux qui se détachent des brownies lorsqu'on les coupe peuvent servir de garniture (dans les parfaits, par exemple). Mettre tout simplement ces morceaux dans un contenant. Ils se conserveront jusqu'à 2 semaines au réfrigérateur ou jusqu'à 1 mois au congélateur.

Muffins aux bleuets, garniture streusel

Pour éviter de colorer la pâte si on utilise des bleuets surgelés, ne pas les décongeler au préalable.

DONNE 12 MUFFINS.

GARNITURE STREUSEL

⅓ t	cassonade tassée	80 ml
¼ t	amandes en bâtonnets	60 ml
¼ t	farine	60 ml
¼ c. à thé	muscade moulue	1 ml
2 c. à tab	beurre fondu	30 ml

MUFFINS AUX BLEUETS

2 t	farine	500 ml
1 t	cassonade tassée	250 ml
¾ c. à thé	bicarbonate de sodium	4 ml
½ c. à thé	sel	2 ml
1	oeuf	1
1 t	babeurre	250 ml
¼ t	beurre fondu	60 ml
1 c. à thé	vanille	5 ml
½ c. à thé	zeste de citron râpé	2 ml
1 t	bleuets frais ou surgelés	250 ml

PRÉPARATION DE LA GARNITURE

1. Dans un bol, mélanger la cassonade, les amandes, la farine et la muscade. Arroser du beurre fondu et mélanger à l'aide d'une fourchette jusqu'à ce que la préparation soit grumeleuse. Réserver.

PRÉPARATION DES MUFFINS

2. Dans un grand bol, mélanger la farine, la cassonade, le bicarbonate de sodium et le sel. Dans un autre bol, à l'aide d'un fouet, mélanger l'oeuf, le babeurre, le beurre fondu, la vanille et le zeste de citron. Verser le mélange d'oeuf sur les ingrédients secs et mélanger légèrement (deux ou trois coups seulement). Parsemer les bleuets sur la pâte et mélanger jusqu'à ce qu'elle soit bien humectée, sans plus. Répartir la pâte dans 12 moules à muffins tapissés de moules en papier ou beurrés. Parsemer de la garniture streusel réservée.

3. Cuire au centre du four préchauffé à 375°F (190°C) pendant environ 25 minutes ou jusqu'à ce que le dessus des muffins soit ferme au toucher. Déposer les moules sur une grille et laisser refroidir pendant 2 minutes. Démouler les muffins sur la grille et laisser refroidir complètement. (Vous pouvez préparer les muffins à l'avance et les mettre dans un contenant hermétique. Ils se conserveront jusqu'au lendemain à la température ambiante ou jusqu'à 2 semaines au congélateur, enveloppés séparément d'une pellicule de plastique.)

PAR MUFFIN : cal. : 264 ; prot. : 4 g ; m.g. : 8 g (4 g sat.) ; chol. : 35 mg ; gluc. : 45 g ; fibres : 1 g ; sodium : 265 mg.

Gâteau au chocolat et au café

Ce gâteau tendre et moelleux est délicieux nature, mais rien n'empêche de le saupoudrer de sucre glace, de le garnir de crème glacée ou de le coiffer de crème fouettée et de petits fruits. On peut remplacer le café fort liquide par 2 c. à tab (30 ml) de café instantané dissous dans 1 ⅓ t (330 ml) d'eau chaude.

12 PORTIONS

⅔ t	beurre ramolli	160 ml
1 ½ t	sucre	375 ml
2	oeufs	2
1 c. à thé	vanille	5 ml
1 ⅔ t	farine	410 ml
¾ t	poudre de cacao non sucrée	180 ml
1 c. à thé	bicarbonate de sodium	5 ml
1 c. à thé	poudre à pâte	5 ml
¼ c. à thé	sel	1 ml
1 ⅓ t	café fort liquide, refroidi	330 ml

1. Beurrer la paroi d'un moule en métal de 8 po (20 cm) de côté et tapisser le fond de papier-parchemin ou de papier ciré. Réserver. Dans un grand bol, à l'aide d'un batteur électrique, battre le beurre et le sucre jusqu'à ce que le mélange ait gonflé. Ajouter les oeufs, un à la fois, en battant après chaque addition, sans plus (ne pas trop battre). Ajouter la vanille et mélanger à l'aide d'une cuillère.

2. Dans un autre bol, tamiser la farine, la poudre de cacao, le bicarbonate de sodium, la poudre à pâte et le sel. Ajouter les ingrédients secs au mélange de beurre en deux fois, en alternant avec le café, et battre jusqu'à ce que la préparation soit presque lisse. Étendre uniformément la pâte dans le moule réservé.

3. Cuire au centre du four préchauffé à 350°F (180°C) de 45 à 50 minutes ou jusqu'à ce qu'un cure-dents inséré au centre du gâteau en ressorte propre. Déposer le moule sur une grille et laisser refroidir. (Vous pouvez préparer le gâteau à l'avance, le laisser refroidir et l'envelopper d'une pellicule de plastique. Il se conservera jusqu'à 3 jours à la température ambiante ou jusqu'à 2 semaines au congélateur, enveloppé de papier d'aluminium résistant.)

PAR PORTION : cal. : 275 ; prot. : 4 g ; m.g. : 12 g (7 g sat.) ; chol. : 63 mg ; gluc. : 41 g ; fibres : 2 g ; sodium : 283 mg.

GARDE-MANGER
LES ESSENTIELS DE LA PÂTISSERIE

- **Agents levants :** poudre à pâte et bicarbonate de sodium
- **Agents sucrants liquides :** miel et sirop de maïs
- **Chocolats :** chocolats mi-amer et non sucré, poudre de cacao non sucrée, brisures de chocolat
- **Épices :** cannelle et muscade
- **Farines :** tout usage, à gâteau et à pâtisserie, de blé entier
- **Fécule de maïs**
- **Flocons d'avoine :** gros flocons
- **Fruits séchés :** canneberges et bleuets séchés, raisins secs
- **Noix :** amandes en bâtonnets, pacanes, noisettes et noix de Grenoble
- **Sucres :** sucre granulé, cassonade et sucre glace
- **Vanille :** extrait de vanille pure, de préférence

Carrés étagés aux pommes

9 PORTIONS

CROÛTE GRAHAM

2 t	chapelure de gaufrettes graham	500 ml
½ t	beurre fondu	125 ml
3 c. à tab	cassonade tassée	45 ml

GÂTEAU AUX POMMES

½ t	beurre ramolli	125 ml
1 t	cassonade tassée	250 ml
1	oeuf	1
1 c. à thé	vanille	5 ml
1 ½ t	farine	375 ml
1 c. à thé	cannelle moulue	5 ml
1 c. à thé	poudre à pâte	5 ml
½ c. à thé	sel	2 ml
½ t	lait	125 ml
2 t	pommes pelées et coupées en dés	500 ml

PRÉPARATION DE LA CROÛTE

1. Dans un bol, mélanger la chapelure, le beurre et la cassonade. Réserver 1 t (250 ml) du mélange de chapelure pour la garniture. Presser le reste du mélange dans le fond d'un moule de 9 po (23 cm) de côté, huilé. Cuire au centre du four préchauffé à 350°F (180°C) pendant environ 10 minutes ou jusqu'à ce que la croûte soit ferme.

PRÉPARATION DU GÂTEAU

2. Entre-temps, dans un grand bol, à l'aide d'un batteur électrique, battre le beurre et la cassonade jusqu'à ce que le mélange ait gonflé. Incorporer l'oeuf et la vanille en battant. Dans un autre bol, mélanger la farine, la cannelle, la poudre à pâte et le sel. Incorporer les ingrédients secs au mélange de beurre en deux fois, en alternant avec le lait. Incorporer les pommes en soulevant délicatement la masse. Étendre uniformément la pâte sur la croûte et parsemer du mélange de chapelure réservé.

3. Cuire au centre du four préchauffé à 350°F (180°C) pendant environ 1 heure ou jusqu'à ce qu'un cure-dents inséré au centre du gâteau en ressorte propre. Laisser refroidir sur une grille, puis couper en carrés. (Vous pouvez préparer les carrés à l'avance et les couvrir. Ils se conserveront jusqu'au lendemain à la température ambiante ou jusqu'à 2 jours au réfrigérateur.)

PAR PORTION : cal. : 500 ; prot. : 5 g ; m.g. : 24 g (14 g sat.) ; chol. : 86 mg ; gluc. : 68 g ; fibres : 2 g ; sodium : 473 mg.

Barres de céréales aux fruits

On peut faire notre propre mélange de petits fruits séchés en utilisant une quantité égale de raisins secs, de canneberges et de bleuets séchés (dans les magasins d'aliments naturels, certaines fruiteries et certains supermarchés).

DONNE 18 BARRES.

⅔ t	cassonade tassée	160 ml
⅓ t	beurre	80 ml
⅓ t	sirop de maïs	80 ml
¼ t	miel liquide	60 ml
¼ c. à thé	sel	1 ml
½ c. à thé	vanille	2 ml
2 ½ t	céréales d'avoine grillée (de type Cheerios)	625 ml
1 t	céréales de flocons de maïs (de type Corn Flakes)	250 ml
1 t	céréales de riz grillé (de type Rice Krispies)	250 ml
2 t	mélange de petits fruits séchés ou mélange du randonneur	500 ml
½ t	flocons de noix de coco	125 ml

1. Dans une grande casserole, mélanger la cassonade, le beurre, le sirop de maïs, le miel et le sel et porter à ébullition à feu moyen-vif en brassant souvent. Laisser bouillir, en brassant sans arrêt, pendant environ 2 minutes ou jusqu'à ce que la préparation soit mousseuse. Retirer la casserole du feu. Ajouter la vanille et mélanger. Laisser reposer pendant 1 minute. Ajouter les céréales, les petits fruits séchés et les flocons de noix de coco et mélanger pour bien enrober tous les ingrédients.

2. Étendre uniformément la préparation de céréales dans un moule en métal de 13 po x 9 po (33 cm x 23 cm) beurré, en la pressant fermement. Laisser refroidir complètement. Couper en barres. (Vous pouvez préparer les barres à l'avance et les mettre dans un contenant hermétique, en séparant chaque étage d'une feuille de papier ciré. Elles se conserveront jusqu'à 3 jours à la température ambiante ou jusqu'à 2 semaines au congélateur.)

PAR BARRE: cal.: 174; prot.: 1 g; m.g.: 5 g (3 g sat.); chol.: 11 mg; gluc.: 34 g; fibres: 2 g; sodium: 144 mg.

Petits gâteaux au citron et au babeurre

Plus pauvre en gluten que la farine tout usage, la farine à gâteau et à pâtisserie donne du moelleux à ces petites douceurs.

DONNE 18 GÂTEAUX.

PETITS GÂTEAUX

½ t	beurre	125 ml
1 ¼ t	sucre	310 ml
2	oeufs	2
1 ½ c. à thé	zeste de citron râpé finement	7 ml
2 t	farine à gâteau et à pâtisserie tamisée	500 ml
1 ½ c. à thé	poudre à pâte	7 ml
½ c. à thé	bicarbonate de sodium	2 ml
¼ c. à thé	sel	1 ml
1 ¼ t	babeurre	310 ml

GLACE FONDANTE AU CITRON

1 ½ t	sucre glace	375 ml
½ c. à thé	zeste de citron râpé finement	2 ml
¼ t	jus de citron (environ)	60 ml

PRÉPARATION DES PETITS GÂTEAUX

1. Dans un grand bol, à l'aide d'un batteur électrique, battre le beurre et le sucre jusqu'à ce que le mélange soit léger et gonflé. Ajouter les oeufs, un à la fois, en battant bien après chaque addition. Ajouter le zeste de citron et mélanger à l'aide d'une cuillère.

2. Dans un autre bol, mélanger la farine, la poudre à pâte, le bicarbonate de sodium et le sel. À l'aide d'une cuillère, incorporer les ingrédients secs au mélange de beurre en trois fois, en alternant avec le babeurre. Répartir la pâte dans des moules à muffins tapissés de moules en papier ou beurrés.

3. Cuire au centre du four préchauffé à 350°F (180°C) de 16 à 20 minutes ou jusqu'à ce qu'un cure-dents inséré au centre des petits gâteaux en ressorte propre. Déposer les moules sur une grille et laisser refroidir complètement. (Vous pouvez préparer les petits gâteaux à l'avance, les laisser refroidir et les mettre côte à côte, en un seul étage, dans un contenant hermétique. Ils se conserveront jusqu'à 2 jours à la température ambiante ou jusqu'à 2 semaines au congélateur.)

PRÉPARATION DE LA GLACE

4. Dans un petit bol, à l'aide d'un fouet, mélanger le sucre glace, le zeste de citron et suffisamment du jus de citron pour obtenir une glace lisse et légèrement coulante. À l'aide d'une cuillère, étendre la glace sur le dessus des petits gâteaux.

PAR GÂTEAU : cal. : 198 ; prot. : 2 g ; m.g. : 6 g (4 g sat.) ; chol. : 35 mg ; gluc. : 35 g ; fibres : traces ; sodium : 153 mg.

TAMISAGE

- Il n'est pas nécessaire de tamiser la farine tout usage.

- Il est recommandé de tamiser la farine à gâteau et à pâtisserie avant de la mesurer.

- Pour éviter les grumeaux, il vaut mieux tamiser la poudre de cacao et le sucre glace après les avoir mesurés.

Croustillant aux prunes et aux noisettes

Chaud ou froid, ce croustillant est encore meilleur servi avec du yogourt glacé ou de la crème glacée. Pour varier, on peut le préparer en remplaçant la moitié des prunes par des nectarines.

6 À 8 PORTIONS

GARNITURE CROUSTILLANTE AUX NOISETTES

¾ t	noisettes	180 ml
¾ t	farine	180 ml
½ t	cassonade tassée	125 ml
½ t	beurre froid, coupé en dés	125 ml

GARNITURE AUX PRUNES

6 t	prunes coupées en tranches (environ 2 ¼ lb/1,125 kg de prunes entières)	1,5 L
⅓ t	cassonade tassée	80 ml
2 c. à tab	farine	30 ml
¼ c. à thé	cannelle moulue	1 ml
1 c. à tab	sucre glace	15 ml

PRÉPARATION DE LA GARNITURE AUX NOISETTES

1. Étaler les noisettes sur une plaque de cuisson et cuire au four préchauffé à 350°F (180°C) pendant environ 10 minutes ou jusqu'à ce qu'elles soient dorées et dégagent leur arôme. Étendre les noisettes sur un linge. Replier le linge sur les noisettes et frotter vigoureusement pour enlever la peau. Laisser refroidir.

2. Au robot culinaire, hacher finement les noisettes. Ajouter la farine, la cassonade et le beurre et mélanger, en actionnant et en arrêtant successivement l'appareil, jusqu'à ce que la préparation ait la texture d'une chapelure fine avec quelques gros morceaux. (Ou encore, à l'aide d'un couteau, hacher finement les noisettes et les mettre dans un bol. Ajouter la farine, la cassonade et le beurre et, à l'aide d'un coupe-pâte ou de deux couteaux, travailler la préparation jusqu'à ce qu'elle ait la texture d'une chapelure fine avec quelques gros morceaux.) Réserver.

PRÉPARATION DE LA GARNITURE AUX PRUNES

3. Dans un grand bol, mélanger les prunes, la cassonade, la farine et une pincée de la cannelle. Étendre la garniture aux prunes dans un plat en verre allant au four de 8 po (20 cm) de côté, beurré. Parsemer de la garniture aux noisettes réservée. Cuire au centre du four préchauffé à 350°F (180°C) pendant environ 40 minutes ou jusqu'à ce que la garniture aux prunes soit bouillonnante et que le dessus soit croustillant. Servir chaud ou laisser refroidir sur une grille.

4. Dans un petit bol, mélanger le sucre glace et le reste de la cannelle. Parsemer le dessus du croustillant du mélange de sucre glace.

PAR PORTION : cal. : 394 ; prot. : 4 g ; m.g. : 21 g (8 g sat.) ; chol. : 36 mg ; gluc. : 52 g ; fibres : 4 g ; sodium : 126 mg.

Feuilleté aux pommes et à la rhubarbe

Une recette parfaite si on a des réserves de rhubarbe au congélateur. Sinon, on peut simplement la remplacer par une pomme supplémentaire et ½ t (125 ml) de canneberges séchées.

6 PORTIONS

2	pommes pelées et coupées en tranches fines	2
1 t	rhubarbe hachée	250 ml
¼ t + 2 c. à thé	sucre	70 ml
2 c. à tab	farine	30 ml
1 c. à thé	jus de citron	5 ml
¼ c. à thé	cannelle moulue	1 ml
1	abaisse de pâte feuilletée surgelée, décongelée (½ paquet de 411 g)	1
1	jaune d'oeuf	1
1 c. à thé	eau	5 ml

1. Dans un grand bol, mélanger les pommes, la rhubarbe, ¼ t (60 ml) du sucre, la farine, le jus de citron et la cannelle.

2. Dérouler la pâte feuilletée sur une surface de travail farinée et l'abaisser en un rectangle de 9 po x 12 po (23 cm x 30 cm). Déposer l'abaisse sur une plaque de cuisson tapissée de papier-parchemin. Étendre le mélange de pommes sur la moitié de la pâte feuilletée dans le sens de la longueur, en laissant une bordure intacte de ½ po (1 cm) sur le pourtour. Dans un bol, mélanger le jaune d'oeuf et l'eau, puis en badigeonner légèrement la bordure de pâte. En soulevant le papier-parchemin, replier la pâte sur la garniture. À l'aide d'une fourchette, presser les côtés pour les sceller. Badigeonner le dessus du feuilleté du reste du mélange d'oeuf. Pratiquer quatre entailles de 2 po (5 cm) sur le dessus du feuilleté pour permettre à la vapeur de s'échapper. Parsemer du reste du sucre.

3. Cuire au centre du four préchauffé à 375°F (190°C) pendant environ 40 minutes ou jusqu'à ce que le feuilleté soit doré et que les pommes soient tendres. (Vous pouvez préparer le feuilleté à l'avance et le couvrir. Il se conservera jusqu'au lendemain à la température ambiante.) Au moment de servir, couper en six pointes.

PAR PORTION : cal.: 439; prot.: 6 g; m.g.: 23 g (4 g sat.); chol.: 51 mg; gluc.: 54 g; fibres: 3 g; sodium: 144 mg.

INDEX

SANDWICHS

SAUCES ET TREMPETTES

SAUCISSES

SOUPES

VOLAILLES

CRÉDITS

PHOTOGRAPHIE

— **Michael Alberstat:** pages 26, 56, 111, 234

— **Susan Ashukian:** page 229

— **Hasnain Dattu:** pages 13, 81

— **Yvonne Duivenvoorden:** 11, 14, 17, 20, 23, 25, 31, 34, 39, 40, 43, 45, 62, 67, 68, 74, 77, 88, 93, 94, 95, 101, 109, 114, 135, 141, 143, 147, 148, 154, 157, 161, 163, 166, 171, 175, 176, 181, 191, 192, 199, 206, 211, 212, 215, 219, 237, 238

— **Kevin Hewitt:** page 104

— **Edward Pond:** pages 130, 183, 231

— **David Scott:** page 129

STYLISME CULINAIRE

— **Julie Aldis:** pages 191, 199

— **Donna Bartolini:** pages 13, 20, 34, 40, 56, 62, 101, 111, 141, 154, 163, 166, 181, 231 et 234

— **Carol Dudar:** pages 25, 26, 45

— **Lucie Richard:** pages 31, 43, 68, 77, 135, 161, 171, 176, 211, 212 et 238

— **Claire Stancer:** pages 11, 17, 23, 39, 67, 74, 81, 88, 94, 109, 147, 206 et 215

— **Claire Stubbs:** pages 14, 93, 104, 114, 143, 148, 157, 175, 192, 219 et 237

— **Rosemarie Superville:** page 183

— **Olga Truchan:** page 129

ACCESSOIRES

— **Maggi Jones:** page 183

— **OK Props:** page 191

— **Oksana Slavutych:** pages 11, 13, 14, 17, 20, 23, 25, 26, 31, 34, 39, 40, 43, 45, 56, 62, 67, 68, 74, 77, 81, 88, 93, 94, 101, 104, 109, 111, 114, 135, 143, 147, 148, 141, 154, 157, 161, 163, 166, 171, 175, 176, 181, 192, 199, 206, 211, 212, 215, 219, 231, 234, 237, 238

— **Mollie Wilkins / Judy Inc.:** page 229

Les Éditions Transcontinental
1100, boul. René-Lévesque Ouest, 24e étage
Montréal (Québec) H3B 4X9
Téléphone : 514 392-9000 ou 1 800 361-5479
www.livres.transcontinental.ca

Catalogage avant publication de Bibliothèque et Archives nationales du Québec et Bibliothèque et Archives Canada
Vedette principale au titre :
Au menu ce soir: 240 recettes vite faites pour soupers pressés
(Coup de pouce)
Comprend un index.

ISBN 978-2-89472-358-6

1. Cuisine rapide. 2. Dîners. I. Collection: Collection Coup de pouce.

TX833.5.A9 2008   641.5'55   C2008-941557-4

Rédactrice en chef de la bannière *Coup de pouce* : Mélanie Thivierge
Responsable cuisine : Louise Faucher
Rédactrices-recherchistes cuisine : Isabel Tardif, Marie-Annick Lalande
Direction de la production : Marie-Suzanne Menier
Traduction et correction : Pierrette Dugal-Cochrane
Révision : Isabelle Jomphe
Mise en pages : Diane Marquette
Conception graphique des pages intérieures : orangetango
Conception graphique de la couverture : Studio Andrée Robillard
Photo de Mélanie Thivierge en page 4 : Manon Boyer
Photo de la couverture avant :
photographie, Yvonne Duivenvoorden; stylisme, Lucie Richard; accessoires, Oksana Slavutych
Photos de la couverture arrière, de haut en bas :
photographie : Michael Alberstat (1), Edward Pond (2), Yvonne Duivenvoorden; stylisme, Donna Bartolini (1, 2, 3), Claire Stubbs; accessoires, Oksana Slavutych
Impression: Transcontinental Interglobe

Nous reconnaissons, pour nos activités d'édition, l'aide financière du gouvernement du Canada par l'entremise du Programme d'aide au développement de l'industrie de l'édition (PADIÉ). Nous remercions également la SODEC de son appui financier (programmes Aide à l'édition et Aide à la promotion).

Pour connaître nos autres titres, consultez le www.livres.transcontinental.ca.
Pour bénéficier de nos tarifs spéciaux s'appliquant aux bibliothèques d'entreprise ou aux achats en gros, informez-vous au 1 866 800-2500.

LA MAIN À LA PÂTE

Des projets sur ma table de travail, il y en a des tonnes ! Certains me tiennent particulièrement à cœur, comme celui de publier ce livre qui, comme le magazine *Coup de pouce,* a le mandat de vous faciliter la vie chaque jour.

En cours de route, j'ai pu compter sur de merveilleux complices pour réaliser un ouvrage complet, fiable et pertinent.

Au premier rang, **Louise Faucher**, dont les connaissances culinaires et l'expérience n'ont de cesse de m'épater. Rigoureuse et créative, Louise mène de main de maître le secteur cuisine de *Coup de pouce* depuis de nombreuses années. Et chaque fois que la perspective de publier un livre se dessine, je sais qu'elle prendra le siège du copilote avec plaisir. Cette année, elle-même a pu compter sur l'énergie et la passion d'**Isabel Tardif** et de **Marie-Annick Lalande** pour partager sa tâche, de la sélection des recettes à l'approbation finale des épreuves.

À cet équipage talentueux se sont jointes **Pierrette Dugal-Cochrane**, traductrice et correctrice, et **Isabelle Jomphe**, réviseure. Professionnelles de la langue, soucieuses du moindre détail, elles se sont assurées que ces recettes seraient d'une limpidité exemplaire.

Pour le plaisir des yeux , **Diane Marquette**, habile infographiste, a relevé avec brio sa mission de donner du lustre à la mise en pages.

Un immense merci à **tous les membres de mon équipe de *Coup de pouce*.** Vous vous en doutez, chaque fois qu'un livre en chantier occupe mon temps, il m'en reste moins pour le magazine. **Sylvie Durand, Michael Thornton, Claudine St-Germain** et chacun des membres de l'équipe veillent au grain, faisant preuve d'un talent inégalé, d'une disponibilité de tous les instants et d'un engagement profond. Je suis choyée de les avoir autour de moi.

Aux Éditions Transcontinental, **Jean Paré** et **Marie-Suzanne Menier** ont suivi de près chacune des étapes qui ont mené de la première étincelle à la sortie en librairie, accueillant mes idées de grandeur et mes innombrables demandes avec le sourire. Merci à vous deux ; nos échanges ont toujours été teintés de plaisir.

Pour finir, toute ma gratitude à mon éditrice, **Francine Tremblay,** pour la confiance qu'elle m'a accordée tout au long de cette belle aventure.

Sans tous ces gens dévoués et passionnés et tous ceux qui les ont appuyés en coulisse, ce livre utile et inspirant ne se serait jamais rendu dans votre cuisine.

Mélanie